IL RESTE LA POUSSIÈRE

SANDRINE COLLETTE

Il reste la poussière

ROMAN

DENOËL

© Éditions Denoël, 2016.
ISBN : 978-2-253-08605-5 – 1re publication LGF

À Jean-Michel,

*joyeux poète du bicuit, des petits rosés et de la balayette,
arpenteur infatigable des chemins sinueux du Morvan
et de Schopenhauer, et surtout, faiseur de ciel bleu.*

Prologue

Patagonie argentine. La steppe

Parce qu'il était le plus jeune, ses frères avaient pris l'habitude de le poursuivre à cheval autour de la maison, quand la mère ne les voyait pas. Dès que les jumeaux avaient eu assez de force pour l'attraper par le col et le soulever au galop de leurs *criollos*, c'était devenu leur passe-temps favori. Ils comptaient les points, à celui qui le traînerait jusqu'au coin de la grange, qui dépasserait les vieux bâtiments en bois gris – puis l'arbre mort, puis le bosquet de genêts – avant de le lâcher dans la poussière.

Chaque fois, le petit les voyait venir. Il entendait leurs exclamations, bien fort exprès pour l'affoler, le bruit des chevaux qui s'élancent ; les fers caillassant le sol et se rapprochant à lui faire trembler le ventre, comme si la terre trépidait sous ses pieds, et sûr cela les amusait, eux les frères perchés en haut de leurs selles, avec leurs rires aigus qui couvraient le fracas des sabots.

Il se figeait, un bras en l'air, ce bras qui tenait le bâton avec lequel il jouait à faire des vagues dans l'abreuvoir, et tant pis si l'eau était sale. Il s'immobilisait comme le font les mulots dans la steppe, lorsque le bruissement d'ailes des busards au-dessus d'eux les alerte trop tard, lui aussi l'œil effaré et priant pour que ses oreilles, son cerveau, son instinct le trompent ; mais toujours ils étaient sur lui en quelques foulées, rapaces piquant vers leur proie, penchés sur leurs chevaux fous. Planté au milieu de la cour arrière, le petit n'avait pas le temps de regagner la cuisine où la mère touillait, écrasait, dépeçait : quand cela avait commencé, il savait à peine courir. Une ou deux fois, il avait essayé de l'appeler, devinant la silhouette sévère derrière les carreaux, qui hachait la viande ou coupait les légumes comme si elle avait dû les abattre, appliquée et rageuse, mais elle ne l'entendait pas, ne le voyait pas, même le jour où il avait réussi à taper à la vitre avant d'être enlevé par Mauro – ou peut-être s'en désintéressait-elle si fort qu'il préférait ne pas y penser. La seule chose qu'elle faisait, à vrai dire, c'était lui mettre une rouste après, en criant qu'elle en avait assez qu'il mouille sa culotte. Et les frères se moquaient en le regardant, et ils braillaient : *Le pisseur ! Le pisseur !* tandis qu'elle l'obligeait à courir cul nu derrière elle pour aller se changer, jetant son pantalon souillé dans la panière à linge d'un geste excédé.

Déjà dans sa tête, il était inscrit qu'il n'échapperait jamais à ces traques terrifiantes ; mais il essayait malgré tout, jusqu'au dernier instant, même en vain, même à sentir les doigts des frères écorcher sa peau au moment d'agripper le col de sa chemise. Il se dandinait sur ses jambes trop courtes, désespéré de faire du surplace quand il aurait fallu sauter et bondir, et il poussait des piaillements effrayés qui faisaient pleurer de rire Mauro et Joaquin. Au début, les jumeaux, de six ans ses aînés, s'y mettaient à deux pour le harponner depuis leurs chevaux, l'empoignant chacun à une épaule. Ce n'est qu'après avoir passé les dix ans qu'ils eurent la robustesse nécessaire pour le chasser seuls ; et déjà Steban, né deux ans après eux, s'y était mis lui aussi, impatient de prendre son tour dans le jeu.

À moitié étranglé et les pieds pédalant dans le vide, Rafael voyait le paysage se dérouler à une vitesse prodigieuse, secoué tel un vieux sac, les oreilles assourdies par la course effrénée des criollos. Déjà vaincu, les yeux à demi fermés par la peur, il devinait l'herbe et les arbustes défilant sur le côté, le chemin de cailloux flouté sous ses jambes relevées pour ne pas les tordre ni les coincer sous le ventre des chevaux, et il suppliait à voix basse qu'on ne le lâche pas. Souvent un gravier lui fouettait la joue, et il rentrait avec un bleu. La mère l'engueulait : *Tu as encore été traîner n'importe où.*

Un jour il était tombé en s'enfuyant, et ses frères l'avaient manqué, parce qu'il était trop bas. Alors il avait recommencé chaque fois, s'étalant de tout son long aussitôt qu'ils s'élançaient derrière lui, se relevant par à-coups pour trottiner, de chute en chute, jusqu'à la maison. Les chevaux s'arrêtaient assis sur les croupes, faisaient volte-face, revenaient. Il tombait à nouveau. Parfois un sabot le heurtait, par maladresse, car les criollos l'évitaient autant que possible, rechignant à piétiner la petite forme allongée sous eux – et les frères furieux les ramenaient en les talonnant, crachant des injures, trouduc, fillette, pauvre merde, pour être un homme il faut être fort et se tenir droit.

Il avait quatre ans.

La saison suivante, les jumeaux étaient devenus plus agiles, et ils le fauchaient au sol comme on ramasse un ballon, arqués sur les sangles qui leur permettaient de se pencher jusqu'à lui.

Encore un an plus tard, ils se le disputaient pendant la course. Celui des trois qui l'avait attrapé devait dorénavant se protéger des attaques des autres, faisant louvoyer son cheval, lui arrachant la bouche et labourant le ventre à coups d'éperon pour le pousser plus vite. Et le petit s'il ne voulait pas tomber se tenait ferme lui-même, agrippé à une jambe ou pendu à une lanière, car ils avaient besoin de leurs deux bras pour se battre entre eux. Et tandis qu'il les entendait ahaner en se repoussant les uns et les autres, il ballottait contre l'épaule des chevaux, ses doigts glissant sur les crinières humides, rattrapé de justesse par celui des frères qui avait pris l'avantage. Alors la course reprenait, sur deux mètres ou sur vingt, et tout recommençait. Régulièrement, Steban finissait par déborder les jumeaux sans qu'ils s'y attendent et leur chipait le petit sur les derniers cent mètres, et ils avaient si peu l'habitude d'être surpris par le débile que cela les décontenançait chaque fois.

De mois en mois, les chutes se faisaient plus dures. Joaquin avait trouvé, de l'autre côté du ruisseau, un boqueteau épineux qu'il avait baptisé *la maison de Rafael* – il l'avait écrit en lettres maladroites sur un panneau de bois planté au bord, à un endroit où il était certain que la mère n'allait jamais, car forcément elle demanderait, leur ferait des histoires. Mais si loin, ils étaient tranquilles, et avec ses frères il traversait la rivière au galop en criant :

— Prêts à lâcher le rat dans son terrier ?

Lui le petit retenait sa respiration pour ne pas boire la tasse au milieu du gué, se roulait en boule quand ils le jetaient entre les branches serrées du buisson. Il rentrait le nez en sang, un œil à moitié fermé ou les joues déchirées par les épines dans lesquelles il était tombé. Parfois il marchait une heure avant de regagner la maison, car ses frères l'emmenaient de plus en plus loin. *T'as le temps*, beuglaient-ils, *tu travailles pas !* Alors il reniflait, sang et morve mêlés, s'appliquant à ne pas pleurer devant eux, et il les regardait tourner bride et repartir. Il suivait le chemin en sens inverse et remontait les pâtures, longeant les prés vert et orange qui brillaient sous le soleil en étalant leurs herbes sèches et leurs pierres fissurées. Une plaine immense – la steppe, disait la mère avec arrogance et une sorte de respect résigné –, au bout de laquelle les *mesetas* s'annonçaient, dessinaient des plateaux rocheux, des sentiers de caillasse brûlée par le vent. Sur ces prairies d'herbe rongée, des clôtures de barbelés parcellaient les milliers d'hectares où les troupeaux vaquaient inlassablement, cherchant de quoi manger et parcourant des kilomètres pour survivre. La lande à perte de vue, aride et plate, si sèche que les arbres l'avaient désertée, remplacés vaille que vaille par quelques bosquets chétifs dont personne ne savait comment ils pouvaient subsister avec aussi peu de terre.

Les forêts se tenaient loin à l'ouest derrière les plateaux, là où l'altitude reprend ses droits, invisibles depuis la plaine. Dans l'imaginaire du petit, c'étaient des lieux magiques, tapis d'herbes plus hautes qu'un cheval, vastes étendues d'arbres inconcevables où le regard ne portait pas, butant à chaque instant sur des troncs et des feuillages. Un jour il irait les découvrir, quand il serait grand. Qu'il aurait son cheval. Alors il mouchait son nez et ses yeux dans sa manche, laissant une trace brune et mouillée sur le tissu sale. Essayait de cracher comme ses frères – mais la plupart du temps, la salive lui coulait sur le menton et il devait à nouveau s'essuyer avec sa chemise, rageant de n'être même pas capable de cela. Joaquin lui avait promis qu'il y arriverait quand viendrait son premier poil aux fesses ; chaque soir, il s'étudiait minutieusement, déçu de ne rien voir apparaître. Souvent en remontant le chemin, il joignait les mains devant sa salopette en espérant que quelqu'un ou quelque chose entende ses prières et fasse de lui un gars solide et velu, passant les deux tiers de sa vie sur un cheval et crachant à qui mieux mieux. Son regard planait comme celui d'un oiseau, survolait la plaine, embrassait le monde. Et le monde revenait au point de départ, et il avait le visage des terres de la mère.

Huit ans plus tard

La mère

La mère chaque matin contemple cette steppe indigente quand elle ouvre les volets, arrêtant son geste le temps de repérer les chiens assis derrière la porte, qui couinent en attendant la gamelle. Un domaine de rien, qui vaut moins que son nom écrit sur un panneau de bois ; mais il lui appartient à elle, elle seule, et l'orgueil de posséder ces vastes étendues la console à demi de la vision désolée des terres brûlées par le vent et la sécheresse. Dans son ventre, la mère sent enfler cette fierté fatiguée, car tout le monde ne peut pas en dire autant ici, être propriétaire, et elle oublie que le domaine lui est venu de son homme, tout saligaud qu'il était. Quand certains soirs elle se rappelle qu'elle est issue, elle, d'une famille de crève-la-faim, sans fortune et sans terres, et que tout la destinait à s'épuiser à la tâche pour les autres, elle grommelle et rumine, trouve mille défauts à la steppe qu'on lui a laissée, que c'était bien le moins, pour toute la misère qu'on lui a faite pendant des années. Il n'y a pas de place pour la reconnaissance dans la vie de la mère : ce qu'elle a, elle le mérite. Et sans doute qu'elle aurait mérité mieux, si seulement elle était tombée sur un autre, mais là encore elle a joué de malchance avec son homme qui était comme on sait, et ces terres trop maigres dont se nourrissent à grand-peine ses bêtes, bovins, moutons et chevaux mêlés. Chaque hiver, crevant de faim et épuisés par les vents froids, les plus faibles meurent. Jamais elle ne donne de fourrage cependant, pour préserver la résistance du bétail, dit-elle – et en réalité, parce que les récoltes ne le permettent pas.

La mère parfois ne sait plus où donner de la tête dans son estancia, entre le maïs qui lève là où la terre veut bien y mettre du sien, le foin qui ne pousse pas assez vite et les bêtes qui se vendent mal. À San León, on murmure depuis des années qu'il faut arrêter les bovins – pour ceux qui en ont encore. Ils ne font plus le poids. *Et puis quoi ?* braille la mère. *Depuis le temps qu'on courbe la tête.* Mais elle aussi a ça dans le sang, une sorte de défaite honteuse, avec sa famille de tâcherons et de servantes, et même du côté de son homme, le grand-père a dû céder la place lorsque les céréaliers et les gros éleveurs ont investi la pampa, repoussant les gens comme eux un peu plus loin dans le pays. Avec le chemin de fer, ils ont reculé encore. Pourtant les marchés ne se sont jamais si bien portés, l'Europe est enfin accessible. Depuis le débarquement du premier bateau frigorifique en 1876, la viande argentine s'exporte jusqu'en France – cent dix jours en bateau, et à l'arrivée, la chair rouge sous la couche de graisse comme si elle avait été abattue la veille, un miracle.

Mais bien sûr cela n'a profité qu'à ceux qui peuvent acheter d'immenses exploitations, s'organiser en firmes, monter des fermes industrielles et des réseaux de transport, oui les petits propriétaires vont disparaître. Les élevages de dizaines de milliers de têtes et les cultures interminables les ont déjà éradiqués de la pampa, et dans les plaines de Patagonie où ils se sont réfugiés, les bovins restent malingres, peinent à s'étoffer. Si on veut s'en sortir ici, il faut accepter son sort : seuls les moutons tiennent le coup. Ils s'y sont tous mis. Rien que des moutons, et ils ne se plaignent pas à vrai dire, car les années sont également à la laine, avec l'Angleterre qui rafle tout pour son industrie, par dizaines de milliers de tonnes. La mère crache au sol. Elle fait de la laine évidemment, bien obligée, et cela ne va pas si mal ; mais elle crèverait plutôt que de renoncer à ses angus et ses shorthorns, et même aux quelques charolaises acquises à prix d'or – dût-elle les manger toutes, si elle ne trouve pas d'acheteur. S'ils préfèrent la viande rose et grasse des élevages intensifs qui les feront s'étouffer avant la seconde génération. Et ces machines dont on parle pour remplacer les chevaux au travail, elle n'en a que faire : jamais elles ne passeront l'épreuve de la steppe. Entendent-ils ce qu'elle leur dit, nom de nom ? Jamais cela n'arrivera jusqu'ici.

Butée sur ses convictions farouches, elle compte les génisses pleines et prépare les terres avec ses fils, planifie, laboure, répare les clôtures comme si rien ne devait jamais changer. Elle ne voit pas pourquoi elle agirait autrement. Ne sait rien faire d'autre, elle qui est arrivée à seize ans dans la maison du beau-père. Pour elle, les choses sont immuables.

Et pourtant l'époque avance et change, et elle devrait s'en rendre compte, ne serait-ce qu'en voyant grandir ses fils. Parfois, interrompant sa tâche un instant, elle les regarde trimer. Mauro dépasse son jumeau d'une tête, porte des poutres, répare la grange, anormalement robuste bien qu'il ait eu dix-huit ans au printemps, à croire que toute la force s'est mise dans ce garçon-là. Joaquin et Steban maintiennent les planches, plantent les clous et rangent le fourrage, dégagent la remorque de la mouille où elle est prise. Le petit court autour, gesticulant et bavardant comme une pie, toujours. Pose les mains sur une fourche ou un marteau pour aider, appuie, enfonce, nettoie. Et si la mère a eu toutes les peines du monde à les asseoir suffisamment longtemps sur une chaise pour leur apprendre les rudiments de l'écriture, à présent ils savent lire et compter, histoire de ne pas se faire empêtrer quand ils iront à l'épice-rie ou au tabac. Quand bien même elle aura mis des années, la mère n'a jamais abandonné sur ce point, jouant des menaces et des gifles pour les réveiller des-sus leur livre ou leurs chiffres – et les regardant après chaque leçon s'égailler dans la steppe comme des oiseaux trop longtemps retenus en cage.

Oui, durant tout ce temps qu'il a fallu pour leur mettre quelque chose dans la tête, le monde en a pro-fité pour changer encore, le monde et ses gamins, et même le petit, Rafael, qui reste maigre mais a poussé en longueur comme de la mauvaise graine, avec ses cheveux châtains et sa peau claire. Il a dû prendre ça du côté du père, d'une génération éteinte, n'en déplaise aux mauvaises langues qui ont pu se demander, oh, se sont demandé c'est sûr, le jour du baptême quand elles ont aperçu le petiot. Mais la mère a sa conscience pour elle, elle sait bien, elle, qui lui a grimpé dessus plus souvent qu'à son tour. Et à regarder son dernier qui est si beau, elle ne peut s'empêcher d'avoir un mouvement de fierté, tout de même, c'est bien elle qui l'a fait, ce petit dont personne ne voulait, venu trop tard, tant pis, il a son sourire à elle la mère, quand elle souriait encore, cela la met mal à l'aise.

Bien sûr les premières années, quand il est rentré abîmé presque chaque jour, c'étaient les aînés qui se vengeaient. Voulaient rester à trois, comme du temps du père. Le quatrième frère, ils l'auraient laissé dévorer dans la plaine, s'ils n'avaient pas eu aussi peur d'elle la mère, son regard mauvais, ses claques féroces. Bien sûr qu'elle aurait pu le protéger davantage ; mais la consolation, ça n'est pas dans sa nature. On ne fait pas des garçons en les câlinant à chaque égratignure. Qu'ils se débrouillent : cela a été pareil pour elle, qui avait deux frères et, il y a très longtemps, une sœur, morte de la fièvre à cinq ans. Il faut de la trempe pour vivre ici, car l'existence est raide. Formée à la trique, elle a été, et ses gamins suivront la même route. Alors elle n'a jamais rien dit, même aujourd'hui que les coups ont remplacé les poursuites à cheval et que Rafael se tient souvent à l'écart, telle une bête indésirable dans un troupeau, avec ces dizaines de petites cicatrices sur les joues et sur les bras. Pour ne pas tomber sur les aînés qui bouchonnent leurs chevaux le soir aux écuries, il travaille plus longtemps dehors. Il les rejoint à table sans un bruit, glissant comme un chat. L'ombre d'un hématome court sur ses pommettes. Steban continue à manger sans lever les yeux, muet, loin d'eux, toujours. Les jumeaux ricanent dans leur assiette. Se taisent d'un coup quand la mère se tourne vers eux, l'air furieux, la main prête à distribuer les taloches. Elle les déteste quand ils sont comme ça.

*

Elle les déteste tout le temps, tous. Mais ça aussi, c'est la vie, elle n'a pas eu le choix. Maintenant qu'ils sont là. Parfois elle se dit qu'elle aurait dû les noyer à la naissance, comme on le réserve aux chatons dont on ne veut pas ; mais voilà, il faut le faire tout de suite. Après, c'est trop tard. Ce n'est pas qu'on s'attache : il n'est plus temps, c'est tout. Après, ils vous regardent. Ils ont les yeux ouverts. Et vraiment la mère y a pensé, mais elle a manqué le coche. Alors les jours où elle ne supporte plus les fils, elle se venge en se rappelant qu'elle aurait pu le faire. Elle les a eus à portée de main. Il n'y avait qu'à les lâcher dans l'eau. Et jamais ils ne se rendront compte de ce qu'ils lui doivent, jusqu'à la simple chance de vivre. En les entendant glousser à table, elle se remémore leur naissance à chacun, et les doutes, et les tentations. Se mord la langue pour ne rien dire – bien sûr cela la soulagerait tant, mais cette carte-là, il faut la garder pour un jour exceptionnel, un vrai jour de haine, noir et profond.

Alors elle jette son assiette au petit en regardant les jumeaux d'un air mauvais, et se contente de crier :

— Vous allez lui fiche la paix, oui !

Et eux, menteurs comme le père qui les a abandonnés depuis longtemps, hochent la tête en jurant leurs grands dieux.

20

*

Le lendemain de la disparition du père, Mauro et Joaquin avaient emmené les broutards dans les pâturages du Haut Monte ; Steban avait nourri les agneaux, changé la litière des lapins, un peu malade ce matin-là, et des poches sous les yeux comme s'il avait fait la noce toute la nuit, à quatre ans, et puis quoi.

— Qu'est-ce que t'as donc ? avait demandé la mère.

Il avait secoué la tête sans répondre, éparpillant l'herbe séchée dans les clapiers, cette herbe qu'il regardait les yeux dans le vide, et la mère avait fini par venir voir. Mais il n'y avait rien. Elle l'avait secoué à l'épaule.

— Eh bien ? C'est parce que le père l'est plus là ?

Ses yeux d'enfant dans les siens. Une interrogation, immense. Et puis autre chose, mais elle n'avait pas fait attention, ne voulait pas savoir, quelque chose qui ressemblait à du chagrin et cela, ce n'était pas son histoire à elle, et même lui Steban, qu'en connaissait-il vraiment, du père ? Était-il certain que son absence mérite de la peine ? Fallait-il qu'elle lui raconte ? Elle avait eu un geste agacé. Toujours le regard sur elle, et elle, suffisamment maligne pour comprendre qu'il ne la lâcherait pas tant qu'elle n'expliquerait pas, mais ça n'avait jamais été son fort, les mots, ni elle ni les fils, et Steban avait dû se contenter du peu qu'elle lui avait donné en tendant le bras vers la route.

— Tu vois le chemin ? Il est parti là-bas. Au bout, tout au bout. On ne le voit plus. Il ne reviendra pas.

Le gamin avait regardé. Et puis il s'était tourné vers l'écurie en montrant les criollos, et la mère avait senti son cœur s'emballer. Elle s'était raisonnée aussitôt. Avait coupé court. Avec ses yeux noirs écrasant Steban sous eux, des yeux comme une certitude, comme une menace.

— Il est parti tout seul. Il n'a pas pris de cheval.

Les aînés avaient eu la même explication. Pour la mère, le chapitre du père était clos. Elle avait brûlé les vêtements qui ne serviraient plus, quelques affaires oubliées, enterré sa gamelle et sa timbale derrière la maison, en signe de répudiation. Effacé jusqu'à sa dernière trace, le faisant disparaître du monde, l'homme indigne, le fêtard, le lâche. Un évanouissement absolu dans leur vie.

Bien sûr les journées se firent plus longues, soudain harassantes quand vint la saison du foin puis de la laine. Mais à ce moment-là, le père s'était enfui depuis des mois, et dans la vallée ils étaient au courant. Quelques gars s'amenèrent pour donner la main contre un peu d'argent – fallait-il qu'ils en aient besoin, car ils n'étaient pas lourd payés. Mauro et Joaquin apprirent à tondre les brebis avec eux. À six ans, ils étaient devenus les hommes de la maison et jouaient leur rôle avec application. Autour d'eux, les bergers respectaient leurs efforts en silence. Aucun d'eux ne leur dit ce que tout le monde continuait à répéter à San León : que la mère ne durerait pas longtemps à elle seule, et que les terres seraient bientôt à vendre.

C'était sans compter la hargne qui tenait la vieille au fond du ventre. Avec ou sans homme, la vie était identique, d'une dureté habituelle – si normale qu'elle ne faisait plus mal. D'ailleurs jamais la mère ne se levait le matin en se plaignant de la férocité du monde, car elle l'avait toujours connu ainsi. Elle n'en attendait pas mieux. Le jour où le père était parti, elle avait pris acte, de la même façon qu'elle notait le raccourcissement de la course du soleil dans le ciel ou le fraîchissement des températures lorsque l'automne s'annonçait. Et en effet, elle n'avait pas couru à la ville raconter la misère qui lui venait ; elle n'avait personne à qui causer. Et cela aurait-il fait revenir le père ? Sûr qu'il aurait mieux valu que pas.

Un jour donc, elle avait été obligée de quitter son tablier, d'atteler Rufian et de faire un trajet à San León pour chercher des sacs de semences – le printemps approchait –, ses réserves d'eau-de-vie et régler les dettes qu'elle avait. Après ses courses, elle était entrée au bar et s'était lourdement assise sur une chaise, ignorant les regards ébahis sur elle, tapant la table de la main pour commander un fernet. C'est là que la rumeur avait débuté, et le jeune Trabor était sorti dire à son frère d'aller chercher fissa le banquier Gomez, qui s'occupait de tout le monde ici, parce qu'il se passait quelque chose.

Gomez qui s'était assis à la table avec elle. Avait claqué des doigts, et Alejo lui avait apporté un verre. Il avait trinqué.

— Qu'est-ce qui t'amène ici, petite sœur ?

Une heure plus tard, tout le patelin bruissait de la nouvelle. La mère abandonnée était repartie en tenant son ventre d'une main et des sacs de provisions de l'autre, qu'on avait absolument voulu lui donner. Elle avait aussi promis d'envoyer Mauro quand elle perdrait les eaux. Mais elle n'avait jamais prévenu qui que ce soit, et le petit était né au mois de décembre à deux heures du matin, par la grâce de Dieu disait le prêtre, parce que tout le monde s'en était tiré à bon compte. Ce qu'il n'avait pas ajouté, c'est qu'un triste coup du sort aurait sans doute été souhaitable, car la mère n'avait pas besoin de cette quatrième bouche à nourrir, et elle s'était plusieurs fois inquiétée de l'avenir avec l'arrivée du petit qui tombait on ne peut plus mal, à la saison des naissances – mais à ce moment-là, elle parlait de celles de ses moutons. Cependant le mal était fait, et la mère avait accouché seule, debout. Au lever du jour, les frères avaient découvert le nouveau-né dans le berceau. Ils n'avaient pas posé de question, ne s'étaient pas approchés. La mère, un peu pâle, leur avait servi de la viande séchée et des œufs, un bol de café, et avait distribué le travail pour la journée. Elle-même avait fait quelques aménagements dans la maison puis, après le déjeuner, était allée planter deux cents pieds de pommes de terre, le petit emmailloté sur son dos.

Le soir, Steban avait trouvé que le nouveau criait beaucoup, mais comme toujours, il n'avait rien dit.

— Le regarde pas, avait grondé la mère en le surprenant à observer le couffin. Tu vas lui porter malheur.

Et il avait tourné la tête.

*

Avec le départ du père, la mère avait fermé la maison à tout le monde. Il n'y avait jamais eu beaucoup de visite chez eux, et il y en eut encore moins. Ici et là l'un des oncles, surtout au début, pour montrer qu'ils prenaient soin de la famille. Plus souvent, un acheteur pour du bétail ou de la laine, un éleveur qui voulait négocier que ses bêtes paissent sur les terres de la mère – elle gagnait quelques sous de plus à louer ainsi ses maigres pâtures. Mais la plupart du temps, les journées se déroulaient sans que personne d'autre qu'elle ou ses fils ne franchisse le seuil de la porte. Même quand ils avaient exigé qu'elle mette ses garçons à l'école, elle n'avait pas bougé. Ils n'allaient pas venir les chercher le fusil à la main, de toute façon.

Ainsi, pour la première fois depuis des années, elle avait la paix. Que ce soit au prix d'un travail épuisant : elle l'acceptait.

Quand elle avait marié le père et était venue s'installer à l'estancia, elle savait que le vieux de son mari y vivait aussi. Ce qu'elle ignorait, c'est qu'il durerait aussi longtemps. À San León, tout le monde l'avait rassurée, le croulant n'en avait plus pour longtemps, avec ce qu'il ingurgitait d'alcool. Bourré du matin au soir – dès son arrivée, elle avait vu que c'était vrai. Mais pour les délais, c'était une tout autre histoire. Les jumeaux étaient nés trois ans plus tard, et le vieux picolait toujours de bon cœur. Puis Steban encore deux ans après, sur lequel il avait renversé un verre de whisky en trébuchant pour aller le contempler dans son linge de nouveau-né. Il buvait la moitié de leurs revenus. Parfois la mère en parlait au père, et ils se disputaient sec. Le lendemain, elle avait un bleu sur la pommette, un œil un peu fermé, et rien ne changeait. Pire : le père s'était mis à boire lui aussi. Avachi sur la table, il remplissait les verres, racontait des histoires incohérentes auxquelles le vieux applaudissait. Ils s'entraînaient l'un l'autre dans des récits qu'eux seuls comprenaient, avec leur langage d'ivrognes, et les fils les regardaient en coin, fascinés et vaguement réprobateurs, jusqu'à ce que la mère finisse par arracher la bouteille en criant que c'était assez. Il y avait de la bagarre certains soirs, car les hommes s'accrochaient à leurs verres, crachant des insultes que les gamins ne comprenaient pas.

— Allez vous coucher ! beuglait la mère – et ils filaient droit dans leurs chambres, écoutant longtemps les cris et les injures au bout du couloir, les bruits de corps qui se heurtent, et se frappent.

Aussi, quand le vieux était enfin mort, la nuit où les jumeaux avaient fêté leurs cinq ans, la mère en avait ressenti un soulagement jusque dans le fond des entrailles. Une sorte de joie mauvaise, irradiante, qui lui aurait fait esquisser un pas de danse si la crainte d'être vue par le père ne l'avait empêchée. Elle avait trouvé la vieille crevure raide le matin devant le poêle à bois, une blessure à la tempe. Une vilaine chute, qu'il n'aurait pas faite s'il avait été moins imbibé, avait-elle dit au père qui pleurait toutes les larmes de son corps. Le soir même, elle avait rouvert son lit à son mari, pour le consoler.

Mais le mal était là et son homme, resté seul, avait continué à boire la part des deux. Il posait un verre en face de lui, servait comme si le vieux avait encore le cul vissé sur la chaise. Et de fait, il semblait à la mère que l'autre devait ricaner depuis les enfers où il se trouvait sans aucun doute, ce bougre de salaud qui avait failli les ruiner et qui continuait sa vilaine besogne. Lorsqu'elle essuyait la table le soir, ajoutant du vinaigre pour enlever l'odeur d'alcool incrustée dans le bois, elle ruminait, rongeait son frein. Huit ans, elle avait attendu que le vieux calanche ; mais s'il fallait supporter un mari ivrogne toute la vie qui restait, elle n'y arriverait pas. Il travaillait de moins en moins, cherchait les bouteilles qu'elle cachait avec l'obstination d'un chien de sang sur la piste d'un gibier blessé. Mauro et Joaquin le trouvaient parfois au bord d'un pré, vomissant la bile et la goutte. Il avait piqué un cheval en le ferrant, le rendant invalide pour deux semaines. Il engueulait la mère chaque jour. Et cela ne s'arrangeait pas.

Cependant ce soir-là, quand la mère avait porté le premier coup, malgré la rancune qu'elle avait accumulée et le bon cœur qu'elle y avait mis, elle ne pensait pas que le père en mourrait.

Elle l'avait trouvé dans la grange, effondré sur le foin, une lampe à huile posée à ses pieds. Dans sa main droite, la bouteille d'eau-de-vie était presque vide. Elle avait hurlé, à cause de l'alcool et à cause de la flamme, lui avait fait peur à gesticuler de cette façon, comme il le lui dirait ensuite : c'est pour cela qu'il avait renversé la mèche sous lui. En quelques secondes, le feu avait pris dans le fourrage, une vision terrifiante, la fumée qui court le long des gerbes et le souffle chaud, déjà, sur eux. La mère s'était ruée sur une vieille couverture, la jetant sur le foin embrasé pour l'étouffer, rattrapant dix fois les flammes qui s'échappaient de gauche et de droite, se brûlant la peau des poignets et des bras. Quand elle s'était laissée tomber à côté du père, choquée mais le bâtiment sauvé, il avait grogné d'une voix pâteuse qu'au moment où elle avait fait irruption dans la grange, il avait cru voir arriver une diablesse. Et il avait ajouté :

— Tu me foutras donc jamais la paix.

C'est là qu'elle avait commencé à cogner.

Peut-être que cela couvait depuis des années, cette rage qui sortait toute seule, sans qu'elle y pense, cette furie qui la prenait soudain, à se demander si elle n'attendait pas que ça, et les couinements du père là-dessous, qu'il n'avait rien à dire celui-là, qu'à se taire, et elle frappait encore et encore. Et peut-être était-ce à la fin le coup qu'elle lui avait mis dans la gorge avec la pointe de sa botte, la fureur de voir sa vie détruite, ses moutons et ses bœufs vendus en bouteilles de gnôle depuis des années : elle ne s'était arrêtée que quand il n'avait plus bougé.

Et il n'avait plus jamais bougé.

*

Au milieu de la nuit elle avait harnaché Rufian et hissé le corps du père en travers de la selle – il pesait lourd, elle avait dû s'y reprendre à quatre fois avant de le caler là-haut et de pouvoir l'encorder solidement. Elle l'avait emmené dans le marais, le seul du coin, au pied de la petite chaîne montagneuse, là où dansent les feux follets, là où personne ne s'aventure. La mère savait que ce n'étaient que foutaises, et qu'elle ne pouvait pas trouver meilleur endroit pour se débarrasser du corps. Car cela n'avait pas trotté longtemps dans sa tête : elle ne voulait pas aller en prison ni perdre l'estancia, ni même les fils qu'il lui faudrait dorénavant nourrir seule, y compris celui à venir, qui lui avait coupé les sangs deux mois plus tôt. Une femme libre, voilà ce qu'elle était – elle n'avait jamais été aussi libre, et l'idée de se faire encelluler à ce moment précis où s'ouvrait l'horizon lui semblait d'une injustice inacceptable. Elle avait passé la première partie de la nuit à échafauder son plan. Elle dirait que le père était parti sur un coup de tête – et ces mots-là, en un sens, sonnaient terriblement juste. Qu'il les avait abandonnés, elle et ses fils, et tout le monde acquiescerait en lui tapant l'épaule pour l'encourager, parce que nul n'en douterait. Cela faisait si longtemps qu'il filait un vilain coton, le père. Certains voisins essaieraient de la consoler en affirmant qu'il reviendrait, qu'il n'était pas si mauvais garçon ; elle éclaterait en sanglots, certaine qu'elle ne le reverrait jamais, et à San León, on chuchoterait que le père était un beau saligaud d'avoir planté une femme qui avait tant besoin de lui.

Oui, voilà comment tout se déroulerait, sans soupçons et sans anicroche. Rassérénée, la mère avait emmené Rufian au milieu des marécages, essayant de ne pas penser à ce qui s'accrochait à ses jambes, et pourtant elle les levait haut. De nuit, les marais avaient quelque chose d'effrayant. Les bourbiers pouvaient cacher n'importe quel animal, n'importe quel piège ; la lumière de la lune confondait les territoires du ciel et de l'eau, tous deux gris et blafards, obscurcis par les branches des arbres trop maigres et trop serrés, et quand la mère s'était retournée une fois pour vérifier que le père était bien ficelé sur le cheval, le chemin avait disparu derrière elle. Elle trouverait à s'orienter :

elle était née ici. Mais cela lui avait fait une étrange impression, comme si le marais se refermait lentement sur elle, attendant qu'elle se décharge de son fardeau pour la happer et l'engloutir à son tour. Il suffisait d'un faux pas et elle s'enfoncerait sans pouvoir se libérer. Cependant le cheval avançait avec elle : elle avait une confiance infinie en son instinct. Elle s'était rapprochée de lui, et les jambes du père venaient balancer contre sa hanche à chaque pas.

Quand elle avait fait glisser le corps dans les sables boueux, elle lui avait étendu les bras et les jambes en croix pour qu'il repose le plus à plat possible, déjà à moitié dissimulé par les joncs. Elle avait appuyé un peu, du bout du pied, pour mieux l'enfoncer dans la vase avide. Et telle une sentinelle que rien ne ferait décamper, elle s'était plantée en arrière sur un morceau de terre solide, piétinant régulièrement pour s'assurer qu'elle n'était pas prise, faisant bouger le cheval avec elle. Elle voulait être sûre. Se répétait à voix basse les phrases qu'elle dirait les jours suivants : *Il est parti, il nous a laissés comme ça les gamins et moi, tout seuls, oui il est parti, je ne sais pas, il n'a rien dit. Non je ne crois pas qu'on le reverra.*

Au bout d'une heure, dans les remugles du marécage, le corps du père s'était entièrement enterré sous les herbes drues, et la mère sut que jamais on ne le retrouverait, parce que les insectes et les saloperies qui se cachaient dans l'eau en auraient raison avant longtemps.

Rafael

Le petit déboule comme un fou à l'angle du chemin, allongé sur l'encolure de son alezan pour l'encourager à galoper plus vite. Il tient ses rênes d'une main. De l'autre, un chapeau. Derrière lui, ses trois frères claquent les lanières de cuir sur le flanc de leurs chevaux en hurlant, mais il sait que rien n'y fera : aucun d'eux ne rattrapera Halley. Il réprime de justesse un cri de joie sauvage – l'année précédente il a gobé une mouche en riant trop fort, la bouche grande ouverte, et certains soirs il a encore au fond de la gorge la sensation écœurante des pattes de l'insecte lui chatouillant la langue. À demi retourné sur sa selle, il devine plus qu'il ne voit le visage déformé par la rage de Joaquin, entend les braillements de Mauro. Steban est juste derrière, à suivre les autres en silence, complice muet et passif des guerres qui se jouent entre les frères. Alors Rafael se redresse imperceptiblement, ralentissant l'alezan qui rechigne et secoue la tête pour protester, crachant des gouttes d'écume. Chuchote en lui posant une main sur l'épaule :

— Doucement, doucement…

Rafael rit de la tension des rênes, de la colère du cheval qui ne veut pas se calmer, jetant les antérieurs en avant, ramassé sur sa puissante arrière-main. Derrière lui, le martèlement des sabots se rapproche en quelques secondes. Comme chaque fois, une onde de peur parcourt le petit, aussitôt remplacée par l'excitation de la course. Il agite le chapeau à bout de bras en poussant une exclamation, et le rugissement de Joaquin lui parvient, *Espèce d'enfoiré !*, et le souffle de son criollo dans la foulée de Halley, lui mordant la croupe. Pendant une centaine de mètres, les deux chevaux filent côte à côte, les oreilles plaquées en arrière, les lèvres retroussées sur des dents que seul le mors empêche de venir claquer sur la joue l'un de l'autre. Rafael s'est penché sur la droite pour éviter les coups d'encolure furieux de son alezan, et il voit le blanc de son nez presque rose au coin de la bouche, l'acier de l'embouchure qui brille, les rênes mouillées par la sueur. Il l'agace de claquements de langue, *Allez, allez*, manque de se faire déséquilibrer par le cheval prêt à se jeter en l'air pour échapper à la main qui le freine, les yeux roulant dans leur orbite, enivré et exaspéré. Le petit se rattrape d'un coup de reins et rit, lâche un peu de rênes, grisé par la façon dont Halley se propulse alors, et les muscles tendus entre ses jambes comme s'ils allaient exploser. Le vent dans ses cheveux, dans ses yeux plissés sous l'éclat de la lumière. Le galop terrifiant, le secouant à peine pourtant ; mais ils volent tous les deux, tels les pics rasant le sol avant de s'élever dans les airs d'un seul battement d'ailes. Avant que Mauro ne les abatte d'un coup de fusil. Pour rien. Pour rire. On ne les mange même pas.

Le cheval court, les cailloux et la terre éclatent sous les sabots. Ce chemin, combien de fois le petit l'a-t-il fait à pied ? Chaque soir ou presque pendant des années, de la boue et des brindilles accrochées à son pantalon, la tête résonnant encore des chutes infligées par ses frères. Il en connaît chaque sinuosité, chaque trou, chaque gravillon qui saute, pour l'avoir inlassablement remonté au gré de la fureur joyeuse de Mauro et Joaquin. Et même le jour où la mère lui a donné le cheval, alors qu'il croyait que cela s'arrêterait enfin.

Son cheval. Une attente infinie de sept années, pendant lesquelles il a guetté la petite harde de la mère, un troupeau à demi sauvage se tenant le plus souvent éloigné de la ferme. Sept ans à repérer les formes et les robes des chevaux gros comme des fourmis, tant ils étaient à distance, à n'être sûr de rien, à compter ceux qui manquaient au printemps, et les nouveau-nés encore maladroits dans la steppe piégeuse. Savoir lequel la mère lui réserverait ? Lorsque, un peu avant ses sept ans, elle a fait rentrer l'alezan brûlé à l'estancia, que les jumeaux sont allés traquer de mauvaise grâce, lui le petit en est resté bouche ouverte plusieurs secondes. De loin, il n'avait pas mesuré la beauté du criollo. Un animal magnifique au chanfrein légèrement busqué, le nez blanc, flanqué de quatre longues balzanes donnant l'impression qu'il dansait quand il se déplaçait. Rafael a su immédiatement, au regard que la mère portait sur le cheval et sur lui le petit, que ce serait pour lui ; et jamais il n'avait vu de bête si fière, et si aérienne. Jamais une crinière n'avait flotté avec tant de grâce insolente sur une encolure. Les frères en étaient malades de rage. Disaient qu'avec ses jambes trop hautes le cheval se briserait sur la première pierre, et que la plaine aurait raison de sa superbe. Son dos se creuserait, sa croupe fuirait sous le travail. Pire que tout, il avait un sabot blanc. *Il tiendra pas*, affirmait Mauro en l'observant avec mépris. *Je lui donne pas un mois pour marcher sur trois pattes* – et il pointait l'index et le majeur sur le criollo à la manière d'un fusil, faisait mine de tirer. *Boum.* Rafael tressaillait. Regardait le cheval, le trouvait admirable ; s'attachait déjà. Quand il avait fini sa besogne le soir, il s'asseyait au bord de l'enclos en soupirant d'impatience, l'appelait doucement. Il volait des miettes de pain pour les lui donner. Dorénavant, il avait la responsabilité de cette bête presque noire, il la ferait passer avant lui. Pour manger, pour boire. Pour les soins. Même mort de fatigue en rentrant des herbages, il s'assurerait que le cheval ne manque de rien avant d'aller s'écrouler sur son lit. Et parfois il dormirait près de lui dans l'écurie, pour sentir son odeur, et la douceur du nez dans son cou quand il viendrait mendier une caresse.

Sur le calendrier qu'il ne savait pas lire, le temps passait, infiniment long. La mère avait fait une croix sur le jour de son anniversaire sans penser qu'il était incapable de se repérer, et tous les matins il demandait à ce qu'elle montre où on en était. Elle ne répondait plus, lassée, mais il avait fini par comprendre qu'il fallait descendre d'une case chaque fois. Et alors la croix se rapprochait comme par magie, proche et lointaine en même temps, et l'excitation lui vrillait les tripes.

Bien sûr, tout le printemps, Mauro, Joaquin et même Steban attrapèrent le petit, le soulevèrent, se le passèrent de main en main au galop de leurs chevaux.

Le jetèrent au milieu du buisson griffu en s'exclamant, tordus de rire sur leurs selles. Il ne disait rien. Attendait sa revanche, et pas qu'un peu, quand il s'envolerait sur son incroyable criollo.

Mais les choses n'en allèrent pas de cette façon. Ce qu'il avait imaginé comme un matin de fête avait tourné court, un simple jour parmi d'autres, une illusion, une claque en plein visage. La mère lui avait donné le cheval et il avait fait un tour, fébrile, heureux et intimidé ; et tout en marchant et en trottinant, il regardait le museau opalin se détacher sur la robe foncée, la bouche s'ouvrir sur une impulsion profonde et refrénée. Fasciné par la différence avec Jéricho et Tierra, les deux chevaux de travail paisibles et ventrus qu'il faisait trimer jusque-là. Perché sur le sommet du monde, Rafael jubilait, rebroussait chemin, tournait. Ne rentrait pas. Guettait le moment où l'alezan excédé finirait par lancer une ruade, patientait en vain. Il tournait le dos à la ferme, aspirant l'horizon tel un nouveau départ, jetant un regard émerveillé sur le ciel qui rosissait au déclin du soleil, le même que chaque jour et en même temps si singulier. Il avait poussé un cri, assez bas d'abord, pour être sûr qu'on ne l'entende pas, et quand il s'était éloigné davantage, caché par un bosquet séché, il avait hurlé comme un fou, le poing levé. Puis les deux mains tendues vers les nuages, accueillant l'univers d'un seul coup, ivre de la sensation d'être devenu intouchable.

Au retour, ses frères l'attendaient. Montés sur leurs chevaux, ils s'étaient plantés en ligne, bien en amont de la ferme, bouchant le chemin. Le petit les avait rejoints, prêt à se ranger à leurs côtés et à regagner la maison avec eux, tous les quatre de front sur leurs criollos pleins d'allant, une jolie photo de famille où ne manquait que le sourire des aînés.

— Ça y est, tu te crois, là ? avait demandé Joaquin.

Rafael avait haussé les sourcils. Le temps que le cheval de Mauro heurte Halley et lui fasse faire un pas de biais.

— On veut pas de toi avec nous, avait dit le grand jumeau. On veut pas d'un chiard dans nos pattes. T'as compris ?

Derrière lui, Joaquin s'était approché pour voler le chapeau sur la tête du petit. Avait craché par terre.

— Tu m'as même pas vu venir. T'es vraiment une merde.

Il avait lancé le Stetson au loin dans une flaque de boue, et Rafael s'était dressé sur ses étriers en espérant en vain qu'il retomberait à côté, réfléchissant à toute vitesse aux solutions qui s'offraient à lui : les insulter, ou s'enfuir. Mais il n'avait eu le temps de rien, car Mauro s'était penché pour attraper les rênes de Halley, bousculant l'alezan et l'obligeant à reculer tandis que Joaquin saisissait Rafael à bras-le-corps et le jetait au sol. Les trois frères avaient craché un cri de victoire, tournant autour du petit et manquant le piétiner, jusqu'à ce que le flanc d'un cheval le percute et le fasse trébucher. Alors les aînés s'étaient élancés en hurlant de rire, Mauro traînant Halley dans son sillage. Joaquin avait encore beuglé quelque chose, que Rafael n'avait pas entendu. Quelques secondes plus tard, il ne restait que la poussière, et le bruit de la galopade s'éloignant à un train d'enfer.

Un peu moins de poussière.

Et puis le silence.

Au fond, rien n'avait changé ce jour-là.

*

Alors Rafael sera comme ces aigles solitaires qui ne s'attachent jamais, indifférents à l'isolement, cachés dans leurs nids inaccessibles. De ces bêtes sauvages qui rampent dans les marais en évitant leurs congénères, regagnant leur tanière avec pour tout compagnon une proie arrachée à l'eau ou à la terre. Ni ses sept ans ni le cheval n'ont réparé la distance qui le sépare des trois autres fils. Il n'est pas le quatrième de cette famille-là : de ce jour, il comprend que rien n'y fera. Il baisse les bras.

Lui, grandit avec cette blessure au fond de lui, qu'il cicatrise à coups d'insultes, léchant ses plaies des heures durant. Peu à peu, il apprend à écarter la tentation de supplier les siens de le laisser les rejoindre. Se coupe de ses frères. Leur interdit son territoire, si misérable soit-il : il travaille seul. À l'écart, tout le temps. Même quand ils se retrouvent tous les quatre avec la mère pour dîner, il décale sa chaise, laisse un vide. Steban est toujours à côté de lui, impassible et taiseux, une sorte de sas, ou de relais, entre lui et la violence des jumeaux.

Le matin, il siffle les chiens avant d'aller contrôler le bétail, repérer les veaux malades ou les brebis sur le point de mettre bas. Avec le cheval, ils sont ses uniques complices. La mère l'entend appeler depuis la cuisine.

— Un ! Trois !

Des jappements lui répondent, la course des griffes sur le sol de la cour. Les dogues déboulent en bondissant. Le petit les attrape par la peau du cou, les soulève à moitié, les embrasse. Finit par une gifle si les crocs traînent, de jalousie ou d'excitation. Monte sur le dos de Halley en criant à nouveau :

— Un, Trois ! *Vamos !*

Attaché à la chaîne, Deux gémit. Il y en a toujours un qui reste à la ferme, au cas où. De toute façon à ce moment-là, il est trop jeune pour suivre les autres. Il remplace le vieux Deux, celui d'avant, qui est mort encorné par une vache. La mère est allée chercher le chiot quelques jours après l'accident chez un voisin dont la femelle avait eu une portée. Elle lui a donné le nom de l'ancien, comme les autres fois.

Depuis son enfance, la mère a toujours eu trois chiens, qui se sont toujours appelés Un, Deux et Trois. Elle en reprend au fur et à mesure des vieillesses et des morts. Elle dit que, de cette façon, elle ne se trompe pas dans les noms. Parfois pourtant, elle parle de ceux d'avant, les mélange avec les vivants. Ne sait plus. Elle fait un geste dans l'air. Aucune importance.

Le petit les emmène.

Trois mordille la queue de Halley. Prudent. Un jour où il n'a pas été assez rapide, le cheval lui a cassé une canine en balançant un coup de sabot, lui donnant à jamais ce sourire bancal quand il attend langue pendante les ordres de Rafael devant les brebis.

Toute la journée, ils arpentent les plaines, s'abritant du soleil ou des vents d'ouest. Les troupeaux ne lèvent même plus la tête à leur arrivée. Le cheval, les chiens, le petit : ils font partie de leur paysage, de leurs odeurs, des voix qu'ils reconnaissent.

Quand ils partent deux jours, ils vont jusqu'aux premiers plateaux. De là-haut, sur un sol si aride que même la rocaille s'est fendue, Rafael observe les mondes qui s'entrecroisent. Des steppes séchées, parsemées de bosquets tordus, côtoient des cours d'eau sinueux que la roche empêche d'arroser les terres. Il y a peu d'arbres. La part belle est faite aux arbustes chétifs et teigneux, même si caldéns et sycomores ponctuent l'espace. Un pays vierge de la main de l'homme – si l'on oublie les milliers de kilomètres de fil de fer qui clôturent les estancias. La main tendue vers ces enclos infinis, le petit compte et marmonne, organise, prévoit les changements de parcelles, le scindement des troupeaux à redescendre pour la tonte ou les ventes. Il rêve d'aller plus loin.

La mère le lui interdit. Seuls Mauro et Joaquin s'éloignent. L'année des onze ans de Rafael, les jumeaux partent huit semaines d'affilée dans un *puesto* surveiller et soigner un troupeau de moutons aux confins du domaine. Le petit en crève. Les imagine installés comme des rois dans la cahute en bois, éclatant de rire en buvant le maté tous les deux, libres, enfin libres. Chaque jour quand il descend de cheval pour déjeuner, ouvrant son sac sous le regard suppliant de Trois, il invente de nouveaux espaces, transforme la plaine en forêts et en vallées. S'engage sur des chemins inconnus et les peuple de plantes immenses, de lacs et de pumas, bercé par une musique fragile, fredonnant des sons qui font pencher sur le côté la tête des chiens déconcertés. Ronge son frein, écrasé par la longueur du temps qui le tient à la maison, écœuré par l'odeur des brebis, par la laine qu'il doit ensacher chaque soir quand les aînés ont fini de tondre. Il rentre trop tard, la mère le secoue.

— Qu'est-ce que tu as à traîner comme ça, tu sais pas qu'on t'attend ?

Elle le bouscule jusqu'aux étables.

Quand il regagne la ferme à la nuit tombée, les effluves de laine lui saturant les sinus, il ne s'arrête même pas manger à la cuisine.

*

D'un coup, Halley s'arrache et bondit, prenant court le dernier virage avant la maison. Le petit fait corps avec lui, couché de nouveau sur sa longue encolure, écartant la crinière de devant ses yeux comme si c'étaient ses cheveux. Des quatre fils, il est le meilleur cavalier. C'est pour cela que la mère lui confie de plus en plus souvent la surveillance des bêtes, pour cela, et parce qu'elle peut l'envoyer seul, lui qui ne demande jamais que ses frères l'accompagnent. Les trois autres restent travailler sur place. Au début, Mauro le suivait à cheval, étrier contre étrier jusqu'à la grande barrière. Un silence effrayant, de ceux qui précèdent les tempêtes. Son regard brutal sur Rafael, sur le porte-fusil sanglé à la selle – à croire qu'il allait s'en saisir, épauler. Tirer. *Pan.* Le petit revoit les vols de passereaux, des milliers d'oiseaux dans le ciel, des milliers de voix pépiant et sifflant comme si les anges s'étaient mis à chanter. Et soudain, le premier qui tombe. Le second. Puis trois, puis dix. Le nuage de piaillements oblique brusquement, changeant de direction pour échapper aux plombs, s'enfuit vers le sud.

Pan.

Mauro déteste les oiseaux.

Il le déteste lui aussi le petit, qui est venu en trop et dont la seule présence l'irrite.

Mais il n'a jamais pris son fusil. Au bout de quelques semaines, il cesse de l'accompagner.

— Avant, avant ! hurle Rafael.

En quelques foulées, Halley est seul en tête. Il se détache sous les cris de son cavalier, allonge sa foulée, monte son dos. Le petit a fermé les yeux. Il ne les rouvrira qu'en sentant la légère hésitation du cheval au moment de passer la rigole, la nuance dans son galop.

Il s'arrête devant l'abreuvoir. A le temps de faire demi-tour, face à Joaquin cramoisi de rage, avant de jeter le chapeau dans l'eau.

— Encore une fois ! crie-t-il, un large sourire fendant son visage. T'es vraiment qu'une merde.

Steban

— Tu f... f'ras quoi, plus tard ?

Droit sur sa selle, repérant les broutards à isoler des mères, Steban voit du coin de l'œil Rafael ciller sous sa question et froncer les sourcils. Le petit tourne la tête vers lui. C'est fou comme, les rares fois où le débile dit trois mots, on le regarde de biais. À croire que ce n'est pas lui qui cause, qu'il a quelque chose d'écrit sur la gueule, qui fait que l'on s'étonne s'il ouvre la bouche, s'il émet une moitié de phrase sans s'interrompre. Pourtant il en prononce des mots, même avarement, s'ils savaient – mais il les lâche en silence, les articule sans un son, et les jumeaux éclatent de rire en voyant ses lèvres s'agiter en vain tandis qu'il murmure, au fond de lui pour que personne n'entende : *Connards.* C'est parce qu'il ne dit rien que les aînés ont pris l'habitude de l'appeler le muet ou, plus souvent, le débile ; et dans le regard de Rafael aussi, il sent la condescendance, la pitié et le dégoût. Pourtant il faudra bien qu'ils s'épaulent tous les deux, l'idiot et le petit, et l'un et l'autre savent pourquoi, n'en parlent pas, effacent les images de l'intérieur de leurs yeux en frottant leurs paupières.

Sans doute, les premières années, Steban a-t-il espéré au fond de lui être admis par les jumeaux, avant la naissance de Rafael, mais déjà ils caracolaient en tête comme un seul être, l'oubliaient dans un coin, le semaient dans la steppe. Et puis il y a eu la fameuse nuit, et tout en lui a basculé. Le lendemain il avait presque cessé de parler, et le fossé s'était creusé avec Mauro et Joaquin, et leurs moqueries, et leur mépris. Ensuite, très vite, Rafael était arrivé. Au début, Steban avait scellé cette sorte d'accord tacite avec les aînés, tous les trois contre la petite chose qui venait alourdir le travail, car la mère y passait du temps, qui prenait si peu d'attention mais que c'était toujours trop, et qu'on aurait voulu qu'il ne naisse jamais. Cependant les choses avaient changé, et les alliances ; ce n'était pas par goût que Steban se rapprochait du petit, mais par pragmatisme. Parce que le reste avait échoué. Les jumeaux le repoussaient, l'insultaient, l'utilisaient enfin. Quant à la mère, il n'y fallait pas compter. Même lui parler, il ne pouvait pas. Car qui sait ce qui arriverait alors.

En Rafael il y a la même douleur qu'au fond de lui, et c'est pourquoi il force le passage, l'oblige à le regarder, à lui répondre. Dans sa question, dans sa façon de ne pas le quitter des yeux, il essaie de le convaincre qu'à deux ils seront plus forts. Mais malgré la nécessité, il peut concevoir que ce ne soit pas très engageant de devoir compter sur quelqu'un comme lui, Steban, avec son air ahuri et sa bouche toujours ouverte sur le silence, vraiment, s'il était à la place de Rafael, lui aussi se dépiterait, lui aussi maudirait le ciel d'être si mal tombé. Faire équipe avec Mauro, avec Joaquin, oui, cela aurait du sens ; des brutes, mais solides. Mais lui. Il s'insupporte lui-même les jours où il voudrait crier qu'on le laisse tranquille, et qu'il rentre la tête et les bras ballants sur son mutisme, terrassé par les peurs qui remontent.

À côté de lui, le petit réfléchit toujours à la question et finit par hausser les épaules.

— J'sais pas. Et toi ?

— Je p… partirai.

— Pour aller où ?

— Sais pas. Là où… où ils sont pas.

Il met un coup de menton vers Mauro et Joaquin qui galopent déjà vers le bétail, poussant des cris pour agacer les taureaux de l'année. Et puis il tourne la tête vers la maison qu'ils ne voient plus. Il ajoute :

— Là où elle… elle est pas.

Il sait que le petit ne comprend pas sa dernière phrase, juste son regard interrogateur sur lui, le temps de montrer qu'il écoute, et déjà son attention se reporte sur les bêtes qui commencent à beugler, la poussière que font les chevaux des jumeaux et qu'il crève d'envie de suivre. Et de là, Steban sait aussi qu'il est définitivement seul, parce que personne d'autre que lui n'a vu cette nuit-là la mère partir avec le père couché en travers du cheval, et rentrer des heures plus tard, sans lui. Personne n'a remarqué la tache rouge foncé sur le flanc de Rufian, qu'il a surveillée lui Steban pendant des jours, jusqu'à ce que la terre et la pluie aient raison d'elle et que toute trace du père ait disparu. Le père enfui. À d'autres ! Mais jamais il n'en a parlé, pas même aux frères. Il est convaincu que, s'il le dit, la mère l'emmènera à son tour au milieu de la nuit. Il ne sait pas où. Ne sait pas ce qui se passerait. Seulement qu'on n'en revient pas. Pour être certain de ne pas se trahir, pour que les mots ne passent pas le seuil de sa bouche, il a arrêté de parler. Des nuits entières, il a cogné sa tête contre le mur de la chambre en se répétant de se taire, de ne pas raconter, ne pas répondre. Juste regarder et serrer les dents, à défaut d'oublier le pas du cheval comme un sombre présage dans les ténèbres, ce pas qui, douze ans plus tard, lui glace les sangs chaque fois qu'il l'entend, et si cela recommençait. Peut-être quand Rufian sera mort, la peur disparaîtra.

Peut-être s'il arrive à quitter l'estancia.

Mais qui voudra d'un garçon que les autres ne désignent que par ces deux mots : *le débile* ?

— On y va ?

La voix frémissante du petit lui fait rouvrir les yeux. Parfois il les regarde les trois frères, et la mère, et les chiens et les bêtes, et pour un peu il en pleurerait, car quelque chose à l'intérieur de lui murmure qu'il n'y a rien à faire, qu'il est enchaîné par le pied à cette vie-là. S'il veut partir il faudra être comme les lièvres pris dans les pièges et qui se rongent une patte pour s'échapper, sans savoir si le sang s'arrêtera, parce qu'à ce moment-là il n'est pas question de vivre ou de mourir mais seulement de s'enfuir. Mais cela non plus, Rafael ne le comprendra pas, et lui expliquer est inutile. Alors Steban se tait à nouveau, rentre la souffrance au-dedans de lui et fait le signe de tête que le petit attendait ; les chevaux s'élancent droit devant.

Ils descendent le long du talus pour rejoindre les jumeaux. Au bout de quelques mètres, le galop des criollos, le vent sur eux les secouent et les font rire. Rafael pousse un cri de joie, la question déjà oubliée, aspirant l'air comme s'il pouvait y déceler l'humeur des bêtes. Steban le déborde, l'agace, bousculant Halley épaule contre épaule avec son cheval, et le petit piaille et glousse, jamais il n'a eu peur là-haut sur sa selle, et il bifurque, repart, revient, et même Steban sent ce très léger pincement de jalousie à le voir virevolter comme faisant un avec son criollo, et il dit après avoir vérifié dans sa tête qu'aucun mot n'était dangereux : *On travaille m... maintenant.*

Devant eux, une prairie de trois cents hectares, et une bonne centaine de bœufs à ramener pour un engraisseur. Une aubaine pour la mère, qui a donné ce matin les consignes aux fils en souriant – un fait suffisamment rare pour qu'ils l'aient tous remarqué. Bien sûr la vente va presque décimer le troupeau, de plus de la moitié. Mais la mère a beau couiner qu'elle ne lâchera pas ses bovins, elle a dit oui tout de suite, parce qu'elle voit bien qu'elle n'arrive pas à leur faire prendre du gras. Un jour elle aussi n'aura plus que du mouton elle le sait, même si cela lui arrache les tripes, car elle aura perdu sa noblesse. Elle ne fera que de la laine. Comme tout le monde.

Steban et Rafael rattrapent les jumeaux, viennent se coller contre eux quand Mauro les siffle et les fait passer derrière lui d'un geste. Tous ont les yeux rivés sur les angus, chevauchent côte à côte en échangeant quelques paroles, ou une plaisanterie. Étrange trêve qui les prend lorsqu'il s'agit de rassembler le bétail, où les haines et les pactes s'estompent, où chacun lorgne dans la même direction. Même les regards sur lui, Steban, perdent de leur morgue, et Mauro crache des ordres sans colère et sans dédain, juste aller de l'avant, regrouper, emmener, par une sorte d'instinct animal. Et les chiens courent autour des fils, filent vers le troupeau en épiant les bêtes éparpillées.

— Rappelle-les, dit Mauro au petit. C'est trop tôt. Ils vont les énerver.

Ils se séparent progressivement, les jumeaux contenant l'essentiel du groupe au milieu des pâtures, empêchant les bêtes joueuses de s'échapper. Steban et Rafael chassent les solitaires. Deux heures durant, parcourant la plaine immense, ils passent derrière les bœufs isolés, les houspillent, les poussent vers les autres. Repartent. Recommencent. Ils les ramènent par grappes, par petit nombre ; parfois ils s'y mettent à deux pour obliger un jeune taureau rétif, et les chevaux ardents évitent les cornes qui balaient l'air, Rafael dit :

— Il faudra s'en souvenir de celui-là, cette sale bête.

Mais aussitôt il rit.

— Ah non, puisqu'il part à l'engraissement. Toujours un qui nous aura pas.

Et Steban acquiesce en surveillant les coups de tête, fait claquer le fouet si le taureau s'énerve, tend le bras pour envoyer le petit border le côté gauche, ou droit, ou l'arrière. La saison précédente, son criollo a été blessé par un mâle nerveux, et il sent le flottement du cheval quand la bête se retourne, presque rien, une hésitation qu'il est seul à percevoir, même Rafael à côté de lui ne s'en rend pas compte. Mais il caresse furtivement l'encolure, encourage à voix basse. Du bout de la main, il frôle la cicatrice qui se voit encore sur l'épaule de l'alezan, et le cheval tressaille, se déconcentre, il suffit de si peu, une brèche sur le biais, et le taureau s'engouffre. Le petit crie :

— Qu'est-ce que tu fais ?

Steban ne répond pas, fait un geste de la main pour l'envoyer, et Rafael poursuit la jeune bête, la ramène bientôt, avec ce fou de Halley comme si c'était le diable, partout à la fois sur le taureau, à le pousser du poitrail sans jamais rester à portée de corne ou de sabot, un cheval qui semble sorti du même ventre que le bétail, qui en connaît les réflexes et les failles, et les dangers. Là-haut le petit est drôle fier d'avoir rattrapé le fugitif, il essaie de ne pas le montrer mais le sourire étouffé lui déforme la bouche, et il ne dit rien, pas même que Steban a fait une erreur, il n'a pas besoin, il le sait trop bien. Plus loin, deux vaches broutent sans relever la tête. Steban suit le regard de Rafael.

— Non, on em... emmène celui-là... d'abord.

Ils poussent le taureau devant eux, qui trottine de mauvaise grâce. Steban pose une main sur la crinière de son criollo. De sa voix qu'ils sont seuls à entendre le cheval et lui, il murmure :

— C'est rien.

Rafael

Peu à peu le troupeau grandit, épaissi par les frères dans un océan de beuglements, et les chiens pincent les jarrets pour empêcher les plus têtus de détaler. Le bétail court peu, s'économise. Il n'y a presque que des jeunes bêtes mais elles savent, par une improbable conscience héréditaire, que la suite de la journée sera longue. Parfois une dizaine de kilomètres avant de rejoindre le corral que la mère refermera derrière elles, et les chiens langue pendante, et les chevaux cabrés. Le petit se sent bien dans cette routine qui n'a jamais cessé de l'exalter, calé dans sa selle, épousant les arrêts pirouettés et les demi-tours de Halley pour suivre la fuite des génisses et des taurillons. Le cheval écume, ne se fatigue pas. Concentré. Il joue lui aussi, et le petit rit. Surveille du coin de l'œil que les chiens ne se fassent pas prendre dans le piétinement des bœufs, appelle Trois qui s'approche trop, comme toujours. Le dogue tourne la tête de l'autre côté. Rafael tend le bras vers le sol et crie :

— Trois ! Arrive !

L'air est chargé d'odeurs animales. Lorsqu'ils rentreront à la maison, leurs vêtements en seront imprégnés, et jusqu'à leur peau, ce soir et les jours suivants, car ils ne se laveront pas. Une fois par semaine, la mère fait chauffer de l'eau dans les bassines et ils s'y trempent à regret. Le parfum des corps fait partie de leur vie autant que celui des bêtes, à ne plus les distinguer, noyés sous les fumées de la corne brûlée quand ils ont ferré les chevaux, sous l'âcreté de la terre s'ils ont roulé au sol en attrapant les veaux que la mère a gardés pour les marquer. Entre leur sueur et celle des brebis et des bœufs, si peu de différence ; seuls les relents aigres trahissent l'odeur des garçons, quand ceux des animaux sont puissants et tourbés. Souvent le petit reste à humer les senteurs de cuir et de poil mouillés après le travail, les mains posées sur les flancs humides, qu'il porte à son nez pour mieux s'en imprégner, se fondre dans la masse animale. Halley tourne la tête vers lui et il tend ses paumes poisseuses, les lui fait renifler. Écoute la respiration forte du cheval qui flaire le parfum profond puis le regarde, et s'interroge, lèche les effluves familiers en lui chatouillant la peau – à la fin, il appelle doucement dans un frémissement de naseaux, et Rafael vient mettre sa joue contre lui sans un mot.

Steban soudain envoie un long sifflement aigu. Tout le troupeau est là. Les quatre frères se répartissent à nouveau dans l'espace, deux à l'arrière, deux ceignant les côtés. Les chiens bondissent de l'un à l'autre. Le seul horizon qu'ils laissent aux bêtes, c'est l'avant. Et c'est ce que crie le petit pour donner le signal : *Avant !* Alors il a l'impression qu'un bloc énorme, à la fois unique et désordonné, se met en mouvement près de lui, faisant palpiter la terre qu'il écrase et le ciel au-dessus de lui, et les vaches meuglent à voix basse, et l'air tremble d'un coup. Quatre cents sabots, tels des tambours de guerre laminant le sol d'une marche pesante, et les vibrations montent dans les paturons des chevaux, agrippent les talons et les jambes des frères comme une fourmilière immense. Rafael met une main sur son ventre et tord sa chemise. Chaque fois la résonance est si forte qu'il en flageole, les entrailles secouées au point qu'il craint qu'elles se déversent au-dehors, alors il appuie, fort, le temps de retrouver l'habitude, le corps frémissant du long piétinement, une fièvre étrange courant le long de son dos. Il suffirait qu'il ferme les yeux pour oublier le troupeau, ne garder que la cadence, cette curieuse partition monotone et infinie. Un rythme impossible, et lui, extatique et effrayé, une main posée sur le cou du cheval pour rester au monde.

Quand les frissons s'apaisent, il avance les jambes et Halley se met au trot. D'un coup, les cris des frères éclatent à ses oreilles, et ceux du bétail qui court et s'inquiète. L'univers feutré dans lequel il était retranché vole en éclats. Il voudrait le rattraper, sait que c'est inutile, même s'il y arrivait, la magie a disparu. Il faudra attendre une autre fois, une nouvelle chevauchée. La rupture est douloureuse.

Rouge le bord des yeux.

Le dos des bêtes ondule comme une mer brune.

*

Quatre heures durant, ils poussent le troupeau devant eux, longeant les prairies, traversant les bras des rivières. Cela pourrait durer une éternité et ils n'ont plus de repères, perdus dans la plaine au paysage immuable, étourdis par les beuglements des bovins et les aboiements des chiens. Quand les enclos se resserrent, ils le remarquent à peine. Mauro et Joaquin sont silencieux depuis longtemps, leurs cris ravalés, les gorges brûlées par la poussière. Le vent frais les accable et leur sèche le coin des yeux.

Le petit ne dit rien.

Il pense à la question de Steban tout à l'heure, à la voix éraillée de trop peu parler. *Tu f'ras quoi plus tard ?*

Il ne se l'est jamais demandé.

Pour la première fois il comprend que sa vie peut être autre, qu'il la tient entre ses mains. L'instant d'après il crache par terre. Comme il a dit : pour aller où ?

La mère est son avenir, l'estancia sa destinée et son tombeau. Il ne veut ni réfléchir ni répondre. Cela abîmerait trop de choses. Seul le bétail est important, et le travail de chaque instant, l'infinie répétition, lassante et rassurante, et même le galop des chevaux se ressemble de jour en jour, et le souffle des bêtes, et la lumière de l'aube sur la plaine. Envisagée ainsi, la vie n'a pas lieu de changer. Elle peut durer le temps de l'humanité, le temps de l'univers et des certitudes. Surtout ne pas se poser la question de Steban. Derrière, il y a le poison.

*

— Le couloir de gauche, de gauche !

Joaquin passe devant lui dans un galop effréné, rabat les vaches tandis que Steban les empêche de revenir sur

52

leurs pas. Le petit sursaute, emmène Halley à leur suite et joue du fouet pour gifler les flancs du bétail, vexé de s'être laissé déborder. Ils dirigent le troupeau vers le grand corral. Comme chaque fois, les animaux de tête ralentissent, hésitent. Que perçoivent-ils au moment où les clôtures se hérissent sur les côtés, de ce vieil instinct qui les fait dévier de leur trajectoire, pressentant la capture ou la mort – et que les frères contiennent en les pressant de l'arrière, et les chiens fous dont les crocs agacent les jarrets. Les bêtes viennent s'entasser les unes contre les autres en beuglant, surprises dans leur course par cet arrêt soudain, trépignant et tournant en rond. Prêtes à refaire le chemin en sens inverse, si les chevaux ne les contraignaient pas à avancer en resserrant leur cercle autour d'elles, les poussant encore. Alors le troupeau s'ébranle à nouveau et part au galop, lentement d'abord puis en foulées rapides, essaie d'échapper à quelque chose d'invisible, fonce droit devant, dans l'enclos, s'il y avait un précipice ce serait pareil. La terre frémit, semble s'affaisser. Les chevaux nerveux essaient de s'arracher aux rênes qui les retiennent. L'écho dans le ciel. Les cris des bêtes, les piétinements tel un orage qui s'annonce et gronde et roule. La mère referme les barrières. Rafael a sauté de cheval et l'aide à verrouiller les loquets.

Au milieu, les bovins hurlent sans discontinuer et le petit se bouche les oreilles. Il n'a jamais supporté ces cris de détresse qui planent au-dessus de la steppe pendant que les bêtes découvrent les clôtures, s'écrasent sur les barbelés et reculent en saignant. Chaque beuglement le fait tressaillir, un amoncellement de clameurs qui lui donne une sorte de fièvre tandis qu'il court d'une porte à l'autre, repoussant les bœufs les plus affolés et remettant aussitôt les mains sur ses tympans. De loin, il entend Mauro l'injurier.

— Fouette, fouette, trouduc ! Ils vont passer !

L'année précédente, ou celle d'avant peut-être, un taureau a fini par sauter la barrière, emmenant avec lui les fils de fer et tout le troupeau qu'ils avaient mis l'après-midi à rassembler. Une journée pour rien, le double de travail, et la bête abattue à cause des tendons sectionnés. Alors Rafael frémit et joue des bras pour les faire reculer, ouvrant ses oreilles aux plaintes animales, et il crie plus fort pour ne plus les entendre, plus fort que les bœufs et les vaches réunis, et son rugissement emplit l'air et sa tête tout entière, déchirant sa gorge, cognant à ses tempes. Il sait qu'au milieu de l'enclos, les vaches et les veaux se calment peu à peu ; sur les bords il n'y a que les révoltés, les furieux, les peureux. Et eux aussi après une heure, voyant qu'ils sont seuls à renâcler et à brailler encore, baissent la tête en reniflant la poussière, et cherchent des seaux, un peu d'herbe ou de grain. Parfois quand les frères pensent que c'est fini, ils lèvent le museau en donnant un coup de corne rageur, lancent un long beuglement qui relance quelques cris.

Et puis cela diminue, rétrécit, se referme. Les sons s'en vont. Les mouvements s'atténuent dans le troupeau, et les bêtes se taisent.

Tout redevient silence.

*

Parce que enfin c'est une bonne journée, embellie par l'argent que l'engraisseur remet à la mère, les fils ont le droit de tuer un bœuf. Le petit a déjà vu quelquefois Mauro lever la masse au-dessus de lui et frapper la bête au front de toutes ses forces pour la terrasser, mais à nouveau le bruit du craquement des os, le cri étouffé de l'animal lui font écarquiller les yeux bien fort, bouche ouverte aussi sur une exclamation refrénée, quand le corps s'affale. Et déjà Mauro est sur le bœuf et sectionne les carotides, une lame si tranchante qu'il a montré au petit comment couper une mouche en plein vol, et lui Rafael s'est agenouillé au sol pour trouver l'insecte tranché en deux, il a regardé le grand jumeau qui le regardait. Mauro lui a fait un signe de tête.

— Tu vois pour le bœuf, ça sera pareil.

Ils regardent tous les quatre la bête et la mare rouge qui grossit sous son cou, les convulsions qui la secouent, à peine une plainte. Aucun d'eux ne souffle mot. Un temps de suspens, un entre-deux où tout pourrait arriver et où rien ne se passe, que la normalité des choses, le piaillement des oiseaux énervés, le souffle surpris du bœuf, et sa chute, au ralenti, comme si un fil le tenait encore debout. Le sang répandu sur le poil doré, épais et poisseux, tandis que le cœur se rend et s'arrête. Que l'on soit homme ou bête, c'est ici que tout commence et tout finit ; cette chair ronde et tendue qui pulse, et pompe, et bat. D'un coup, ne bat plus. Il suffit que le mouvement cesse, que les ventres et les poitrails se figent. Un soupir, le dernier, et puis plus rien. Un cadavre.

Quand le bœuf s'immobilise enfin, déserté par les spasmes d'agonie, Joaquin donne un dernier coup de pied à la croupe, pour vérifier. Il dit simplement : *Ça va.* Au début la vue du sang qui mouille la terre les impressionne un peu, jusqu'à ce qu'ils y mettent les mains et que quelque chose de brutal leur monte des entrailles et les fasse rire, peut-être une faim vorace, inextinguible, la joie de goûter bientôt à cette chair rouge qui leur semble frémir encore sous eux, et l'odeur de grillé les fait saliver tandis qu'ils tracent le cuir pour retirer la peau. Alors ils découpent la viande, recueillent le sang pour faire des saucisses noires. Leurs mains, leurs bras sont éclaboussés par le liquide vermeil encore tiède ; Rafael, du bout des doigts, a dessiné des traits sur son visage. Des peintures de guerre. Il rit. Mauro l'attrape et le barbouille du front au menton en se moquant de lui. Il l'appelle *l'indien.* Lui ouvre la bouche de force et lui fait avaler un peu de sang frais.

Le petit vomit sur le sol. Une flaque écarlate sur la terre ocre presque brune.

Quand il passe une main sous son nez pour s'essuyer, il voit les traînées rouges sur sa peau, sent l'animal mort, au fond de sa gorge et jusque dans ses sinus. Il prend une gorgée d'eau, la recrache, deux fois, pour se rincer du goût métallique qui ne veut pas partir. Lèvres serrées, il retrouve son couteau, coupe là où Joaquin lui dit. Les chiens guettent les bas morceaux. Mauro tranche les jambes au niveau des genoux et des jarrets, jette les pieds sur ses frères en criant : *Chacun le sien !* Ils se battent en gloussant, chaque garçon brandissant son bout de patte telle une épée, et le petit peine à soulever la sienne et pourtant ce n'est qu'un antérieur, si ç'avait été l'arrière il aurait abandonné, vingt kilos de carcasse que Mauro et Joaquin font tourner autour de leur tête en criant d'excitation ; il se courbe sous les chocs, essuie ses mains qui glissent sur le sang. Insulte les grands pour attirer l'attention et revenir au combat. Parfois l'un d'eux prend un sabot de plein fouet sur la mâchoire et s'écarte quelques instants, le temps de retrouver ses esprits – os contre os, et les coups résonnent dans les têtes, et les larmes dans le sang. Leurs cris déchirent la campagne, leurs provocations, leurs éclats de rire. La mère les laisse faire. Rafael l'épie du coin de l'œil, certain qu'elle va les arrêter ; mais elle ne bouge pas.

Appuyée contre la rambarde de la maison, les mains calées sur les hanches, elle les observe, eux, ou la plaine derrière. Ou encore les condors qui tournent dans les nuages, attirés par l'odeur de mort qu'ils ont sentie depuis le ciel, depuis les courants du vent de sud, et l'air trop sec. Les fils les ont repérés, braillent qu'ils iront les tirer après la bataille, ces oiseaux lourds et méchants qui volent avec fébrilité, ils s'en font une fête. Mais d'abord il y a le combat à finir, et le petit compte bien prendre Mauro par surprise pour lui faire payer le sang avalé, alors il se range derrière Steban et derrière Joaquin, les suivant telle une ombre grise. Très vite, les aînés l'oublient. Un bon choc au flanc ou à la tête, s'il pouvait. Il tourne et retourne autour du jumeau, attend la faille en sautillant, parle à sa patte coupée pour s'encourager. Au fond il sait qu'il n'y arrivera pas.

Le corps tranché du bœuf gît à quelques pas d'eux. Ils l'enjambent ici et là pour échapper à un coup, roulent derrière, se protègent. La mère les regarde toujours, avec leurs bras dégoulinant de sang. Elle ne frémit pas, ne juge pas. C'est le destin des bêtes. Elle attend que les fils se remettent à découper la viande.

Tout est sauvage et animal, jusqu'au regard qu'elle porte sur eux.

Mauro

En rajouter à la dureté de la vie : est-ce qu'il sait seulement pourquoi il s'y acharne, le grand jumeau, toujours une besogne à finir, une de plus que les autres, une que même la mère n'ose pas demander. Pour prouver quoi – qu'il est le plus fort ? Ils l'admettent tous. Qu'ils ont besoin de lui ? Ils crèveraient plutôt que de le dire, et pourtant ils en sont convaincus, et lui et eux, sans Mauro l'estancia ne tournerait pas, les moutons resteraient en laine, les veaux seraient marqués trop tard. Et qui réparerait les bâtiments, qui déroulerait des kilomètres de barbelés sans broncher, qui porterait les sacs de semences, et les poutres, et les grains ? À dix-huit ans, il est déformé par le travail qui lui a fait éclater les bras striés de veines bleues, et qui l'oblige déjà à marcher en balançant de gauche à droite pour soulager son dos. Ses épaules sont si larges qu'elles voilent la lumière lorsqu'il s'encadre dans la porte pour rentrer dîner. Parfois, avec la fatigue, il se prend dans le chambranle, fait vibrer la pièce sans s'en apercevoir. Par réflexe, il pose une main sur le bois, comme pour le retenir ; et le petit serait prêt à jurer qu'il s'en faut de rien que la maison ne tombe. Chaque

soir ses cheveux noirs et courts sont pleins de brindilles, qu'il brosse de la main au milieu de la pièce, et
personne ne proteste, parce qu'il a abattu le travail de
trois hommes. Jamais ses frères n'oseraient élever la
voix devant lui, sauf peut-être Joaquin – mais Joaquin
se moque que le sol ait été balayé le matin. Mauro est
un géant, une aubaine pour la mère, malgré ses négli-
gences ; pour Steban et Rafael, un monstre.

Eux les trois autres fils, oui même Joaquin, et même
la mère, la steppe certains soirs les recouvre d'une
poussière grise à croire qu'ils vont s'enterrer là, ne
plus avancer ni reculer, s'arrêter tout à fait. L'épuisement les serre à la façon d'un étau, et se lever, servir
la soupe, la manger, tout devient douloureux. Ils ne
parlent plus, non pas qu'ils auraient eu des choses à
se dire : la pensée leur échappe. Au fond d'eux, il n'y
a que du vide, une absence totale de raisonnement,
pour s'économiser et reprendre des forces. Et si Mauro
rentre toujours tête haute des plaines et des étables, lui
aussi ses yeux finissent par se fermer, parfois avant le
maté, et son buste penche sur le côté, que Joaquin rattrape d'un geste. La mère dit alors :

— Au lit maintenant.

Et personne ne bronche. Les quatre fils portent les
stigmates d'une existence rongée par la fatigue – la
leur, mais aussi celle des bêtes et de la terre. Souvent
la pluie leur fait défaut, ouvrant la roche sous leurs
pieds, desséchant les arbres malingres qui resteront à
jamais des bosquets gris. Plus au nord, plus à l'est, les
pâtures sont grasses : mais ils ne les ont jamais vues.
Ils n'en connaissent que ce que raconte la mère. Les
terres soustraites par les riches, achetées à si bas prix,

et les troupeaux avec. Mauro ne comprend pas pourquoi le grand-père les a vendues.

— Pas vendues, crache la mère. On les lui a volées.
On l'a obligé. Tout ça pour… pour empoisonner le
monde avec leur saloperie.

Des bêtes par dizaines de milliers, si nombreuses
que même la pampa n'y suffit plus, et on s'est mis à
rationner l'herbe, à donner du maïs et du fourrage,
à engraisser pour faire du poids. À San León, les gars
lisent incrédules les articles de journaux qui encensent
les nouveaux élevages intensifs, l'avenir, écrivent-ils
colonne après colonne. On a beau faire du mouton
ici, personne n'a oublié qu'avant tout il faut que la
viande coure. Qu'elle fasse du muscle, pour le goût,
pour la texture. Rien à voir avec celle issue de ces
étranges fermes qui commencent à tant faire parler,
que l'on gave immobile et dont la chair sent la mort.
Les fils crachent au sol les jours où la mère parle de
ces exploitations qui auront leur peau, elle en est sûre
à présent, qu'elle peut remercier le ciel d'avoir eu le
nez de vendre à temps le gros de ses vaches. Mauro
s'écrie en serrant les poings :

— Mais leur viande ne vaut rien !

Et puis ? Ils commencent à entrevoir que les man-
geurs se moquent de la qualité, pourvu qu'ils en aient
plein la gueule. Cela peut bien être gras et blanc,
pourvu qu'il y en ait à ras bord, ils diront qu'elle fond
au palais – cela aussi, c'est la mère qui le rapporte à
leurs oreilles sidérées, quand elle revient de la ville.
De la viande molle. Ils s'en amusent entre eux, cho-
qués et furieux. Préféreraient la vomir, cette chair
gélatineuse, plutôt que l'avaler ; et le jour où la mère

rentre en disant qu'elle l'a goûtée à San León, ils la regardent comme s'ils la prenaient à blasphémer. Elle dit que la viande était bonne, ils ne la croient pas. Mauro éclate de rire, elle leur joue un tour. Mais au fond, ils savent que la mère n'est pas une plaisanteresse, et cela leur fait monter l'inquiétude. Depuis la vente à l'engraisseur, elle n'a pas repris de bovins. Le grand jumeau tape sur la table.

— Toi aussi tu vas te contenter des moutons !

— Et pourquoi pas ?

— Tu avais promis que tu tiendrais bon. Tu avais dit que ça ne serait pas de ton temps.

— J'ai réfléchi. Je ne peux pas perdre avec les bœufs ce que je gagne avec la laine.

— Tu avais donné ta parole.

— Et qu'est-ce que ça changera ?

Mauro lâche une grimace.

— On va devenir des bergers. Des merdes de bergers. C'est pas ça, notre vie.

— Votre vie, c'est comme je décide.

— On pourrait continuer comme avant.

— Avant, ça n'existe plus.

*

La mère est née un peu avant les grandes sécheresses de la deuxième moitié du XIXᵉ siècle. Curieusement elle n'en a aucun souvenir, alors que ses parents y ont perdu un tiers de leurs bêtes. Quarante ans plus tard, tout le monde en parle encore. Les vieux disent que le climat a changé depuis ce temps-là. La steppe est devenue trop aride pour que la vie tienne. Trop de vent, trop de bêtes, et la pluie qui ne s'en mêle jamais assez. La terre se meurt de ses pâtures.

Un jour il n'y aura plus rien, pas même un buisson épineux pour nourrir les moutons qui râpent le sol par millions. Pas une goutte d'eau pendant un an, ou deux. Tout mourra, hommes desséchés, animaux dévorés de l'intérieur, arbres brûlés. Seuls les rats et les sauterelles – comme le Brésil de 1877, ils y viendront aussi, ils en crèveront de ce soleil et de ce vent sans pluie ; ils rêvent du déluge. Tremblent de tout perdre.

La mère continue à raconter. Un monde s'écroule. Elle lève un doigt en l'air.

— Peut-être qu'il est temps que je vous emmène à San León. Il faut que vous voyiez. Avant que tout disparaisse.

*

La ville. Mauro ne voudra pas se souvenir de la première fois que la mère les y emmène, Joaquin et lui. Ils ont si peur. Trop de monde, trop de bruit. Trop de cris, partout à la fois, saluts ou insultes, hommes et chevaux, et bœufs, et moutons. Des ânes aussi, et la cacophonie des voix qui s'interpellent fort, chacune seule au monde, couvrant les autres qui montent à leur tour pour se faire entendre. Les coups de marteau sur les maisons toujours à brinquebaler ; le grincement des carrioles qui se croisent. La façon dont on les hèle, dont on les plaisante, pas vraiment eux mais la mère – elle connaît tout le monde, ne présente pas ses fils tant elle considère que c'est évident, et les gars les regardent en mettant leur main en visière pour se protéger de la lumière, parlent d'eux comme s'ils n'étaient pas là.

— C'est le petit Mauro qu'a grandi autant ? Bon sang quelle brute ça fait aujourd'hui.

La mère opine, rit brièvement, avec ses phrases consenties du bout des lèvres.

— Voulaient voir la ville. Alors…

Elle les traîne d'échoppe en magasin, leur inflige ses discussions interminables au peso près et les oblige à vérifier les notes, leur fait porter ses courses et ses sacs. Dans la rue, ils entendent les railleries : *C'est que t'as trouvé des nègres pour t'aider ?* Joaquin murmure :

— C'est quoi, des nègres ?

La mère l'ignore et lève le nez, avec son air fier, rétorque à voix haute : *Et ceux-là je peux vous dire qu'ils travaillent, c'est moi qui les ai dressés.* Ils se sentent mal. Quand il rentrera, Joaquin mentira en racontant à Steban et Rafael la taille infinie du bourg, l'agitation et les lumières, comment ils ont arrêté un taurillon échappé qui semait la terreur dans la rue. Il roulera des épaules, parlant de San León comme s'ils l'avaient mise sous leur coupe ; Mauro acquiescera en silence. En vérité, la ville les fascine et les impressionne, aussi dure qu'ils le sont eux-mêmes, affamée et assoiffée.

Ils s'apprivoisent les fois suivantes, lentement – la mère a décidé de les emmener pour l'aider dorénavant, et chaque mois ils laissent les deux plus jeunes prendre soin de l'estancia tandis qu'eux trois enquillent la route pour la pleine journée. Mauro rappelle à son jumeau de fermer la bouche pour ne pas avoir l'air aussi idiot que ce taré de Steban, lui interdit de regarder autour de lui ou encore de montrer du doigt.

— On a l'air de cons, comme si on ne connaissait rien. Eux là-bas, quand ils nous voient, ils se marrent. Merde, Joaquin, tiens-toi.

Au bar, ils observent la mère qui joue, les gars lui tapant sur l'épaule quand elle réussit un beau move. Elle trinque, boit cul sec. À part elle, aucune femme ne franchit jamais les portes du bar. Parfois, quand elle a bien bu, elle pouffe en disant qu'elle est devenue un homme comme les autres.

Avec la même raideur. Et les mêmes travers. Elle picole autant que les gars, chacun son tour, se dit-elle en silence, les yeux levés au ciel, le sourire méchant. Elle joue rageusement au poker. C'est sa récompense une fois qu'elle a fait les courses en discutant chaque facture, remplissant la charrette de réserves de nourriture, de grains, de charbon, de fers à cheval et de fil barbelé : invariablement, elle finit au bar et roule ses cigarettes entre ses mains calleuses, commande un fernet ou un whisky, puis un autre, jette les cartes, abat ses bitches, se recave – personne n'y trouve rien à redire ; elle a même acquis une petite notoriété locale.

Sur l'estrade du fond, certains soirs, des filles chantent et dansent. Au début les jumeaux n'osent pas les regarder.

Jusque-là, la seule femme qu'ils ont connue, c'est la mère, avec ses hanches larges, ses jupes raccommodées et son tablier crasseux. Des cheveux bruns, longs et plats sur un visage dont les traits sont toujours tirés. À la messe du dimanche, ils se souviennent avoir vu d'autres femmes, elles aussi drapées dans de tristes couleurs ; certaines plus jolies, et en rondeurs, et en sourires. Mais dès leurs six ans ils ont cessé d'aller à l'église. Trop de travail à l'estancia. La mère a posé une statuette de Santa María dans la maison, devant laquelle ils font semblant de se recueillir chaque soir. La mère, et la Vierge. Rien d'autre. Jamais ils n'ont vu de rouge sur les lèvres d'une fille, ni de maquillage autour des yeux. Des boucles blondes encore moins, d'ailleurs ils ne savent pas qu'elles sont fausses. Et ce sourire. Le souffle leur manque. Ils ne comprennent même plus si ce qui chante devant eux est bien une femme, ou une race qu'ils ignorent. Leur trouble devant l'estrade est si visible qu'on se moque d'eux à nouveau. La mère les rappelle à l'ordre et ils accourent, les yeux glissant malgré eux jusqu'aux filles. Mauro bégaie en riant nerveusement :

— Mais...

Elle l'interrompt d'un geste.

— *Putas. Jodete !*

Ils se recroquevillent près d'elle. Juste à entendre les voix vibrantes au bout de la salle, quelque chose remue à l'intérieur d'eux. Les filles amusées leur font signe sans cesser de chanter. Ils rougissent. Se serrent l'un contre l'autre. Un abîme s'ouvre en eux, une tentation ravageuse. La stupeur aussi : alors, cela existe. Ils sont là près de la mère, bouche bée et les yeux presque sortis des orbites tant ils regardent. Des frissons partout. Ils se tiennent le ventre. Quand, à la fin du spectacle, un client éméché vient glisser un billet dans le corsage d'une des filles en lui prenant les seins à pleines mains pour les embrasser, Mauro pousse un cri, attrape le bras de Joaquin. Ils brûlent au-dedans, se devinent sur la crête qui sépare le paradis de l'enfer. La chaleur les étouffe.

Et ils savent que jamais la mère ne les laissera embrasser les seins des filles. Jamais elle ne leur donnera l'argent.

Rafael

Alors il y a ces moments noirs à l'estancia, le bouillonnement des jumeaux flottant dans l'air tel un courant chaud, effleurant les deux plus jeunes qui se tiennent en retrait, cachés derrière la grange, fascinés par l'étrange spectacle. Ils savent d'instinct ce qui se joue, les aînés plaqués au cul des brebis et s'agitant avec fureur, cela ne dure pas longtemps, les bêtes ne disent rien une fois qu'on les a attrapées.

Mauro se reculotte tête basse, ne regarde jamais Joaquin qui tarde à l'imiter. Il referme la barrière sans un mot.

Chaque fois, cela se passe le soir. La mère ronfle dans son fauteuil, abrutie de fatigue et d'alcool. Ils savent que, le matin, elle est levée avant eux.

*

Et Rafael continuant à épier les jumeaux forcément se fait prendre un jour, est-ce le gloussement sonore que Steban a laissé échapper ou les brebis qui ont tourné la tête vers eux, les aînés sursautent, les rattrapent. *Sales petits voyeurs, ça fait longtemps que vous nous surveillez ?*

Après, il n'y a plus que deux corps meurtris qui regagnent la chambre, et la douleur, et les sanglots qu'on étouffe. Steban gémit en se tenant la mâchoire. Le petit dans son coin se fait saigner les lèvres à force de les mordre pour se retenir de pleurer. Les jumeaux cognent fort. L'humiliation, la rage d'avoir été surpris. Ils achètent le silence à coups de pied dans le ventre.

*

De ce jour, la violence des grands s'accroît. Depuis des semaines, Rafael et Steban ont cessé de les guetter dans le pré des brebis. En vain. La morsure de la honte ne s'efface pas. Se guérit le temps d'une bagarre, de muscles tendus pour faire mal.

Les aînés frappent là où cela ne se voit pas, épargnent les visages. Que la mère ne se doute pas, surtout. Elle pourrait remarquer la démarche courbée des plus jeunes, certains matins, la façon dont ils baissent les yeux en croisant les jumeaux. Pas même. Elle donne les consignes de la journée sans les regarder, n'interrompant jamais la tâche qui l'occupe. Mauro et Joaquin ricanent.

Rafael esquive, se faufile, retrouve son cheval, les chiens. Blotti dans un coin de la grange, Trois à demi couché sur ses jambes, il attend que les aînés l'oublient. Le nez enfoui dans la fourrure du dogue – et il voudrait que la caresse ne s'arrête pas, que ses bras ne se desserrent pas. Il a beau ruminer et murmurer ses projets à l'oreille du chien ; planter des piquets, tendre le barbelé, nettoyer étable et écurie, rien n'y fait. Son corps se noue mais refuse de s'épaissir, et Rafael désespère de jamais éclater en muscles, pour affronter les jumeaux. À côté de lui, Mauro ressemble à un ogre à l'affût, effrayant dans son instinct de deviner où il travaille, dans quelle cachette il se terre pour laver les cuirs. Joaquin le suit de près, rappliquant au léger sifflement de son jumeau. *L'est là, j'lai.* Steban se recroqueville et s'enfuit – chaque fois, le petit le retrouve étendu sous le lit, comme mort. Il ne lui reproche pas. Le débile qui couine en se roulant en boule par terre, cela n'intéresse pas les jumeaux. Pas de castagne. Pas drôle. Tandis que lui.

Lui, s'habitue aux coups, les rend parfois, oubliant un temps la douleur. Finit toujours par rester à terre, dos et ventre labourés par les bottes des grands. Et hoquetant sous les raclées qui font rire Mauro et Joaquin, il attend d'avoir mal, bien mal, que son horizon soit seulement rythmé par son cœur qui essaie de battre, et ses pauvres rêves de vengeance.

*

S'il les tuait. S'il gardait son fusil avec lui jusque dans la moindre tâche de la journée, avec deux cartouches, une pour chacun, pas besoin de plus, il ne les manquera pas. Il se voit épauler, viser avec application vers le bruit des pas, les ricanements étouffés. Sent le tremblement de son index sur la détente, les pensées parasites, la mère, l'estancia, la prison. Est-ce qu'il fichera sa vie en l'air pour deux salopards, il n'en est pas certain, même affolé par la rancœur, ou alors il faut qu'il le fasse mieux, loin, ailleurs, au bord d'un trou qu'il aura creusé des jours durant, les attirer là, les faire basculer, une balle dans la tête pour chacun. L'idée va le tenir pendant des mois.

Toutes les nuits où la lune est grosse, il sort et erre dans la steppe, perché sur le dos de Halley. Leur silhouette fantomatique traîne au milieu des herbes noires et sèches. Rafael noue des vieux chiffons autour des sabots du cheval pour étouffer le bruit, prend la pelle, s'éloigne. Les premières semaines, il essaie de creuser à cinquante endroits différents – cent peut-être. Mais chaque tentative finit par un trou si infime qu'il se décourage à trouver un morceau de terre tendre, où la roche n'aura pas raison de sa hargne et de ses bras étourdis ; même lorsqu'il emporte la pioche, la caillasserie du sol lui résonne dans tout le corps, le laissant exsangue à l'aube du jour suivant. Aux meilleurs endroits, il descend d'un ou deux pieds. Il a frôlé Mauro souvent les jours précédents, marchant à ses côtés, quelques pas, l'air de rien, le temps d'évaluer sa taille et son épaisseur. En dessous de cinquante centimètres de profondeur, tout est vain ; les charognards auront tôt fait de déterrer les corps affleurant. Parfois, au premier coup de pelle, il sait que la roche lui est hostile. Remonte sur son cheval, cherche ailleurs.

Bien sûr il y aurait les marais. Mais il faut presque deux heures pour y aller, et un peu plus pour revenir, quand la fatigue les tenaille lui et Halley, toutes les nuits à faire l'aller-retour, impossible. Il s'y aventure une fois cependant. L'atmosphère, l'haleine puante des sols, les étranges lueurs au fond, tout le rebute. Au frisson le long de sa colonne vertébrale, il devine un territoire déjà maudit, piégeux comme les pires sables mouvants, une terre qui lui ouvre le chemin pour mieux se refermer sur lui, dévorée par les insectes et les eaux stagnantes. Quelque chose l'empêche, de l'ordre du pressentiment, ou de la peur. Le cheval hésite lui aussi au bord des marécages : Rafael y voit un signe. Il fait marche arrière. Oublie. De toute façon c'était trop loin.

De nuit en nuit, gagné par le découragement, il décrit de longues serpentines inutiles, pour être sûr de ne pas passer à côté du morceau de terre tant espéré. Un instant tenté par les vergers et le potager, il renonce. Cette fois c'est trop proche ; la mère y travaille sans cesse, verrait aussitôt qu'on a touché le sol. Alors il arpente la plaine sans plus y croire, une sorte de rituel, pour ne pas céder. Pour repousser les cauchemars. S'endort parfois sur le dos du cheval. Une nuit, la fatigue aidant, il tombe. Le choc le réveille : il ne sait plus ce qu'il fait là ni ce qu'il cherche. Il remonte par réflexe et Halley regagne les écuries où il se couche avec lui. Une autre fois, il avise trois jeunes renards assis près d'un amas rocheux, qui ne bougent pas à son approche. De loin, il leur parle, veut les apprivoiser. Il freine son cheval pour ne pas les effrayer, monologue à voix basse, chantonnant presque. Les renardeaux l'attendent, prodigieusement immobiles. Il les croit envoûtés ; ce ne sont que des pierres. Lorsqu'il arrive à leur hauteur, il ferme les yeux de déception.

Halley marche des heures chaque nuit, inlassablement. Le petit et lui se sont habitués à cette steppe jaune et bleu et argenté, aux ombres baroques, au silence à peine troublé par le vent qui tombe, par les sabots emmitouflés. Ils déambulent, entités indéfinissables formant un seul corps, obstinés, lassés par leur quête sans but – Rafael n'emporte même plus la pelle. Ils vont tels les êtres des légendes punis par les dieux, voués à errer sans fin pour une faute qu'ils ne connaissent pas. Ils ne se révoltent pas. Le petit se penche d'un côté pour faire tourner le cheval, suit une longue ligne imaginaire, bascule de l'autre côté pour revenir en parallèle, dix mètres plus haut. La plaine est quadrillée de leurs pas. Ils la connaissent par cœur. Mais elle ne leur concède rien, leur offre seulement sa brutalité rocheuse, là où les sabots de Halley ne laissent aucune marque. Elle aussi se bute contre eux.

Où t'étais ? Les jumeaux le coincent certains matins dans l'écurie, quand la sueur se voit sur les flancs de Halley. *Où t'étais, abruti ? Tu veux qu'on le dise à la mère ?* Il ne répond pas, rompu de fatigue, incapable même de fixer son regard sur eux. Dire à la mère, mais quoi ?

La lune brûle la plaine sans impatience, et son corps à lui, et ses yeux rougis par cette lueur blanche dévorante qui a tracé sur son cou une curieuse cicatrice, là où passe la boucle de la sacoche qu'il traîne avec lui. Depuis, Rafael se cache des rayons nocturnes affamés de peau et de métal, fasciné par la morsure de l'astre mauvais, et il déroule ses manches sur ses bras, incline la tête sous son chapeau, soigne la plaie à la nuque avec de la graisse de pied de bœuf. Imperceptiblement, l'iris de ses yeux déjà pâles, la crinière du cheval prennent une teinte blafarde, comme si la lune les blanchissait pour les faire sortir du monde, ou peut-être, pense le petit, les anéantir elle aussi. En attendant ils sont seuls.

Ils pourraient être les derniers habitants de cette terre dépeuplée, et pourtant la steppe grouille de vies minuscules et insignifiantes, volantes, rampantes, sifflantes. Leurs oreilles et leurs pieds en fourmillent. Plus loin, ils entendent le hululement des chouettes, la plainte des renards. Mais rien ne leur semble vivant qu'eux, et leur longue marche silencieuse, et leur ombre que les étoiles projettent devant eux. Rien ne les arrête. Ils marcheraient jusqu'à la fin des temps, ne serait-ce le drame qui bientôt les soulève et qu'aucun d'eux n'a vu venir.

Joaquin

Bien sûr Mauro avait raison quand il disait que la mère jamais ne leur concéderait un peso, jamais ne leur permettrait de rêver un peu à la ville. Et bien sûr lui Joaquin savait que son jumeau était dans le vrai, mais il ne pouvait s'empêcher d'y croire, un petit bout d'espoir grand comme une mouche écrasée dans la paume, haut comme un barbelé que l'on pince entre les doigts, pas grand-chose, un petit rien du tout ou presque. Mais ce qui est venu, c'est encore moins que ça. Le vide. Zéro.

La mère les cahote jusqu'à San León, fait ses affaires puis les pose Mauro et lui à côté d'elle au bar tandis qu'elle s'apprête à jouer en se frottant les mains de plaisir, que pour un peu elle en ronronnerait, et elle s'assied avec les gars qui ont déjà les cartes en main, et cela dure, et dure, et encore. S'ils n'étaient pas là ce serait pareil.

Ils ont droit à trois bières chacun. Voilà ce qu'ils ont gagné.

Alors peu à peu ils récriminent. Ils réclament. Font les comptes, surtout Joaquin qui a plus de facilités avec les chiffres et qui explique à Mauro – et vrai, ça lui fiche la rage de calculer combien la mère se fait sur leur dos à les exploiter quinze heures par jour et à leur rincer le gosier six bières la soirée, une fois par mois, il serait bien bête de ne rien dire. Lui aussi a envie de vivre, le monde il l'a au bout des doigts, juste au bout, et ça le rend dingue de ne pas pouvoir le toucher pour de bon, ça lui donne des fourmis sous les ongles, il sent pulser le sang là-dessous. Rien que d'imaginer qu'ils vont rentrer vaincus une fois encore, essayer de noyer leur frustration en coinçant les pattes des brebis dans leurs bottes pour les empêcher de bouger, ça le fait vomir lui Joaquin, des culs de mouton il n'en veut plus, ils ont droit à autre chose, il faut que la mère comprenne. Alors, parce qu'elle a mis une main prudente sur son portefeuille quand il lui a demandé de l'argent, il se penche à son oreille une nouvelle fois, en pleine partie, elle a horreur de ça, il s'en moque. Mauro a fait un geste pour l'empêcher mais il l'a repoussé, Mauro toujours à donner des ordres, comme s'il savait mieux que lui ce qu'il faut faire et pas faire, et pourquoi il ne l'ouvre pas lui aussi, sa grande gueule, parce que ça ne serait pas le moment, et puis ? – puisque c'est ainsi, c'est lui Joaquin qui réclame excédé à la mère dans un murmure méchant :

— Et si tu nous avais pas, et que tu doives embaucher des gars comme nous, ça te coûterait plus que quelques verres, hein.

Mais c'est mal connaître la vieille qui, imbibée de ses premiers gobelets de fernet, devient rouge et se lève en le menaçant du doigt, et d'un coup gueule tout fort devant les autres :

— Et si je vous demandais à vous de payer votre toit et votre nourriture depuis votre naissance, mon garçon, que crois-tu qu'il resterait ? Combien d'années faudrait-il que tu trimes pour moi, si tu devais tout me rembourser ?

Autour de la table, les joueurs plaisantent aussitôt et les commentaires partent bon train. Joaquin rit jaune, l'air crâne.

— Mais je suis ton fils…

— Mon fils ? Et puis ? Je ne te dois rien, moi. Tandis que toi.

— Sans nous, tu ne peux pas tenir l'estancia.

— Sans moi, tes frères et toi ne seriez que des vagabonds tout juste bons à monter à cheval.

— Mais…

— Tu peux faire ton sac et partir demain si tu veux. Et toi aussi, Mauro ! Si vous croyez que j'ai tant besoin de vous. Je ne vous donne pas dix jours pour revenir en pleurant et m'implorer de vous reprendre.

— C'est vrai ! crie un vieux à côté d'eux.

Les autres hochent la tête, jetant des regards entre eux et ces petits cris de gorge pour acquiescer. Toute la salle bruisse soudain de ces murmures comme des vrombissements d'insectes, de ces visages qui opinent et qui le regardent avec réprobation, mais qu'en savent-ils de la vie que la mère leur fait mener et qu'ils font semblant d'envier, qu'ils y viennent, alors on en recausera, et Joaquin à cet instant voudrait s'enfuir pour ne pas les voir ni les entendre, mais les mots s'élèvent et tournoient dans l'air enfumé du bar, lourds et poisseux, viennent taper contre ses tempes.

— Quand on pense à ce que votre mère a dû arquer pour vous élever elle toute seule.

— Et ça exige des choses, et ça fait du chantage.

— Les jeunes ils sont tous comme ça. Regarde celui de Federico.

— Ça lui a pas pris longtemps à celui-là.

— Qu'il paierait pour revenir, maintenant.

Et le même vieux qui crie et rit en les montrant du doigt. *Vous aussi vous paierez pour revenir !* Au milieu des histoires et des exclamations, une main prend Joaquin par l'épaule et l'emmène, le secoue, ouvre la porte pour le faire échapper. Sort avec lui et allume une cigarette, la lui tend. Il aspire la fumée en silence. Souffle dans la nuit. Le bruit s'estompe quand la porte se referme et le calme enfin l'enveloppe. À côté de lui, Mauro appuyé contre la barrière prend une roulée à son tour, ferme les yeux, dit :

— Faut pas faire ça. Ça mène à rien.

— J'sais bien.

— Alors.

— J'sais pas. C'était plus fort que moi.

— C'est la mère, hein. Elle est comme ça.

— Ouais.

— Y a bien un jour où on va la convaincre, si faut gueuler on le fera.

Joaquin hausse les épaules. La fraîcheur de la nuit apaise ses joues brûlantes mais pas la rancœur, et pourtant quelque chose s'éteint en lui, une résignation qu'il déteste, toujours des compromis, une phrase qui commence par *C'est pas grave…* Il reste un long moment avec Mauro qui rallume des cigarettes, assis sur les marches du bar, avec la tête qui tourne un peu après ses trois bières, et il rit sans joie.

— Trois verres et je suis déjà torché, j'ai pas besoin de plus à vrai dire, qu'est-ce que je vais aller chercher d'autre ?

La voix de Mauro s'élève à peine dans la nuit, lointaine, feutrée.

— Eh bien sinon, on partira.

— Quoi ?

— Comme elle a dit. Pourquoi on partirait pas, si on n'a pas ce qu'on veut ?

— Mais on irait où ?

— Travailler ailleurs. On trouvera toujours.

— T'es sérieux ?

— Vache de. Pas toi ?

Joaquin ouvre la bouche, ne répond pas tout de suite. Il connaît trop son jumeau, capable de s'enflammer sans réfléchir, et sans retour ; une bête, une tête brûlée, qui ne remettra pas les pieds à l'estancia s'il a décidé que c'en était fini. C'est sur ce point que les vieux du bar se trompent, quand ils disent que les deux frères supplieront la mère de les reprendre : Mauro ne se retourne jamais. Et lui Joaquin, il ne sait pas si c'est ce qu'il veut vraiment à l'intérieur au fond de lui, s'il se demande à lui-même sans mentir, sa fierté ravalée. Alors il temporise. Tout foutre en l'air – évidemment, cela le tente, mais il voudrait aussi la promesse que l'avenir sera meilleur. Or rien n'est moins sûr, bien qu'il essaie de s'en convaincre, ou peut-être que si, mais toujours ce peut-être, et l'incertitude lui fait un point dans le ventre.

Mauro écrase sa cigarette sous son talon.

— T'inquiète pas, va, j'ai compris.

Joaquin proteste. *J'ai rien dit.*

— Voilà, t'as rien dit. Et moi j'ai compris.

— Mais non.

Le grand rit tout à coup.

— Hé, me prends pas pour un con. T'as les fouettes. On n'en parle plus.

Et Joaquin se tait. Bien obligé. Pour finir par admettre qu'il n'a pas les tripes, il préfère en rester là. Il baisse la tête. Ne pas croiser le regard de Mauro. Il dit en faisant mine de fumer : *T'en as une autre ?* Ils attendent ensemble, se réconciliant sans un mot, frères au-delà de tout, même de la mère qui divise. Joaquin sent s'évanouir la tension qui s'était installée entre eux ; Mauro lui donne une tape amicale dans le dos, qu'il lui rend avec un sourire.

— C'que j'suis con, hein.

— Mais non.

Quand la mère sort à son tour au milieu de la nuit, ils se lèvent sans un mot, la soutiennent jusqu'à la carriole. Ils la laissent s'affaler sur le siège, mi-amusés, mi-écœurés. Joaquin jette une couverture sur elle en fronçant les sourcils.

— R'garde ça.

— Bah oui. C'est la mère, quoi.

— On devrait la jeter dans le fossé. Elle se réveillerait même pas.

Mauro glousse en prenant les rênes.

— Ouais, cette vieille sorcière puante d'alcool. Qu'a dû perdre au poker l'équivalent de trois cents bières.

— Si on la basculait par-dessus bord, elle s'rait obligée de rentrer à quatre pattes, dans l'état où elle est.

— Si elle se fait pas tirer par un gars qui pense que c'est un pécari.

— Bon sang, le lendemain, ça voudrait ouigner. Qu'est-ce qu'on prendrait, vieux.

— Ça nous aurait toujours fait passer un bon moment.

Et cela les réconforte de marmonner et de jeter sur elle ces injures qui leur brûlent la langue tandis qu'elle ronfle à l'arrière, même s'ils surveillent du coin de l'œil la forme sous la couverture parce qu'on ne sait jamais avec la mère, qu'a l'air de rien et puis qui entend ce qu'il ne faut pas, et qui a la main leste comme tout. Quand elle les gifle, quand elle les cogne, ils se recroquevillent tels des enfants, et pourtant n'importe lequel d'entre eux pourrait la repousser, même le petit qui est sec comme un coup de trique. N'importe lequel pourrait la faire tomber. La piétiner. La battre, enfin, qu'elle comprenne qu'elle aussi ça peut lui arriver, pas seulement eux, la mère aussi peut prendre une trempe.

Mais en vérité, jamais ils ne la toucheront.

Qu'ils l'adorent ou la haïssent, selon les jours et les humeurs, la mère est la femme sacrée. Ils en découlent, eux qui en ont bu le lait, nourrissons crieurs et minuscules dont elle a fait des hommes. Son autorité les révolte et les soumet ; ils savent que, sans elle, l'estancia serait un immense terrain vague, et eux des enfants sauvages ne valant pas mieux que ces renards errants à l'affût de petits rongeurs. Qui les aurait nourris ? Qui leur aurait appris à élever les bêtes, quand le père s'est enfui en les laissant à leur sort ? Il n'y avait que la mère pour eux. Ils lui crachent dessus mais le respect les paralyse et les empêche. L'âge, le travail et les soucis l'ont enlaidie, ils s'en moquent. Ils ne la regardent pas. La mère, à la fois, est la femme et n'est pas une femme. Génitrice et protectrice, aboyant les ordres sans ménagement, elle incarne le mâle et la femelle en même temps. En cela sa perfection les étonne. Elle finit par se fondre en un être asexué, universel, qu'ils sauraient à peine décrire si on le leur demandait. La mère, c'est la mère. Ancrée et solide, d'une constance terrifiante, ils sont capables d'en rejouer les intonations, les menaces, les phrases qui vont suivre. Mais s'ils cherchent à en dessiner les traits, elle s'efface comme dans un rêve, floutée tel un fantôme, une silhouette sans contours, sans limites. La mère s'étend au-dessus de l'univers.

Au fond même Joaquin est fier de la façon dont elle piétine les *putas* qui chantent dans la salle du bar.

Et pourtant. Il sera le premier sacrifié, incrédule, et sa confiance stupide dans les liens du sang – car le seul sang auquel croie la mère, c'est celui de la violence et des bêtes. Lui Joaquin n'est qu'un pion dans sa vie à elle, un parmi quatre, un dont elle se passera s'il le faut, et elle l'effacera de l'estancia, crachant sur son absence comme elle l'aurait fait sur sa tombe si elle avait pu – et sûr qu'elle aurait préféré le voir six pieds sous terre, rongé par les vers, et que tous l'oublient, oublient comment cela s'est passé, comment, au bout du bout, c'est par elle qu'est venue la tempête.

La mère

Cependant les fils font erreur quand ils se disent entre eux que la mère entre en transe à la simple pensée du bar, et qu'il est la seule vraie raison de leur trajet chaque mois à la ville. Car le bar n'est, au départ, que la réponse au dépit qu'elle rumine après être passée juste avant dans un autre établissement : la banque.

Durant les longues journées à San León, les factures, les courses, l'alcool et le jeu ne sont rien à côté de l'austère bâtiment qui a le don de la faire ressortir avec des allures de furieuse. Elle voudrait bien que cela aille mieux : mais rien n'y fait, ce cochon de banquier la vole chaque fois. Et depuis qu'elle lui a dit qu'il y avait autant de trous à ses coffres que de vermine dans son plancher miteux, il s'acharne. Mais serait-il aimable un jour que la mère ne s'en apercevrait pas même, les yeux déjà froncés au moment où elle pousse la porte, l'air mauvais, au pas de charge. Cela ne manque jamais. Il regarde ses papiers, ouvre la porte en fer pour lui montrer, soupire. Un petit temps après, la mère claque la porte derrière elle, traverse la rue le visage empourpré et revient vers les jumeaux en vociférant comme si c'était après eux qu'elle en avait, braillant à pleins poumons : *Gomez, Gomez, et le jour où je ferai sécher ta peau du cul sur la même corde que le cuir de mes bœufs !*

Elle voit ses fils baisser le nez pour échapper à sa bouche tordue de colère, à ses yeux qui lancent des flammes. Aussi au regard des passants sur eux, qui la dévisagent elle la mère comme une vieille folle, avec ses joues qui tremblent et les mains au ciel et les mots qui ne se forment plus bien, et certains jours elle sent cet âcre frisson dans son dos et la mauvaiseté de l'odeur sous ses bras, la haine à l'intérieur d'elle, et Mauro et Joaquin contemplent la terre obstinément, la reniant en silence. Mais c'est cela, la vie, refuser de se laisser écraser les pieds, il faudra bien qu'ils apprennent, s'ils ne veulent pas déposer l'estancia dans les mains de ces saligauds aux vêtements trop propres. *Je vais voir mes comptes*, claironne chaque fois la mère en poussant la porte et en entrant. Parfois elle reste longtemps, et dehors ils doivent croire qu'ils l'ont mangée là-dedans, qu'elle n'en sortira jamais ; espérer que peut-être cette fois-ci les choses sont arrangées, et qu'ils la gardent dedans boire un coup ou fêter la vente du troupeau, ça la ferait rire, et ce jour-là c'est si long, et elle devine Mauro qui s'impatiente, qui dit :

— Est-ce qu'elle est sortie et qu'on l'a pas vue ?

Mais comment le pourrait-elle avec ses fils devant la banque comme deux chiens d'arrêt auxquels rien n'échappe, les sens aiguisés, le regard rivé sur la porte à en devenir flou, à piquer le bord des yeux, et Joaquin secoue la tête.

— Elle y est toujours.

— C'qu'elle fout ?

La mère cependant n'a pas trop loisir à s'attarder à les imaginer, ses gaillards, avec l'autre chafouin et ses mauvaises nouvelles en face d'elle, qui lui dit ce qu'elle ne voulait pas entendre, et elle se lève en criant, de quel droit ils lui ont pris – et ce salopiaud qui répond : *Du droit qu'ils ont le droit*, et puis quoi encore, bientôt ils lui voleront ce qu'elle n'a pas, elle serait mieux à garder son argent chez elle, qu'au moins il ne disparaîtrait pas. Plus personne ne lui fera crédit ? À d'autres ! À elle de voir ? Oui, on va voir ce qu'on va voir.

Elle sort, arrachant presque la porte, apparaît dans un halo de rage – bien que rien ne soit vraiment visible, mais les jumeaux sentent la fureur jusqu'à eux, comme un souffle, un vent chaud que la mère contient au fond d'elle et qui bout dans le blanc de ses yeux devenu rouge, dans sa voix caverneuse quand elle arrive près d'eux et qu'elle articule en les regardant férocement :

— Y a plus rien.

Ils hésitent un moment avant d'oser parler.

— Plus rien ?

— Ils ont tout pris.

Mauro tape du pied par terre.

— Mais comment c'est possible ? Avec le troupeau qu'on a vendu.

— Y avait des dettes. Ils se sont servis. Tous.

La mère renifle avec mépris, tournée vers la ville. Un sourire méchant aux lèvres. On dirait une gamelle prête à exploser et elle murmure, pour que ça n'éclate pas en passant sa bouche, pour que les mots se calment, sinon elle rentrerait dans la banque et elle égorgerait Gomez tout droit sur son fauteuil :

— Le père a eu raison de partir. On n'a rien à espérer de ce fichu endroit où on vous prend ce que vous avez jusqu'au dernier peso. Nous aussi on aurait dû partir.

Elle lâche un cri étouffé, la colère la déborde, plus encore que la résignation. Aux yeux des jumeaux, elle est incandescente soudain, une torche vive. Il suffirait de si peu pour qu'elle se fende en deux, emportant avec elle la ville, ses habitants et son banquier, un raz-de-marée brûlant, une lave. Ils n'osent même pas la toucher. Elle jette son cabas à côté d'elle. Se frotte le visage, fort. Ses pommettes sont rouges.

Joaquin chuchote :

— On va faire quoi.

— Quoi ?

Il répète sur le même ton. La mère s'énerve, parle plus fort.

— Mais dis-le donc, il n'y a pas de honte ! On va faire quoi. *On va faire quoi.*

— Oui, bafouille-t-il.

— Oui, quoi ?

— Ça.

— J'entends pas. Tu as peur que ces gens – elle se retourne, embrasse d'un geste la rue et les passants – se moquent de nous ?

Et Joaquin jette un regard suppliant aux badauds qui commencent à s'arrêter pour les écouter.

— Non, non.

— Alors ?

— Alors.

— Qu'est-ce que t'as à me dire fort ?

Il observe la mère, l'air égaré.

— J'sais plus. J'sais plus !

— Moi je sais. On va se refaire. Allez.

Elle avait détaché Rufian, elle se ravise. Le remet au poteau, se dirige vers le bar en quelques pas décidés. Au fond d'elle, la hargne fait une boule de feu que seuls le jeu et l'alcool pourront apaiser. En attendant, elle la dévore. Au bout de la rue, des enfants se chamaillent, qu'elle contemple quelques instants en pensant à autre chose : le travail exténuant, les journées qui la font vieillir avant l'âge. Sa vie de misère. Mais qu'importe, ce soir elle va culbuter le sort, elle le sent. Derrière elle, Mauro l'appelle.

— Ma…

Elle hésite. Il insiste, c'est le seul qu'elle écouterait des fois, elle flotte, suspend sa jambe qui avance. *Ma, j't'en prie…* Alors elle s'arrête et les regarde Joaquin et lui, tous deux collés à la carriole comme si on allait la leur voler. Au fond ce ne sont que des gosses. Un instant, elle manque revenir vers eux, leur ébouriffer les cheveux et s'asseoir à côté d'eux, houspiller le cheval pour rentrer. Mais il y a la colère. Elle oublie tout et elle crie :

— Venez là.

Elle ne les attend pas. Elle sait qu'ils lui obéiront. Au bar, on lui propose une place à une table de jeu, loin de la fenêtre. Elle s'engouffre, prend les cartes en tremblant.

— Ça va cogner, elle dit.

En face d'elle, le vieil Emiliano sourit en s'étirant. Article : *Enfin du mouvement. Je suis.* Les autres acquiescent dans des murmures. Elle jette les cartes à Leo.

— Vas-y, bats.

Sa mine revêche ne l'a pas quittée. La mère est partie en guerre. Contre les banques, contre l'injustice. Contre le monde. Et une bière à la main. Avec ses cheveux un peu décoiffés et son visage encore rouge de fureur, on dirait une gorgone tout droit sortie des enfers. D'ailleurs personne ne se risque vraiment à la regarder ou à lui demander ce qui ne va pas. Cela ne les intéresse pas ; et la réponse serait cuisante, car chacun est prié de nettoyer devant sa porte avant de venir fouiner devant celle de la mère. La seule chose que tout le monde voit, c'est qu'elle est de fort méchante humeur. Elle est la première à savoir que, dans ces cas-là, il faut se retirer car on joue mal. Mais l'honneur. La rage. Elle est au-dessus de ça. Elle ramasse ses cartes.

Elle perd.

Bat, distribue, perd à nouveau. Et encore. Au début, les gars rient d'elle, la chahutent. On joue pour pas cher. Puis davantage, de partie en partie. La mère persiste. Dans la salle, on boit et on fume sec. Un nuage blanc flotte au-dessus des joueurs, l'odeur des corps en sueur se mélange. À mesure que le temps passe sur la table tapissée de jetons et de cartes, les regards se font plus acérés, déconcentrés par l'alcool aussi. On parle moins. Les gars suivent le jeu, abattent, ramassent. Une plaisanterie avant de recommencer. Devant la mère, le tas de jetons ne cesse de diminuer ; parfois elle se refait – pas grand-chose. Le tour d'après elle perd tout. En face d'elle, quelque chose les gêne, comme si tout bien pesé la mère perdait avec application. Acharnée à abattre les pires jeux qui soient. Ses yeux sont injectés de sang. Elle a bu huit ou dix bières.

— Oh, carnaval, grogne Emiliano.

La mère frappe du poing sur la table. *Je t'interdis !*

— Tu cherches quoi, à te ruiner ce soir ?

— Joue. Joue !

Ils continuent en soupirant. L'excitation a disparu : même les vieux filous qui d'habitude plument la mère avec mesure n'aiment pas cette façon de laisser filer les parties, et les victoires sont amères. Ils protestent en soufflant bruyamment. La mère s'en moque, accoudée bas, le regard flou. Tendue sur les cartes sans les voir, elle monologue pour elle-même, à voix basse. Les jumeaux devinent sa jubilation morbide quand elle balance ses jetons d'un geste excédé, exige une nouvelle partie, jette ses cartes. La fumée des cigarillos la fait tousser.

— Ouvrez la fenêtre, ordonne Alejo.

Le courant d'air tiède leur donne des frissons d'aise. Mauro et Joaquin se lèvent, vont s'asseoir à une table à l'autre bout du bar. Ils ont pris la mère par le bras en lui disant d'arrêter, en vain. Qu'est-ce qu'ils y connaissent donc, eux là ? Elle les a repoussés en les traitant d'idiots.

— Jamais. J'ai trop d'argent dehors. Faut que ça revienne.

— Ma, et si tu perds tout.

— La chance, ça tourne. C'est bientôt mon tour. Fichez-moi le camp.

Elle crie à Alejo de leur apporter des empanadas, pour les occuper. L'air traîne des parfums de bœuf grillé et de pâte cuite qui les font saliver. Ils s'asseyent et la mère peut revenir à ses cartes, les oublier ces fils qui la gênent avec leurs regards inquiets, qui finissent par la laisser en marmonnant qu'eux n'ont rien à perdre, croient-ils, et ce n'est pas elle qui va les détromper quand elle n'aspire qu'à avoir enfin la paix pour jouer. D'une oreille distraite et rendue confuse par l'heure et la bière, elle entend les clients commenter le jeu, ne comprend pas qu'ils s'esclaffent ; le doute la fait hésiter. Elle abat une quinte six-sept-huit-six, confondant sa dernière carte renversée avec un neuf, les yeux brouillés d'alcool. La nuit est tombée depuis des heures. De là où elle est, elle aperçoit des silhouettes qui se hâtent le long de la rue, poussent la porte du bar pour y entrer ou en sortir, et tout s'équilibre, ceux qui arrivent et ceux qui s'en vont, comme les naissances et les morts, et il y a toujours autant de monde à l'intérieur, autant de monde qui observe la mère en hochant la tête et en murmurant des commentaires, elle préfère ne pas entendre, elle regarde son jeu.

Par instants entiers, la conscience lui manque. La poitrine la serre comme si son cœur se débattait à l'intérieur, et cela l'empêche de se concentrer aussi sûrement que Mauro et Joaquin éloignés dont elle sent pourtant le regard, qu'ils arrêtent ceux-là, à la surveiller et à la juger de cette façon – elle renverse sa bière, essuie d'un revers de manche. Elle se retourne d'un coup, furieuse, les avise trois tables derrière. Les engueule parce que c'est leur faute évidemment si elle perd autant ce soir.

— C'est fini oui ?

Ils sursautent. Qu'ils y croient, qu'elle ne les voit pas. Elle a des yeux dans le dos. Pour la partie de poker c'est pareil, et le regard toujours rivé aux fils, elle entend l'enchère, répond par habitude : *Je suis*.

Mais cette fois, Emiliano tapote sur la table à côté d'elle, lui met un coup d'épaule.

— T'as plus rien, il dit.

Et la mère se retourne et elle a beau regarder et chercher, la table est vide vers elle, tous ses jetons sont envolés. Elle pleurniche.

— C'est pas possible, j'allais me refaire.

Emiliano secoue la tête et répète : *T'as plus rien*.

Et c'est à ce moment-là que la mère bascule.

Mauro

Dans la touffeur du bar la nuit, il attend, regarde la mère du coin de l'œil, partage des cigarettes avec Joaquin en lapant le fond de sa bière finie depuis longtemps. Depuis le départ du père il y a treize ans, le grand jumeau a l'habitude. Les frères, la mère, les bêtes, la famille enfin : c'est lui qui veille. Pas forcément que ce soit drôle tous les jours, mais d'une certaine façon cela fait partie de son travail. Et si la mère donne les ordres, les frères s'en remettent à lui lorsqu'il faut trouver comment mettre les mains dans le ventre des vaches pour sortir un veau, comment s'arranger avec un bélier qui ne veut pas passer d'un troupeau à l'autre. Même Joaquin lui laisse la place, pas fou : certains soirs, les décisions à prendre le torturent, surtout en période de naissances, cette saison qu'il déteste et qui l'oblige à rendre des verdicts sanglants, sauver la brebis ou l'agneau, abattre le taureau mal castré ou le laisser traîner encore, si on arrivait à le vendre avant qu'il ne crève. Jamais l'émotion ne le submerge : mais la question le taraude toujours, peut-être aurait-il pu faire mieux. Parfois il essaie. Souvent il finit les mains et les bras rouges de sang, et la bête agonise à ses pieds ; d'autre fois, contre toute attente, elle se relève, miraculée et chancelante, et quelque chose de puissant vibre au fond de son ventre à lui, il regarde les frères à ses côtés, dit seulement :

— Voilà.

Eux acquiescent. Il les domine de toute sa taille, de toute sa foi. L'estancia, c'est lui. Lui, et Joaquin. Pas qu'il aurait franchement besoin de son jumeau pour le travail, mais c'est quelque chose qui ne se commande pas, peut-être d'avoir été ensemble dans les tripailles de la mère, avant même d'avoir vu le jour, et qu'on ne puisse plus les séparer, enfin c'est ainsi, Mauro et Joaquin toujours deux à deux, sinon cela ne va pas. Joaquin pour porter sur son frère ce regard fier, à prendre une part de sa force, de son travail, mais surtout à marcher avec lui, quoi qu'il arrive, même quand le grand a tort et que l'autre ne dit rien.

— Alors ?

Mauro cligne des yeux, revient à la nuit dans le bar enfumé, à Joaquin assis près de lui, les assiettes vides dont ils ont gratté les miettes jusqu'à la dernière.

— Quoi ?

— J'disais qu'il faudra ferrer Salvaje. Il s'est arraché l'avant droit, t'as vu ?

— Oui.

— On s'en occupera demain.

— D'accord.

— Tu te souviens la première fois qu'on lui a fait les pieds ? On a été obligés de le coucher pour y arriver.

— C'est un bon cheval.

— J'sais bien, c'est le mien, j'le connais. Mais c'est aussi une tête de mule.

— Faut toujours un peu de mule pour faire un bon cheval.

— Comme la mère.

Mauro rit d'un rire sans joie. *J'allais l'dire.* Il pousse l'assiette devant lui, cherchant en vain un morceau de pâte, un reste de viande oublié.

— Les agnelages vont commencer, reprend Joaquin en jouant sur la table du bout des doigts – et Mauro se rend compte à quel point leurs pensées toujours errent dans les mêmes espaces et sur les mêmes sujets.

— J'ai vu oui.

Les pis gonflés des brebis dont le ventre se tend sous les coups des petits. Dans une semaine, deux au plus, les frères parcourront les terres de l'aube au coucher du soleil, comptant les nouveau-nés, surveillant que les bêtes soient en bonne santé. Ils en ont pour trois mois avant que les naissances se tarissent, car les vaches s'y mettront à leur tour, trois mois à chevaucher inlassablement, à soigner, à abattre s'il le faut, quand la guigne s'y met. Après, ils ramèneront les troupeaux pour marquer les agneaux et les veaux ; mais d'abord il y a ce temps des délivrances, des odeurs de muqueuses et de sang. Parfois ils ne rentrent pas de deux ou trois jours, et leurs mains sont empreintes d'effluves douceâtres et de caillots noircis, qu'ils essayent de nettoyer en les frottant sur la poussière des pistes. Lorsqu'ils font chauffer les gamelles le soir, leurs doigts en sont encore puants et chaque bouchée qu'ils enfournent leur rappelle les bêtes maladroites qu'ils ont sorties des entrailles de leur mère, et ils finissent par abandonner la moitié de leur repas, vaguement écœurés, humant les relents animaux sur leurs pantalons et leurs chemises.

Fiers pourtant d'avoir, à leur façon, donné la vie tout au long de ces journées brûlantes. Joaquin a posé la tête sur ses avant-bras et regarde son frère.

— Combien il va y en avoir ?

— J'sais pas. Peut-être bien deux mille, si on a de la chance.

Fatigués, ils s'endorment par à-coups. Ils voudraient garder les paupières ouvertes mais elles se ferment malgré eux et ça chavire en dedans comme s'ils avaient trop bu, ou comme s'ils avaient tourné sur eux-mêmes, encore et encore, ils le faisaient quand ils étaient tout gosses pour se donner le vertige, bras ouverts et riant à pleine gorge, Joaquin tombait le premier. Mauro continuait, titubait, se rattrapait aux courants d'air. Après, allongés à côté l'un de l'autre, ils contemplaient le ciel en attendant que la nausée passe. Les nuages partaient en arrière, revenaient, tanguaient ; souvent Joaquin se redressait en criant, parce qu'il avait l'impression de basculer dans le vide – mais ce n'était que le roulis au fond de lui, et Mauro l'agrippait par la manche pour le calmer. Alors ils se racontaient des histoires de chevaux et de steppes. Finissaient par sombrer dans un demi-sommeil hésitant, jusqu'à ce que la mère les appelle en hurlant, pour être sûre qu'ils l'entendraient où qu'ils soient.

Mauro sursaute.

La mère.

Il secoue Joaquin en même temps qu'il se retourne vers elle. Jamais il ne l'a entendue crier de cette façon, jamais il ne l'a vue dans cet état. Ses hurlements déchirent l'atmosphère bruyante, saisissant les hommes qui s'écartent d'elle comme on évite une chose dangereuse. Elle s'est levée, rugissante, et arrache ses longs cheveux plats en gesticulant, les yeux rougis par la fatigue et la colère. Emiliano essaie en vain de l'apaiser. Alejo pose devant elle un verre d'alcool qu'elle boit d'un seul coup. Et puis elle retombe sur sa chaise. Le silence dans le bar.

Mauro écarte un ou deux hommes sans ménagement.

— Qu'est-ce qui se passe ?

Elle ne répond pas. Son regard flotte loin, embrumé, atterré. Les jumeaux s'agenouillent devant elle.

— Ma ?

Lentement, elle tourne la tête, les regarde. Elle dit : *Joaquin*. Mais c'est Mauro qui répond.

— Je suis là, Ma.

— Joaquin ?

— Il est là.

Les larmes sur son visage vieilli trop vite. C'est la première fois qu'il la voit pleurer. Quelque chose se fissure en lui, et il se redresse, immense, fait face à l'assemblée.

— Qu'est-ce qui s'est passé bon sang ?

Emiliano rassemble les cartes, les donne à Alejo pour qu'il les range.

— Eh bien. Elle a perdu.

Le garçon fronce les sourcils, cherche ses mots.

— Tout ?

Le vieux opine. *Ouais. Même un peu plus.*

— Je comprends pas.

— C'est toi, Joaquin ?

— Non. C'est lui.

Les yeux étrangement bleus d'Emiliano se déportent sur l'autre jumeau. Le jaugent. Il fait claquer sa langue.

— Mon garçon, va falloir faire ton sac. Ta mère t'a perdu au jeu. Je passerai te chercher demain au lever du jour.

*

La mère est écroulée sur le siège de la carriole, inerte et ronflante. Rufian trotte à bonne allure, heureux d'avoir pris le chemin du retour ; son souffle rythme la nuit. Les nuages masquent la lune mais il connaît la route par cœur, comme s'il sentait la maison familière, l'écurie et le grain. Ses sabots volent au-dessus de la terre et des cailloux, réguliers dans leur course, *clac clac clac*. Il ignore tout de l'abîme ouvert dans le ventre des garçons assis à côté de la mère endormie.

Mauro tient les rênes. Il ne voit pas le chemin. Ne peut pas. Dans son regard il n'y a que son frère.

— T'inquiète pas, murmure Joaquin.

Mais sa voix tremble.

Ils n'ont jamais été séparés. Ils sont jumeaux comme ils naquirent bruns aux yeux noirs : indéfectiblement. Mauro n'imagine pas vivre sans Joaquin. S'il lui manquait une main ou un pied, ce serait pareil. Il grogne :

— Elle te laissera pas partir.

Joaquin coule un regard méprisant vers la mère.

— Elle ? Ça ne te suffit donc pas, ce qu'elle a fait ce soir ?

— Demain elle s'expliquera avec Emiliano.

— Il n'y a plus rien à négocier, Mauro. Elle m'a joué. *Joué.* Comme de l'argent ou du bétail. Tu entends ?

Ils se taisent. Joaquin pousse la mère du pied, qui glisse à moitié sur le plancher de la carriole, tordue dans une posture ridicule. Il crache sur elle.

— *Moi.* Tu peux être sûr qu'elle savait ce qu'elle faisait la vieille, pas vrai. C'est pas toi qu'elle a joué, Mauro. Elle a besoin de toi, tu es le plus fort, tu travailles comme deux hommes, elle ne pourrait pas se passer de toi. Mais moi. Je suis rien pour elle. N'importe quel saisonnier me remplacera quand il lui faudra des bras, elle fera ses comptes, elle trouvera que ça lui coûte moins cher que de me nourrir à l'année, et elle pensera que la guigne a bien fait les choses.

— Dis pas ça.

— Tu verras.

— Tu reviendras.

— Elle aura jamais l'argent pour me reprendre.

Mauro ouvre la bouche, ravale les mots qui lui venaient. Il essaie de se mettre à la place de son frère. Bien sûr que la mère ne fera rien demain : il n'essaie pas de rassurer davantage Joaquin. Il partira, comme l'a dit Emiliano. À cette idée, la brûlure dans ses entrailles se ravive. Il imagine le vieux arriver avec un nouveau cheval pour son jumeau, qui harnachera sa selle, attachera son paquetage – si peu de chose : quelques vêtements, un couteau, son lasso. Il souffle :

— Et Salvaje ?

Dans le noir, les mains de Joaquin se tordent si fort qu'il lui prend le bras, le secoue.

— Ma voudra pas que tu partes avec, hein.

— Je sais. Il vaut plus que moi, ce cheval, même si elle n'en fait rien.

— Si tu veux je le ramènerai dans les plaines. Il sera mieux qu'à finir cheval de labour.

Joaquin ne répond pas tout de suite. Son criollo beige. Mauro sait que cela le déchire autant que de le quitter lui son frère, il devine la tentation dans les yeux de Joaquin, supplier la mère de lui donner le cheval, y laisser sa dignité s'il le faut, sa fierté pour un cheval, pour un ami. Qui d'autre lui rappellera l'estancia, qui pourrait rester près de lui en dehors de Salvaje – un souvenir chaud et vibrant de sa vie jusqu'à ce soir, la crinière épaisse pour se consoler, le poil humide pour essuyer ses larmes les premiers jours. Et vrai, la mère s'en moque bien, du cheval, et après ce qu'elle a consenti ce soir ce serait la moindre des choses. Mais elle ne le donnera pas, Mauro en est certain. Elle n'a jamais rien donné. Tout pour sa gueule, bon sang, ça le fiche en l'air, pour qu'elle le perde au jeu, à croire qu'elle ne sait que détruire, qu'elle cherche les enfers, et eux derrière, qui réparent et triment en silence. À côté de lui cependant, il sent Joaquin respirer lentement, prendre son élan, et comment lui en vouloir, il aurait fait pareil. Articuler à voix basse les mots pour s'habituer, se donner du courage, et le grand entend et cela lui fait mal : *Ma, à propos, pour Salvaje…*

Mais quand les grognements leur parviennent de sous la couverture où elle s'est enroulée, Joaquin d'un coup se recroqueville et renonce. Regarde Mauro, et le grand jumeau hoche la tête avec un sourire navré.

— J'te l'aurais pas dit mais puisque tu le comprends tout seul, t'as raison de laisser tomber. Ça sert à rien de s'humilier.

— Elle me le laissera pas hein.

— Non.

— Qu'est-ce qu'elle va en faire ?

— Rien.

— Ouais. C'est c'que j'pense aussi. Elle veut juste qu'il reste à elle.

— C'est ça.

— Parce que je suis un étranger maintenant.

— Dis pas n'importe quoi.

— T'as pas vu comment elle m'a regardé là-bas, quand on est sortis. Je fais plus partie de la famille. C'était dans ses yeux. Merde, comme si c'était moi qui l'avais trahie !

— Le jour où elle pourra te racheter, elle le fera aussitôt, c'est sûr. Elle va penser qu'à ça.

— Elle peut toujours y penser.

Mauro hésite, à quoi bon mentir davantage quand il est conscient lui aussi que la mère les a vendus, qu'elle recommencerait sans doute, si c'était à refaire. Les rayer du monde pour une partie de poker. Pour une colère qui ne les concerne pas. Elle a dévisagé Joaquin en regagnant la carriole, il l'a vue se détourner de lui de la même façon qu'elle rebrousse chemin après avoir constaté la mort d'une bête, sans tristesse, juste elle passe sa route, rentre à la maison. Ordonne aux fils d'aller l'enterrer. L'oublie. Combien de jours faudra-t-il à la mère pour effacer Joaquin de sa mémoire ?

Quelque chose à l'intérieur de lui fond de soulagement à l'idée d'être celui des deux qui reste. Il s'en veut un peu. Murmure :

— On se croisera à San León tu crois pas.

Joaquin ne répond pas. Il est déjà loin.

Rafael

La première nuit après le départ de Joaquin, le petit
ressort avec Halley. Jusqu'au dernier moment, il a
pensé qu'Emiliano ne viendrait pas. L'histoire est trop
ahurissante, et la mère ne dit rien, fermée comme un
cadavre. Pourtant, devant la mine défaite des jumeaux,
il serre les poings et attend, refoulant ses émotions,
que rien ne se voie. Il se retire dans un coin de la
grange. Tombe à genoux, une sorte de prière. L'estancia est figée dans un silence pesant qui semble devoir
durer éternellement. Il se donne une heure au-delà de
laquelle il perdra tout espoir ; et alors qu'il n'y croit
plus, cela arrive.

Au milieu de la matinée, le vieux apparaît au bout
du chemin. Mauro a sifflé entre ses dents dès qu'il l'a
aperçu : *Le voilà le vautour*. Et lui Rafael le regarde
venir vers eux, auréolé de lumière et son beau visage
ridé plein de promesses, il entend quelque chose chanter dans le ciel, et il joint les mains. *Faites que ce soit
vrai*.

Jusqu'au dernier instant aussi, il a craint que Mauro
livide prenne son fusil et abatte Emiliano. Que la mère
sorte une liasse de billets. Que Joaquin s'enfuie en

jurant de revenir plus tard. Mais rien ne s'est produit, et le vieux a mis une claque sur l'épaule du plus petit des jumeaux.

— Fais pas cette tête ! Je t'emmène pas à l'abattoir.

Ensuite ils sont partis. Le silence et le vide restent à planer sur l'estancia et même Rafael ne se réjouit pas autant qu'il l'espérait. Il faut attendre le refuge de la nuit dans la steppe et le pas tranquille du cheval pour qu'il sente sa gorge se détendre et ses mains se rouvrir, ses tempes sécher de la sueur aigre qui poisse depuis des heures. La lune est mince mais il s'en moque, la lumière ne lui manque pas. L'univers étincelle. Il parcourt la plaine en riant, repère les endroits où il a essayé de creuser des tombes les semaines précédentes. Se penche pour dire à l'oreille du cheval :

— Et d'un.

*

L'estancia sans Joaquin se referme lentement sur elle-même. Les frères restants s'agitent. La nuit au début, ils dorment mal, perturbés par cet étrange changement dans leur monde immuable. Quelque chose les déstabilise, les fait crier. Au petit jour, au moment de partir seller les chevaux, ils attendent encore Joaquin, par réflexe. Et quand ils encerclent le bétail ou soignent les veaux et les agneaux nouveau-nés, ils cherchent la paire de bras absente. Les chiens désorientés ne savent plus s'il faut suivre Mauro ou les deux autres ; si on ne les appelle pas, ils restent entre eux désormais.

Souvent les fils contemplent les plaines arides à perte de vue, les montagnes au fond : c'est là que vit Joaquin à présent, là qu'il fait le même travail de gaucho qu'eux, mais ailleurs, et sans eux. Là-bas, le vent d'ouest souffle plus fort, humide et froid, et la cordillère des Andes ne protège pas ceux qui vivent sur ses contreforts. Emiliano élève des moutons. Ils imaginent Joaquin à cheval, gardant et menant les troupeaux, ou à pied, coupant la laine épaisse et la mettant en sacs. Ils se sentent privilégiés d'avoir encore des bovins chez la mère, ne sachant que trop comme l'odeur âcre des moutons écœure et rend malade, même après des années, et comme les particules de laine irritent la gorge et les yeux, faisant cracher et tousser à la saison de la tonte.

— Pas d'bol, rit le petit – mais il se tait aussitôt au regard que lui jette Mauro.

Une fois de plus, il apprend à faire semblant : de regretter Joaquin, d'avoir des larmes dans les yeux quand on parle de lui. De demander dans combien de temps la mère pense réunir assez d'argent pour aller le rechercher, la mère qui, du jour où elle a joué son fils, a cessé de s'asseoir aux tables de poker. Mauro y veille, qui l'accompagne chaque fois dans l'espoir de croiser son jumeau. Qui oblige la vieille à mettre dans un pot, lorsqu'ils rentrent à la nuit, les sous qu'elle n'a pas perdus aux cartes. Rafael compte avec eux. Cela fait bien peu. Le grand dit que la mère boit moitié plus qu'avant, rognant les économies qu'il attendait. Pour ne pas céder à la tentation du jeu, qu'elle dit. La belle excuse. Dorénavant elle descend verre après verre, les yeux rivés sur les parties qui se déroulent sans elle, couinant ses approbations ou ses désaccords en agitant des doigts qui rêvent de caresser les cartes. Mais elle tient bon. S'arrache le cœur et les tripes, comme elle raconte le lendemain aux plus jeunes pour se refaire une dignité, la voix empâtée par les restes d'alcool. Rafael la regarde en coin, elle, et l'œil mauvais de Mauro qui gronde : *Tu devrais arrêter de boire aussi.* Le petit hoche vigoureusement la tête, il est d'accord. Et puis quoi, s'écrie la mère, qu'il ne lui sera donc plus rien permis, pas la moindre distraction dans cette existence morose, alors ils veulent qu'elle calanche sans joie à même pas quarante ans, pour mettre trois pesos de plus dans le pot, et ensuite.

Ils abandonnent. Se contentent de la promesse de ne pas être joués à leur tour – à Rafael cela suffit. S'il le fallait, il irait chiper l'argent épargné pour retarder le retour de Joaquin, mais il y en a trop peu, cela se remarquerait. Il soupçonne la mère de récupérer quelques sous certains soirs, en prévision de ses dépenses d'alcool ; Joaquin n'est pas prêt de revenir à l'estancia.

Cependant la vieille continue à travailler, cuisiner, vendre sans fléchir. S'est mise à dire « mes trois fils » – et c'est bien la seule chose qui ait changé. Elle ne s'est jamais expliquée, jamais excusée de cette désastreuse soirée de poker, murée dans un silence buté. Le petit aurait aimé l'entendre raconter, se heurte à des gestes agacés. Souvent il demande à Mauro le récit de cette terrible nuit. Écorché vif, le grand jumeau répète inlassablement l'histoire, persuadé que ses frères se lamentent eux aussi. Au fond de lui, Rafael ronronne en boucle. Il dit : *Encore.* Et à nouveau Mauro dresse le décor, le bar bruyant et l'alcool, les cartes sur les tables.

— Putain, murmure chaque fois le petit en guise de conclusion.

Le grand acquiesce. *Ouais. C'est moche.*

Moche. Quand il y pense le soir dans son lit, Rafael se retient de rire. Avant, ils allaient deux à deux ; avant, les aînés cognaient, commandaient, humiliaient. En cela, le départ de Joaquin est inespéré pour Steban et lui. S'il les déroute parfois par le vide laissé, il a mis fin aux terribles raclées. Mauro ne les a plus coincés pour les tabasser depuis lors, replié sur l'absence de son jumeau, paralysé par elle. Au début le petit n'y croit pas, et il sursaute toujours, bouchonnant son cheval à la fin de la journée, lorsque le bois de la grange craque et qu'il pense voir la silhouette effrayante du grand s'encadrer dans la porte. Steban de son côté compte les jours. La désertion de leur aîné les alarme plus encore que la façon dont il les a cognés jusque-là : ils craignent un déferlement de barbarie quand Mauro aura surmonté le départ de son jumeau. Mais s'il se remet très vite à les secouer parce qu'ils sont trop lents au travail, plus jamais il ne se livre aux séances de violence qui le faisaient tant rire. Peu à peu, Steban et Rafael se surprennent à dormir sans heurt, le corps moelleux, ne se réveillent plus le cœur battant avec la pensée glacée que tout va recommencer. Cela prend des semaines. Pour la première fois depuis des années, le petit retrouve la volupté du sommeil, l'extase des chairs que seul le travail abîme. Il n'y a plus dans ses yeux la lueur inquiète des gibiers pris au piège ; chaque soir, il dispose avec émerveillement ses bras et ses jambes sur le mauvais matelas, s'enveloppe dans la couverture, et un sentiment proche du bonheur l'envahit tandis qu'il tremble de joie. Il applaudit en silence la mère qui boit trop et n'économise rien. S'échine de plus belle aux tâches de la journée, pour qu'elle ne regrette pas d'avoir perdu Joaquin. Prie pour que tout cela ne soit pas un rêve – et pas un jour encore, depuis le départ de Joaquin, il n'a oublié de remercier Santa María posée sur le meuble.

Son regard sur l'univers change. Il fête ses quatorze ans sans avoir peur. Prend conscience qu'aussi loin que remontent ses souvenirs il a toujours eu l'angoisse flanquée au corps. L'appréhension des coups, des insultes. De tout le reste. Peut-être, s'il n'avait pas grandi dans cette sauvagerie, il savourerait moins l'étrange liberté que lui offre le départ de Joaquin. Mais il mesure sa chance, leur chance, et debout sur ses étriers, planté devant le paysage, il ouvre les bras devant Steban, tonne :

— Je t'avais pas dit qu'il partirait ?

Son frère sourit de travers en découvrant ses dents gâtées, concède un *Ouais* rauque en lui faisant signe de parler moins fort.

— Si Mauro nous entend d'ici, c'est ça ?

Le petit éclate de rire.

— Mauro il est aux Pointas. À deux heures au sud. On ne risque rien. T'as encore la trouille, hein.

— Nan.

— Mais si, espèce de nul.

— Nan, j'te dis.

— Fais gaffe, t'as lâché trois mots à la suite.

— Trouduc.

Devant eux, un vol d'oiseaux s'élève, que Rafael a dérangé avec ses cris. Il le regarde monter dans le ciel en une nuée bruyante, s'organiser et peu à peu dessiner la forme d'un obus, quelques meneurs en tête puis le gros de la colonie, des centaines de points noirs vibrants et ça piaille à n'en plus pouvoir, du bruit, des chants – le petit ferme les yeux. Pas de coup de fusil qui le ferait sursauter. Cela aussi, Mauro a arrêté : quand des passereaux viennent se poser sur les bosquets, il les observe en finissant sa cigarette, et aucune lueur ne vient animer son visage fatigué, aucun geste ne lui échappe pour saisir son fusil, ni les insultes envers ces animaux qu'il a toujours détestés. Simplement il tourne la tête pour ne pas les voir. Le monde l'ennuie ; l'absence de Joaquin ne cicatrise pas. Le soir quand il rentre du travail, il s'assied sur le seuil de la maison et attend l'heure du repas sans rien dire. Il mange vite, sort de table pour s'enfermer dans sa chambre. Au début la mère le chicanait. Et puis elle a cessé. Steban et Rafael le regardent s'éloigner à petits pas traînants, se demandent s'il n'a pas rétréci tant il s'est voûté en quelques semaines. À part eux, ils l'appellent Mauro-le-triste.

Celui qui ne parle pas. Qui apprend à contempler le ciel sans rien en attendre. Que peuvent comprendre les petits de la brûlure du jumeau, tout au fond de son ventre ? Que connaissent-ils des sentiments extrêmes de la fraternité, eux dont l'affection ressemble à celle de jeunes chiots, inconsciente et volatile, attachés l'un à l'autre autant qu'à leur bétail et moins qu'à leur cheval ? Le grand les observe et les méprise, et souvent Rafael intercepte la lueur dans ses yeux, qui le fait frémir, à voir revenir la colère avec tant de violence. Mais il a compris maintenant qu'elle s'éteint trop vite pour que Mauro marche chaque fois sur eux, il faudrait que la rage le tienne tout le temps, le redresse et le brandisse, et quelque chose s'est brisé, heureux pour Steban et lui, car le grand ne se sent bien qu'à lancer son cheval au galop, attraper les génisses ou les brebis dans un corps-à-corps dont il se sait d'avance vainqueur. À plonger la tête dans l'eau des rivières pour apaiser la rage. À les cogner eux les petits bien sûr, sans imaginer un seul instant qu'ils en gloussent entre eux ensuite tant cela leur semble insignifiant par rapport à avant, et pourtant il tape fort, bien exprès.

La mère aussi s'attrape avec Mauro, pas beaucoup, mais parfois, quand il lui reproche d'oublier Joaquin – et Rafael lui-même se surprend à ne plus se souvenir qu'ils ont été quatre, ayant effacé le second jumeau de sa vie, comme une pluie essuyée dès le lendemain, dès que les vêtements sont secs. Mauro n'est pas dupe quand il les prend tous à partie, et pas juste la mère, bien qu'il s'adresse à elle pour lui rappeler qu'elle les a portés, élevés, nourris tous les deux et pas seulement lui qui est sorti en premier, et il crie :

— Est-ce que tu te souviens de lui ? Est-ce que tu te souviens que nous étions deux, dès le départ, et que tu as cassé cela ?

Mais pas même la mère ne répond, et dans son regard Rafael devine qu'elle attend que Mauro se taise, indifférente à sa détresse. Joaquin, c'est le passé. Le grand jumeau ne se trompe pas quand il la querelle sur ce point, quand il refuse de dire combien d'argent elle a mis de côté depuis qu'elle a perdu son fils au jeu, puisqu'elle a décidé de ranger le pot dans sa chambre, à l'abri de leurs regards. Le petit fait des paris dans sa tête. Quelques dizaines de pesos. Cinquante. Rien. Combien coûte Joaquin ? Son seul repère, c'est le prix d'une brebis ou d'une vache. Entre les deux ? Au poids ? Trente pesos le kilo. Mais avec son savoir-faire, sans doute beaucoup plus. Il opte pour cinquante mille pesos, parce qu'il espère que la mère ne les aura jamais. Et pourtant, calcule-t-il, il suffirait qu'elle vende cinq bovins. Il se décompose à cette idée, si facile. Essaie de ne plus y penser, pour ne pas la laisser flotter dans l'air, à portée de main, mais forcément la mère le sait et il tente de se rassurer, alors il y a autre chose, une gêne, un délai, une vieille rancœur, enfin, Joaquin ne reviendra pas.

Peu à peu, la vie reprend la même routine, le travail glisse et se répartit. De l'extérieur, rien n'a changé dans l'estancia de la mère. Et de la même façon que la surface de l'étang redevient lisse et les cercles concentriques disparaissent quand le caillou a coulé au fond de l'eau, les quatre restants, mère et fils, respirent, s'apaisent enfin. Des petites vagues. De moins en moins. Et puis plus rien. Joaquin n'est plus là.

Joaquin

Ne plus jamais sourire. Ce sera sa vengeance à lui, sa façon d'être fidèle, de montrer à Emiliano qu'on ne joue pas un garçon quand il n'y a plus rien d'autre à prendre. Il ne fera pas honte à la mère : le travail, il connaît. Il sait qu'il faudra se contenter des moutons et l'odeur des vaches déjà lui manque, mais rassembler, emmener, tondre, découper, tout cela lui est familier. Il ne craint personne. Le seul qui puisse l'humilier par sa robustesse et son endurance est resté à l'estancia.

Mais sourire, ça non. D'ailleurs il ne se force pas quand le vieux le laisse en fin de journée à ses trois gauchos et que le voilà seul devant eux – pour un peu il se serait agrippé à Emiliano pour s'enfuir, il ne veut pas les voir, pas leur parler. Et eux non plus, qui ont touché le bord de leur chapeau à son arrivée en guise de salut et puis ont repris leur discussion là où elle en était, et si ç'avait été un chien qui passe ils n'auraient pas fait autrement. Alors, rongé par l'amertume, Joaquin s'assied en retrait sur les marches de la baraque et regarde le ciel, compte les heures avant d'aller se coucher, ignore même s'il aura à dîner. La mère lui a bien donné un morceau de viande séchée

111

mais il n'ose pas le sortir. Il ne comprend pas pourquoi les gars ont déjà arrêté de travailler quand il reste
deux heures de jour, entend qu'ils se lèveront tôt le
lendemain – et puis, dirait la mère, est-ce que c'est
une raison. Au bout d'une heure, il s'ennuie comme
un rat crevé ; s'il n'était pas aussi tendu, sûr il se serait
endormi et qu'importe le ventre vide. Aussi quand
l'un des gauchos l'interpelle, il sursaute.

— Alors il nous a ramené un bébé, l'Emiliano.

Joaquin tique, ne répond pas. Fixe son regard sur
le jeune qui se tait à présent, s'il a cinq ans de plus
que lui c'est bien le diable, et sur eux tous, comme il
a vu Mauro le faire parfois, un silence lourd, son long
visage aux traits tirés passe de l'un à l'autre, sans
expression.

— Il se dit que t'as été gagné au jeu.

C'est le plus vieux qui a parlé, un petit brun ridé
dont les yeux brillent sous les paupières affaissées par
le travail et le soleil, et le jumeau pense que pour la
première fois il entend ce mot, gagné, pas perdu, pour
la première fois cela est supportable à ses oreilles
– alors il consent, il murmure :

— Ouais.

Le vieux hoche la tête.

— Sale coup. T'es malheureux, j'suppose.

— Ça se voit, intervient celui qui l'a traité de bébé.

— J'peux demander, Fabricio, tu vas toujours trop
vite toi, ça coûte quoi de lui demander ?

— On s'en fout, Eduardo, voilà tout.

— L'écoute pas, bébé.

Le vieux regarde Joaquin en se marrant tout seul de
sa plaisanterie, ajoute :

— Ça t'ennuie pas que je t'appelle comme ça. Il a raison Fabricio, t'as l'air d'un môme.

Et Joaquin se mord les lèvres pour ne pas les traiter de cons, griffe les mains sur ses genoux pour ne pas se lever et aller leur mettre une trempe, à tous, persuadé qu'il en viendrait à bout, les trois, pas un de moins, vieux ou pas vieux. Il se recroqueville en silence. Ne desserre pas les dents, même quand ils rentrent réchauffer le plat de haricots pour le dîner, mange du bout des lèvres. Les autres tentent de le dérider une fois ou deux, capitulent rapidement – n'ont pas que ça à faire.

Après le repas, ils sortent à nouveau pour fumer. Lui, reste indécis dans le couloir, son sac sur les pieds, qui contient ses pauvres affaires. Eduardo déjà dehors l'aperçoit et fait demi-tour, le rejoint dans la maison.

— J'vais te montrer ta piaule, hein.

Il ouvre une porte au fond. *Ben voilà, c'est là. Et puis on est des bons gars, ici, tu verras. Ça ira mieux demain.*

— J'dors avec qui ?

— Eh bien chacun sa chambre, qu'est-ce que tu crois. Cette pièce, c'est ta maison. Personne y rentrera que toi.

Resté seul, Joaquin s'assied sur le lit. Mauro lui manque, et la mère, et même le petit et l'autre débile ; il voudrait pleurer pour enlever la boule de sa gorge, respirer mieux. Mais rien ne vient, qu'une sécheresse qui lui fait frémir le cœur et lui laboure les joues, quelque chose de mort dans sa poitrine, parce que tous aussi, à l'estancia, ont refermé la porte sur lui. Il espérait, il croyait dur comme fer, à vrai dire, que Mauro s'interposerait si la mère elle-même ne bougeait pas, quand Emiliano est venu. Mais il a attendu en vain. Il a supplié à voix basse et le grand jumeau n'a pas cillé, pas un geste nerveux sur son visage, pas un regret. Juste quelques mots : *Je reviendrai te chercher.* Et il faudrait lui faire confiance.

Dehors, les gars qu'il devine dans l'obscurité se sont assis. L'un d'eux joue de la guitare. Joaquin ouvre la fenêtre sans bruit et écoute ; jamais à l'estancia il n'y a eu de musique. Loin des chansons entraînantes ou tapageuses du bar de San León, ce qu'il entend l'apaise, le berce au soir de ce jour difficile. Accoudé sur le rebord en bois, il pose sa joue sur ses bras. Voudrait s'endormir et que cela ne s'arrête pas, le pincement des cordes résonnant dans ses entrailles, la voix qui fredonne en murmurant presque. Il a l'impression d'écouter pendant des heures, d'être avec eux dans la nuit et de chuchoter les refrains, cherchant à mémoriser des bribes de phrases pour pouvoir les répéter lui aussi.

— Hé, petit.

Il ouvre un œil sans même relever la tête. Eduardo fait un geste par la fenêtre.

— Viens.

Joaquin secoue la tête avec lenteur. Pas envie. Pas la force. Mais le vieux insiste, finit par rentrer dans la maison et cogner à la porte. Sans l'ouvrir. Il parle derrière.

— Faut pas rester à ruminer, mon garçon. Allez viens là.

Joaquin regarde la porte fermée, écoute la voix qui passe à travers. À l'estancia, personne ne toque ; les

114

portes sont faites pour être ouvertes à la volée, fracas-
sées sur les gonds. Les cris obligent. Jamais il n'a pu
de cette façon rester dans une pièce avec quelqu'un
qui demande de l'autre côté :

— J'peux entrer ?

Alors pour la première fois de sa vie, Joaquin dit :
Oui.

*

Il se réveille dehors au milieu de la nuit. Une fraction de seconde, il pense entendre encore la musique
et le rire des gars autour de lui, se rend compte qu'il
est seul. Se frotte les yeux pour retrouver ses esprits.
L'instant d'après, il sait que les autres se sont moqués
de lui, le laissant dormir sur la terre tandis qu'ils rega-
gnaient leurs lits quand Arcangel a posé sa guitare – il
ne se souvient pas s'être assoupi, ignore comment il a
pu sombrer sans les entendre partir, sans se méfier
d'eux qu'il ne connaît pas.

Lorsqu'il s'assied d'un coup, la couverture glisse
sur lui et il comprend qu'on la lui a mise pour qu'il
n'ait pas froid. Et puis la voix d'Eduardo dit dans son
dos :

— T'es réveillé, petit ? Tu vas pouvoir rentrer.

Joaquin sursaute et pivote sur les fesses, lui fait
face.

— Hey le vieux, tu dors pas ?

— Y a bien longtemps que j'ai pas fait une nuit.

— C'est toi, la couverture ?

— Fait pas chaud, tu trouves pas.

Joaquin se lève, enroule le tissu autour de lui pour ne pas perdre la chaleur. Ses pieds sont glacés.

— Ouais, j'crois qu'il fait encore plus froid que chez nous.

— Les Andes. C'est ça qui apporte l'humidité.

— J'vais me coucher hein.

Eduardo hoche la tête, fouille dans son paquet de tabac, et Joaquin le regarde.

— Tu restes là ?

— J'en ai encore une ou deux à griller il me semble.

— D'accord.

Au seuil de la porte, il s'arrête.

— Merci. Pour la couverture.

Il n'ajoute pas mais il pense : *Personne avait jamais fait ça pour moi.*

*

Des moutons par milliers, plus nombreux encore, plus blancs que chez la mère. La terre est masquée par les troupeaux parsemés de quelques béliers bruns. Pour Joaquin, ils ont une autre odeur, enivrante, de crottin séché, peut-être l'air qui balaie les relents d'urine et de laine collée par la sueur, et Fabricio rit.

— Regarde-les tous cul au vent. Faut pas demander si ça souffle.

Qu'elles mangent, qu'elles dorment ou qu'elles jouent, les bêtes se tiennent dans le même sens, croupe vers l'ouest, la tête basse ou rentrée dans les épaules pour échapper aux rafales. De là où ils sont, en léger surplomb, les gauchos les voient tels des dominos

116

rangés côte à côte dans une boîte immense, et Joaquin imagine une bourrasque renversant le premier, si serrés tous, et ils tombent, les uns après les autres, emportés par un mouvement stupide auquel leur proximité les empêche d'échapper – une mer de pattes gesticulant ventre en l'air, et il se met à rire. Les autres le regardent, il s'interrompt, dit :

— On y va ?

— On y va, acquiesce Eduardo.

Ils rejoignent le troupeau au pas des criollos ; celui de Joaquin est d'un blanc crème comme les brebis sales, las et stoïque, usé par des années de steppe. Sans doute n'a-t-il pas travaillé depuis un moment cependant, car son dos manque de muscles et, quand le jumeau passe la main sur son flanc, il sent les côtes onduler sous sa paume, telles de petites vagues indésirables. Fabricio repère son geste, opine.

— Faudra le remettre en état. Ça fait deux ans qu'il traîne dans la plaine.

— J'vois ça.

— C'était un bon bourrin, sinon, je l'ai vu bosser quand je suis arrivé. Mosquito.

Il passe devant lui en claquant des doigts et le cheval s'ébroue, renâcle, faisant rire le gaucho.

— Cinquante kilos de plus et ce sera un vrai diable.

— Le diable, ça me va, apprécie Joaquin.

— J'imagine oui.

— Tu imagines ?

— Ouais.

— J'comprends pas.

— Ben, on sait tous d'où tu viens, garçon.

— J'comprends toujours pas.

— Les gars disent que ton estancia, c'est l'enfer sur terre.

Joaquin se tourne vers les troupeaux sans répondre, perplexe. L'enfer. Merde, d'où ça sort, ça, qu'ils connaîtraient la ferme et la mère, qu'ils parlent de chez lui comme d'un abîme – ou alors certains sont venus pour les saisons, il ne les remet pas, c'était il y a longtemps car la mère a décidé depuis des années que ses fils suffiraient à la peine, mais tout de même, il a bonne mémoire lui Joaquin, surtout les visages, est-ce qu'ils étaient là pour les tontes ? L'enfer.

L'image de la vieille le tarabuste, et ses cris et ses colères. Parfois avec Mauro, ils regardaient la statuette de la Vierge posée sur le meuble, et aucun d'eux ne croyait qu'elle puisse être de la même essence que la mère, pas la moindre ressemblance, soit on leur avait menti, soit ils s'étaient trompés, mais qu'on n'essaie pas de leur faire gober une parenté hasardeuse, d'un côté cette masse presque aussi large que haute au cheveu épars, aux joues de dogue, qui ne sait que se taire ou brailler, et de l'autre une silhouette fine et souriante, que rien qu'à la toucher on se sentait mieux, non, vraiment, non. Pour Joaquin et Mauro, il y a les femmes, les hommes et la mère.

La Vierge au paradis et la mère aux enfers.

Ce matin il s'est préparé dans une baraque sans cris, rien qui lui chouine aux oreilles de se dépêcher, tout feignant qu'il est, rien qui lui enlève son bol de maté avant qu'il ait fini parce qu'il n'est plus temps, et qui gueule avant que la journée ne commence, sans raison, pour les encourager, pressés toujours, et jamais bien jamais assez. Quelque chose de différent ici le sidère, il attend, sûrement cela va changer.

Mais tout le jour ils scindent les troupeaux, les parquent dans les herbages pour laisser repousser ailleurs un peu de chenis, des fois qu'on puisse faire quelques gerbes de foin qui serviront aux bêtes blessées ou malades ramenées aux étables. Tout le jour il patiente, chevauchant inlassablement son cremello au mauvais caractère, partageant la gamelle préparée par la femme d'Emiliano et participant aux paris sur le menu du soir. *Fais pas le con*, dit Eduardo, *tu vas manger ta paie.* — *J'en aurai pas, de paie.* — *Et qu'est-ce que tu te figures, qu'on travaille pour la soupe de la patronne ?*

Alors il aura de l'argent, pour la première fois, des pesos à lui, Emiliano le lui a confirmé le soir, il a dit : *Pour racheter ta liberté, dans un an tu pourras partir, ou rester là.* Et Joaquin n'ose pas y croire, pas de pouvoir partir, mais pour la paie, car à ce moment-là l'estancia de la mère s'éloigne dans sa tête et ne représente qu'une infime préoccupation, laissant place enfin au rêve, si on ne le lui enlève pas comme toujours – mais cette fois il espère de toutes ses forces car ce monde est autre il le sent, il le veut, et courant derrière les brebis, la bouche fermée sur un espoir insensé, il crie dedans sa tête :

— L'enfer… l'enfer !

Mauro

La période des foins se termine. Dans la grange, l'odeur d'herbe sèche embaume. Comment une terre si aride et des pâtures si pauvres peuvent s'allier pour donner un fourrage au parfum étourdissant, le grand jumeau s'en étonne chaque année. Il voit bien aussi la place qui reste dans le bâtiment, sait que la récolte a été maigre et que la mère devra acheter quatre ou cinq tonnes de rajout, dont ils n'auront peut-être même pas besoin, mais s'ils attendent, tout sera vendu, ils n'en trouveront plus. Il n'a pas plu depuis presque trois mois et les prairies sont grises et jaunes, l'herbe clair-semée n'a pas grossi, rendant un foin fin et craquant qui pique la bouche des bêtes. Parfois, l'hiver, il faut leur enlever une tige plantée dans la gencive comme un dard, qui les fait mâcher dans l'air et secouer la tête pendant des jours. Quand la saison n'est pas trop froide, elles boudent cette triste nourriture, préférant errer des heures le nez dans les bosquets de *neneos* – et Mauro sait qu'il faudra ramener les troupeaux prévus pour l'abattage quelques semaines plus tôt dans des pâtures saines, pour que la viande ne garde pas l'odeur aigre des plantes épineuses.

Du bout de la fourche, il rassemble les gerbes échappées ici et là, les entasse en vrac dans un coin : il ne s'agit pas de les perdre. Il essaie de calculer combien il manquera exactement, mais trop de choses lui échappent, le nombre de bêtes malades à rentrer la saison prochaine, l'arrivée ou non de la pluie sans laquelle les pâtures ne pousseront pas. Malgré les effluves enivrants du foin, la poussière le fait tousser, poussière de terre ramassée au pied des herbes dont elle est indissociable, car ici, quoi que l'on fasse, elle est toujours là, sous les sabots des chevaux, derrière les charrettes, au cul des vaches. Mauro sent la tiédeur du fourrage tout juste rangé. Le jour, sous le soleil, il leur donne des démangeaisons à se déchiqueter les chairs, à se jeter dans l'abreuvoir pour calmer l'irritation, même si aucun d'eux ne le fait, car ils savent tous que la peau sitôt séchée tire de plus belle. Alors ils prennent leur mal en patience, hérissés de frissons comme s'ils avaient la fièvre, endurant la sueur et pour une fois quémandant un peu de vent pour apaiser leurs bras et leur cou brûlants. Le soir des plaques rouges les grattent encore jusqu'aux pommettes.

De l'autre côté de la grange, les chevaux appellent soudain et Mauro lève la tête, recule dans l'ombre sans un bruit. C'est pour cela qu'il traîne ici depuis une heure ; il savait que le petit viendrait, qu'il serait assez idiot pour ça. Et sûrement même il n'y pense plus, sans quoi il aurait renoncé à entrouvrir les portes des écuries pour donner un peu de grain aux criollos, et pourtant il devrait se souvenir que le grand jumeau est terriblement rancunier. Mais peut-être ne s'est-il pas aperçu que Mauro l'a entendu ce matin, quand il s'est moqué de lui avec Steban, peut-être le débile qui, lui, l'a vu derrière la porte et est devenu livide, a-t-il obéi au signe que le jumeau lui a fait, un doigt sur les lèvres : *Chut* – trop pétrifié pour pouvoir dire quoi que ce soit à Rafael, trop lâche pour le prévenir. Et le petit tout joyeux depuis le départ de Joaquin, croit-il que lui Mauro ne s'en rend pas compte, le petit qui imite son aîné solitaire et accablé, bien caché, pense-t-il, et donne un coup de reins en s'exclamant : *Tiens ! Dans le cul, Mauro, et dans le cul, Joaquin !* Oui depuis ce matin le grand jumeau attend de le coincer pour lui faire passer le goût de la plaisanterie, liquéfié de rage, et s'il s'était écouté il aurait aussitôt fondu sur son frère, mais la mère était derrière, elle aurait entendu, il n'aurait pas pu. Des heures qu'il rumine à travailler seul de son côté, car Steban et le petit se seraient aperçus de quelque chose juste à le voir, mâchoires serrées tirées sur son visage défait, mais il ne s'est pas trompé.

À présent la mère est à la cuisine, le jour s'affaisse.

Et le petit vient d'entrer dans la grange.

Mauro s'approche en glissant sur le sol ; même les chevaux ne l'entendent pas, broyant les céréales dans un bruit paisible, ces soupirs de bêtes rassasiées, et le nez dans les seaux entre deux bouchées, l'eau coule, ils s'ébrouent.

Même les chevaux ne se doutent pas.

Depuis son coin, Mauro observe Rafael dans l'écurie de Halley, qui caresse le criollo, passe ses mains sur son dos, sous son ventre, le long de ses jambes pour vérifier qu'aucune blessure ne suinte. Scrute les clous des fers – un peu sortis de la corne, il surveille, prévoit sans doute de les changer d'ici deux ou trois jours, sans imaginer qu'il ne pourra pas, car rien ne prévient à cet instant, rien ne laisse deviner que quelque chose va faire irruption et changer ses pauvres projets quotidiens, il peut toujours les planifier, ses tâches interminables. Appuyé contre le cheval il rêve à moitié, fatigué par les journées au milieu des prairies fauchées, bougeant les mains pour assouplir les ampoules qui ont éclaté sur ses paumes. Heureux comme eux tous que la récolte soit finie, la joue contre le flanc de Halley, le parfum animal flotte jusqu'à Mauro.

Alors le grand fait quelques pas en arrière, pour le plaisir de revenir en traînant les pieds et de voir bondir la petite crevure affolée, qui devine tout de suite que c'est lui Mauro et son pas lent et lourd, il regarde autour de lui cherchant une issue impossible, qu'on dirait un mulot pris au piège, et le jumeau se retient de rire. Fait semblant encore un peu et le voit s'agiter en vain, tenter un geste vers la loupiote puis se raviser – trop tard pour l'éteindre, inutile, tout est inutile –, se laisser glisser enfin le long du mur, masqué par le cheval qui a recommencé à manger, si jamais il pouvait être invisible.

Mauro joue, appelle.

— Rafael ?

Il imagine le cœur du petit qui bat la chamade et il répète, avec cet accent traînant comme les soirs où il a fauché l'alcool de la mère :

— Rafael…

La colère le tient, le fait bouillir dedans, la même chose que quand une bête lui résiste et qu'il s'apprête à la coucher au sol pour lui apprendre, lui montrer qui est le maître, une corde, un nœud coulant sur les antérieurs et il tire d'un coup, fort, fauche l'animal qui tombe avec un cri. Ils sont tous pareils, les bœufs ou le petit, à essayer quand même, et lui Mauro à devoir leur rappeler à bras raccourcis qui commande pour de bon, si c'est ce qu'ils veulent.

Le buste cassé en avant pour ne pas être vu, il trotte sans bruit vers l'écurie, se déplie à l'endroit exact où, de l'autre côté, Rafael s'est rencogné en attendant que le grand s'en aille, il pourrait attendre pendant des heures tellement il a la trouille, mais Mauro est là de l'autre côté des planches, juste derrière lui, quelques centimètres à peine, et le surplombant de toute sa hauteur il tonne :

— Qu'est-ce que tu fous là ?

De surprise, le petit pousse un cri. Halley sursaute, fait un écart. Mauro se penche par-dessus la porte dans un ricanement.

— Tu pensais que je ne te verrais pas, dis, petite merde ?

— Non, c'est pas ça.

— Eh bien, qu'est-ce que tu fais alors dans ton coin ?

Le petit se relève.

— Je… J'avais mal au ventre.

— Et puis ?

— Rien, juste j'attendais que ça passe.

— Ouais.

Le grand rigole, le sort *manu militari* de l'écurie. *On va attendre ensemble, justement faut que je te cause, ça te dit, ça ?*

— J'allais rentrer hein.

— Sans qu'on s'explique ? C'est pas bien.

— Expliquer quoi ?

— Tu te fiches pas de moi, des fois ?

Dans le regard du petit, il y a cette peur qui l'empêche de réfléchir et lui ferait dire n'importe quoi pour trouver une excuse, celle qui lui pique les yeux et chaque fois fait jubiler Mauro. Le jumeau sait que Rafael va essayer de l'embrouiller, soit qu'il tente de se défendre, soit qu'il compte que le grand ait pitié de lui, alors il coupe court, pour bousiller ses espoirs :

— T'as raconté quoi à Steban ce matin, quand tu te foutais de Joaquin et moi ?

Le regard stupéfait du petit sur lui.

— Mais rien ! J'ai rien dit !

— Essaie de te souvenir.

— J'te jure.

— Attends, j'vais t'aider – et il avance le bassin d'avant en arrière dans un geste obscène. Dans le cul Mauro, ça te rappelle rien ?

Cette fois Rafael se décompose. N'essaie pas de nier, seulement ses yeux qui rougissent et s'embuent, et aussitôt il met ses mains autour de sa tête pour se protéger – trop tard, car Mauro l'a balancé contre la porte de l'écurie et sa joue vient heurter le chambranle, l'assommant à demi. Il s'écroule sans un bruit, pas même un gémissement. Se met à genoux. Ses mains cherchent le mur pour s'appuyer, laisser passer l'étourdissement. Le grand le foule aux pieds, la respiration saccadée. Il tombe à nouveau. Recule à quatre pattes sous les insultes.

— Tu crois p't'être que tu vas faire la loi ici, c'est ça, trouduc ?

— Non j'te promets…

— Ta gueule !

Le coup dans les côtes lui coupe le souffle, et Mauro lui-même, malgré la colère, hésite une fraction de seconde, comme s'il avait frappé trop fort, comme s'il voulait vérifier que le petit n'est pas mort, renversé sur la terre battue, les mains repliées sur elles-mêmes. Dans son geste il y a quelque chose de la soumission des chiens quand ils se battent, au moment où le plus faible se couche sur le dos en signe d'abdication, et Rafael étourdi par la douleur roule sur le côté en hoquetant, donne à Mauro le signe qu'il cherchait : il est toujours vivant. Alors le jumeau, trop heureux de ne pas se contenter d'une si courte victoire, cogne le petit au sol, le soulevant de volée en volée jusqu'à le coincer contre la carriole rangée au fond, où il le piétine à grands coups de talon en grimaçant.

— Tu l'referas, abruti ?

— Non ! Non !

— Je sais que tu vas l'refaire.

— Non jamais ! Jamais ! J'te l'jure !

— Et pourquoi j'te croirais ?

— J'te promets !

Mauro attrape Rafael par la chemise qui se déchire sous l'étreinte brutale, lui met une claque magistrale et le laisse retomber au sol où il se recroqueville.

— Si j't'y r'prends, j'te massacre. T'entends ?

— Oui.

— J'le ferai, tu le sais ça.

— Oui.

— Arrête de me mater avec ces yeux de lapin piégé, ça m'énerve.

— D'accord.

Mauro s'agenouille et penche la tête pour fixer le petit bien en face, bien trop près – un instant, il est tenté de lui mettre un dernier coup, se repaît finalement de son air terrifié. Lui dit avec dégoût :

— Tu saignes du nez, petite merde. Faudra te laver.

Un murmure. *Oui, Mauro.*

Il tremble sous les grondements de l'aîné, une raucité comme celle d'un fauve hésitant encore à égorger ou à partir, lui tournant autour en écumant. Le grand lui jette son haleine chargée au visage, l'entoure de son ombre immense. Les chevaux sont immobiles, plaqués au fond des écuries et le regard inquiet, et Mauro sait qu'il leur fait peur, mais qu'ils s'en souviennent, personne, ni homme ni bête, ne peut se moquer de lui, pour eux aussi c'est une bonne leçon. Devant lui, le petit respire par coups saccadés, les narines pincées, une main sous son nez pour empêcher le sang de couler. Bouge le moins possible, les yeux baissés. Il n'existe plus, transparent, fondu dans le fumier et la terre, et le grand opine, se relève.

— Tu vas rester là un moment.

Le petit acquiesce dans un souffle.

— Parce que t'es bien à ta place, dans la merde. J'veux t'entendre dire oui.

— Oui.

— T'as compris qu'il fallait pas te foutre de moi.

— Oui.

— D'accord. Si tu le dis à la mère, t'es mort.

Rafael

Le grand s'éloigne et Rafael entend son pas s'assourdir. Un long moment, il reste couché sur le sol. La fraîcheur de la terre sur sa joue qui commence à bleuir, ses doigts qui crissent sur une pierre, pour penser à autre chose qu'à la douleur. Quand il ouvre les yeux, l'écurie tangue. Il rampe vers l'extérieur, bouche ouverte pour happer un peu d'air, s'adosse aux planches de bois qu'ils ont réparées au printemps précédent. Un bruit de course revient vers lui et il ne regarde pas, se recule dans l'obscurité comme s'il pouvait disparaître.

Un souffle. Tout près.

La truffe humide du chien sur son visage soudain.

Le petit a des larmes qui coulent sur les joues. Délicatement, Trois les lèche, voudrait le consoler. L'eau est salée sur ses pommettes et le chien recule quand il reconnaît l'odeur du sang qui s'y mêle, regarde, la tête penchée sur le côté. Un cri plaintif. Le petit aimerait le rassurer mais les mots ne viennent pas. Tout ce qu'il peut faire, c'est se lever en se tenant le côté, la présence du chien l'encourage, sans lui il serait resté des heures affalé sous les étoiles qu'il ne voit pas.

Trois l'escorte jusqu'à la maison. Une hésitation avant d'entrer – mais la lumière est éteinte. La tête encore bourdonnante, il tâtonne, trouve la clenche. L'odeur de nourriture et de tabac dans la pièce lui donne la nausée. Il verse l'eau du broc au-dessus de l'évier et se rince avec précaution, éponge son visage, touche du bout des doigts. Repousse la pensée qui lui dit que cela fait mal : il s'est habitué à la douleur, pas celle qui irradie lorsque les coups pleuvent, mais celle lancinante des heures et des jours qui suivent, des migraines et des plaies boursouflées. À la mère qui demande ce qui lui est arrivé, il répond invariablement :

— J'me suis cogné.

Elle s'en contente. Au fond elle s'en moque.

*

Lorsque la porte de la chambre s'ouvre à toute volée, il faut plusieurs instants à Rafael pour sortir du sommeil épuisé où il a sombré, remonter depuis les limbes de sa nuit sans rêve, et sans doute pense-t-il à une erreur ou un cauchemar, car cela ne ressemble à rien d'autre, la porte disloquant le mur et le cri de colère – et tout de suite après, la voix de la mère contre lui.

— Debout !

Au moment où il ouvre les yeux et que l'obscurité persiste d'un côté, avant qu'il se rende compte que sa pommette a enflé au point de lui boucher la vue, elle l'agrippe par les cheveux et il sursaute avec un gémissement. D'un coup, l'adrénaline ravive les souffrances, éclate dans sa tête et dans ses veines. Il se lève pour échapper à l'emprise brutale et la mère le traîne hors de la chambre en mangeant ses mots de fureur, bafouillant des imprécations qu'il ne comprend pas et auxquelles il répond en piaillant des Ma ? égarés. Ils traversent ainsi le petit couloir, passent devant la cuisine où Mauro et Steban assis à table les regardent passer sans broncher, sortent de la maison en manquant trébucher sur les trois marches du perron tant ils sont pris l'un dans l'autre et tordus de douleur et de rage.

— Là ! Là !! écume la mère en l'emmenant aux écuries.

Et avant même d'entrer dans la grange, il sait.

La mère est campée face à lui, près des écuries, le visage violacé et les cheveux défaits. Dans un élan, le petit se précipite vers le box de Halley. L'alezan tressaille. Le regarde. Dans les yeux de Rafael, les larmes de soulagement : il est resté. Malgré les portes ouvertes.

Mais la mère le saisit à nouveau par l'épaule et le retourne, et il sent son souffle aigre sous son nez quand elle hurle :

— Ici ! Il manque quoi, ici ?

De l'autre côté, deux écuries sont vides. Eux sont partis. Le petit ouvre la bouche, fait un geste pour s'élancer : *Dehors ?*

— J'ai déjà regardé.

— Ils sont pas là ?

— Non.

— Dans la prairie derrière ?

— J'ai regardé, je te dis ! Ils sont partis. Partis !

— Ma...

Et puis il se tait. Pour lui dire quoi ? Qu'hier après la raclée infligée par Mauro, il a oublié ? Qu'il a seulement réussi à tituber jusqu'à la maison et à s'allonger en pleurant sur son lit ? Il sait qu'il a tort. C'est lui qui est chargé des chevaux. S'il n'est pas capable de s'en occuper, il avait qu'à ne pas demander. Voilà la seule chose qui existe pour la mère. Elle n'entendra rien, ni les excuses ni les plaintes. Figé devant les écuries désertées, le petit regarde de son œil unique la litière souillée, les crottins sagement entassés au fond, le foin pas fini sur le côté. Il imagine Jéricho et Nordeste enquillant le chemin qui sort de l'estancia, trottant sur la terre et les cailloux, le nez en l'air – libres. Partir à l'ouest, vers les mesetas. Face au vent. Des jours entiers avant de croiser âme qui vive. Un instant il les envie. S'il était à leur place, il ne reviendrait jamais.

*

Rafael arrime les sacs de cuir à la selle, vérifie qu'il n'a rien oublié. Impossible de savoir combien de temps il part. Selon toute logique, il sera rentré ce soir, mais il ne veut pas laisser ça au hasard. Alors il fait la liste encore une fois. Traîne un peu. Finit par monter en selle et ne bouge pas. Dans la maison, aucun mouvement. Steban et Mauro sont allés travailler mais la mère, elle, est toujours là. Terrée ? Non. Indifférente. Punissante. Elle ne sortira pas pour le voir partir, elle ne l'encouragera pas, lui qui a promis de revenir avec les chevaux. Il se mord les lèvres. Un murmure résigné à Halley. *Hey.*

L'alezan se met en marche. Derrière lui, Trois bondit. Le petit crie :

— À la maison !

Le dogue s'arrête, indécis. Hésitant aussi, lui Rafael, car s'il s'écoutait il prendrait son chien avec lui. Mais il sait qu'il n'a pas le droit de l'emmener. Comme eux tous, Trois appartient à l'estancia. C'est la mère qui décide ; et la mère aurait dit non – bien sûr. Alors il répète l'ordre d'une voix sèche :

— Maison !

Le chien n'insiste pas, rebrousse chemin à contre-cœur. Tourné souvent, pour les regarder s'éloigner, le petit et le cheval, balançant sur ses pattes comme s'il ne savait plus où courir. Dans sa tête, la consigne se délite.

Au loin, le ciel a viré maussade, taché de nuages noirs, Rafael sent la tension dans l'air. Orage magnétique ? Pluies d'été torrentielles, qui ravinent le long des roches et avalent la terre sans l'abreuver ? Tous les éleveurs à cet instant doivent avoir la tête levée, les mains jointes dans une prière. Dieu qu'il en faudrait, de l'eau. Et peut-être passera-t-elle à côté, emmenée par les vents joueurs, et ils regarderont le flanc des nuages en rêvant de les crever au fusil – certains essaieront sans doute, dans un élan insensé.

Le petit repère la trace des chevaux. L'ouest, comme il le pensait. L'attrait des plateaux, des lacs peut-être, plus loin, s'ils filent droit sans s'arrêter, enivrés par l'improbable promesse d'une herbe meilleure. Lui-même ne les connaît qu'en rêve ces endroits-là, et par ce qu'on en raconte – de rares gauchos partis comme lui chercher des bêtes égarées jusqu'aux terres andines. Aux confins du pays, la forêt froide règne, exubérante et humide. Des *nalcas* aux feuilles immenses, de la taille d'un homme, des plantes qu'il imagine sorties d'un conte même, quand les gars se souviennent en frissonnant des lianes qui, par endroits, rendent le sous-bois impénétrable.

Pendant les premières heures de sa chasse, le petit espère que les chevaux échappés l'emmèneront dans ces territoires inconnus, au milieu des conifères géants qu'il n'a jamais vus, à entendre le chant des oiseaux cachés, la fuite d'animaux invisibles. Puis son regard s'ajuste, mesure l'horizon. Inaccessible. Et lui son corps éreinté et ballotté, meurtri à chaque secousse sur la selle, son œil toujours enflé qui l'empêche de bien voir le chemin minuscule tracé par les bêtes. Si elles sont parties là-bas, il lui faudra des jours d'errance avant de les rattraper, et il enrage de les savoir dix heures devant lui sans qu'il puisse pousser Halley pour les rejoindre, surveillant les traces infimes sur le sol rocailleux, les bifurcations, les hésitations ; et peut-être sont-elles déjà égarées dans ces lieux sans repères. Plus encore, il perd du temps toute la première journée. Les plateaux l'obligent à rebrousser chemin pour les contourner lorsque les sentiers qui permettaient de les traverser sont éboulés, ou trop raides pour Halley. Parfois il perd la piste de Jéricho et Nordeste, marche le nez au sol jusqu'à ce qu'il la retrouve – et même alors, il n'est pas entièrement sûr que ce soit eux, et il fait un pari, qu'il n'y ait que ces deux chevaux-là dans cette zone déserte, sans quoi il serait rentré dix fois à l'estancia. Mais cela il ne le conçoit pas.

Il reviendra avec les chevaux, ou il ne reviendra pas, car la mère serait capable de le battre à mort.

Il observe la nature autour de lui, semi-aride, les pâturages durs, les plateaux bas. Le champ de vision, immense et vide. Souvent le doute le fait stopper Halley. Ces deux carnes ont-elles décidé de galoper jusqu'au bout du monde, il se le demande. Au lieu de tourner en rond, de grignoter un peu d'herbe lorsqu'une rivière irrigue la terre, il lui semble que les chevaux ont piqué droit devant eux sans s'arrêter. Ou alors il a complètement perdu leur piste, trompé par les traces de guanacos.

Mais non. Jamais il ne confondrait le sabot d'un lama avec celui d'un cheval, il en est certain. Il relance Halley. L'alezan avance, renâcle. Il ne connaît pas ces lieux-là ; en revanche il sait instinctivement de combien d'heures ils se sont éloignés, et il perçoit l'impossibilité de faire demi-tour avant la nuit. Reniflant l'air, il devine des senteurs sauvages, les renards, quelques rongeurs, des prédateurs aussi, de ceux qui affolent les troupeaux lorsqu'ils les poursuivent pour isoler la bête la plus faible. Et puis il sent l'eau, redescend la montagne pour se diriger vers elle, et le petit le laisse faire jusqu'à apercevoir le reflet brun des marécages. Au bord des marais, il entrave Halley, casse des tiges de berbéris pour faire du feu, un peu de bois mort sous les arbres poussés dans les sols trempés. Depuis le matin, le vent les ébouriffe et les épuise, et il a pris soin de s'installer à l'abri, adossé à des rochers jaunes. Dans la minuscule casserole qu'il a emportée, il fait cuire des haricots secs, coupe une tranche de viande fumée. Autour de lui, dans la nuit, il entend son cheval brouter des joncs et sans doute des feuilles de buissons, et quand l'alezan s'ébroue, sa présence s'étend jusqu'à lui et le réconforte. Plus tard, enveloppé dans la couverture près du feu, la tête appuyée contre sa selle, il pourrait presque être heureux ; mais l'incertitude de retrouver Jéricho et Nordeste lui serre le ventre. Il écoute les oiseaux nocturnes, les cris et les hululements, les battements d'ailes. Les glissements furtifs de petits mammifères, le bruissement du vent toujours, dans les branches des *maiténs*. Au milieu du monde, il se sent seul et farouchement libre. Il tend la main vers les étoiles, croit qu'il les touche. Entretient l'illusion optique et passe de l'une à l'autre, du bout des doigts comme s'il les caressait, comme s'il frôlait des étincelles en essayant de les regrouper à la manière des troupeaux, la seule chose qu'il sache faire, et il continue jusqu'à ce que son bras soit douloureux. Alors il le ramène sous la couverture et traîne la selle plus près du feu, et les flammes jouent sur son visage en longues traînées chaudes et orange, il regarde les braises, la lumière incandescente. Quand il ferme les yeux, des éclats rouges dansent et crépitent derrière ses paupières, et il regarde à nouveau le ciel, le feu, frissonne à l'air rafraîchi, à la fatigue de cette journée vagabonde. Pense aux chevaux enfuis.

S'ils se sont arrêtés eux aussi, s'ils continuent leur chemin dans la nuit, en marchant avec précaution. Peut-être reviendront-ils sur leurs pas, déjà lassés par une liberté qui ne leur apporte ni grains ni eau propre, effrayés par le bruit des bêtes cachées dans la forêt naissante et l'odeur des pumas que le vent apporte par tourbillons. Le petit a mis des branches en travers de la piste pour leur couper la route mais il n'y croit pas, à leur retour, ce serait trop simple de se réveiller et de les trouver là, mangeant à côté de Halley, l'air de rien et prêts à regagner la maison. Demain il entrera derrière eux dans les grands bois qu'il a aperçus au loin, quittant les plaines de basse altitude. Il aurait dû prendre une couverture de plus. Deux fois il se relève en frémissant, remet du bois pour faire monter la flamme. Quand le vent tourne, il s'éloigne, redoutant d'être brûlé dans son sommeil. Il dort mal, mû par une étrange excitation, une acuité qui lui fait percevoir des milliers de crissements, la clameur sourde des animaux nocturnes, insectes et mulots, rapaces et chasseurs. Au milieu de la nuit, tout s'apaise, et les bruits s'éteignent. Le silence le réveille, si lourd qu'il en suinte à ses oreilles, comme les coquillages rapportés de l'océan et que des gauchos nomades lui ont fait écouter sans jamais les lui laisser. Il jette encore des branches sur le feu, du bois humide qui siffle et craque, pour couvrir le mutisme du monde. Il se persuade que dans son dos rien ne peut arriver tant que les braises chantent ainsi, mais ses yeux sont ouverts et ses sens en alerte. Il pourrait compter les heures. Se contente de surveiller le foyer, et peu à peu ses paupières piquent et s'affaissent, sans même qu'il en ait conscience, finissent par se fermer tout à fait. Sa respiration est si paisible qu'on pourrait le croire mort, étendu près des flammes, puis des brandons. Puis des cendres. Lorsque l'aube le surprend, il gît sur le dos les bras en croix, tiède et courbatu, et son premier geste est de remuer les tisons, au fond desquels il ne trouve plus de chaleur, ni escarbille ni rien.

Ces jours étranges et solitaires, rythmés par le seul pas du cheval, où Rafael somnole des heures entières, encore sonné par les coups de Mauro. Le temps passe sans qu'il s'en aperçoive, terriblement monotone.

Le troisième jour, il entre dans la forêt. Le changement de paysage le laisse bouche bée, lui qui vit dans une steppe sans arbres. Tête levée, pour voir les ramures magnifiques et les teintes des contrées où la pluie s'aventure. Les *arrayáns* étalent leurs troncs dorés, leurs feuillages argentés mélangés aux cyprès qui poussent au milieu de leurs racines. Du bout du doigt, il touche les branches basses des araucarias, d'un vert si sombre qu'il les a crus noirs. Il se pique. Sursaute. Contemple autour de lui les sous-bois parsemés que le soleil et le vent traversent, les couleurs neuves, irréelles. Quelque chose au fond de lui s'émerveille à en étouffer, saturé de visions impossibles, d'odeurs d'humus et de résine. Ses yeux écarquillés, rougis à force de regarder. Il ouvre les bras. Aspire. Et rien ne vient troubler la beauté magique de la forêt, ni l'impatience de retrouver ses bêtes, ni l'idée que la mère l'attend déjà, à l'estancia, en marmonnant qu'il a toujours été lent.

Halley marche sans bruit. Peu à peu, la roche le cède à une poussière de terre et de sable, se recroqueville en cailloux brisés sur le bord des pistes. Les traces des chevaux se repèrent facilement. Le petit s'arrête.

Va s'asseoir.

S'il était à la ferme, il ne le ferait jamais, mais la solitude et la liberté le bousculent ; il rassemble quelques branches, allume un feu et met de l'eau à chauffer. Il a envie de maté. Pas besoin : envie. Personne n'est là pour le lui interdire. C'est comme s'arrêter. À l'estancia, il n'aurait pas pu. Mais ici. Les yeux rivés sur la petite casserole, il ne pense à rien. Du temps s'écoule, liquide, paresseux. Quand le cheval vient le renifler par-derrière, il sent son museau qui le chatouille, le souffle chaud sur lui, qui lui fait fermer les yeux. Il rit, le repousse délicatement. Joue avec ses doigts sur le nez blanc, sur la bouche rose qui essaie de l'attraper, et il dit : *Non, non.* Au bout de quelques instants, Halley s'éloigne, retourne à son herbe ; de son côté, Rafael jette quelques feuilles dans l'eau frémissante.

Il écoute à nouveau le bruit au loin, sait qu'après la dernière forêt le paysage va changer une fois encore. Les lacs. Les chevaux y ont bu peut-être. Il refrène l'élan qui le pousse à aller là-bas, vaguement assoupi, repu de sensations. Les cris des oiseaux portés par les ondes éclatent dans les arbres. La terre est grise comme le vent.

*

Le lac se découvre sans prévenir, offrant son immensité décousue à la stupeur du petit. Bordé d'herbes et de bosquets, il se resserre en gués sinueux et s'ouvre sur de larges taches bleues, de minuscules plages qui permettent d'y accéder. Rafael saute de cheval et se déshabille, court vers l'eau peu profonde, si transparente qu'il voit les cailloux plats sous ses pieds. Court encore et se jette enfin, saisi par la fraîcheur sur sa peau, émergeant à la surface en grelottant. Il rit tout seul, agite les bras pour faire jaillir les éclaboussures. Autour de lui le lac est blanc et mousseux, et les arbustes vert tendre, et le bleu du ciel. Il crie. La joie, trop forte pour rester dans son ventre et dans sa gorge, indicible, mais il faut qu'elle sorte sinon il explose, et ce qu'il rugit, c'est la splendeur du monde, une trouvaille inouïe, qui lui coupe le souffle, qui fait cogner ses tempes. La bouche ouverte sur un rire incrédule il se tait peu à peu, ne garde que l'éblouissement, et les vertiges. Dans les flots paisibles il tourne sur lui-même, sent le mouvement de l'eau contre ses hanches. Virevolte encore, et encore, et titube. S'immobilise dans un dernier cri.

Un rapace s'envole, dérangé, une forme noire en contre-jour. Le petit met ses mains en visière, le regarde s'éloigner. L'appelle – en vain. Il joue à nouveau avec l'eau, la bouscule, à marche forcée, et sort sur la rive, revient en bondissant, jusqu'à ce que la pression sur ses jambes le déséquilibre et le fasse tomber. Alors le cœur battant, essoufflé d'avoir trop ri et trop braillé, il se laisse flotter à quelques mètres du bord, surveille qu'il a toujours pied. La lumière l'exalte, ricoche sur le lac, sur les bosquets, sur le presque sable. Il ferme les yeux et une étrange mélodie vient le bercer, si impalpable qu'il n'est pas tout à fait certain de l'entendre, mais il fait comme si, se délecte des sons cristallins, qu'importe s'ils ne sont que le fruit de son imagination. Quelque chose se faufile contre lui sous l'eau, qui le chatouille, et soudain l'inquiète. Quelles bêtes inconnues vivent là et rêvent de l'attirer au fond – la question l'irradie, et d'un coup il se précipite, s'aidant des bras pour fendre le lac, jetant haut les jambes pour courir et sortir en ahanant.

À genoux sur la rive, la respiration sifflante, il s'enroule dans la couverture, glousse d'avoir échappé aux monstres imaginaires, trop heureux d'être sauf. Les yeux étrécis, il observe la surface lisse de l'eau, ne voit rien, pas le moindre mouvement, seul celui du vent qui crée de très petites vagues.

Mais en dessous, le lac a préparé ses vouivres, il en est sûr.

Il renonce à l'idée de dormir au bord, recule dans les terres à l'abri d'un rocher. Pas une créature ne viendra l'attraper là, ni le traîner pour le ramener aux flots dévoreurs. Il allume un feu. Derrière, en perspective, le lac s'endort, à peine troublé par un léger clapotis. Le petit le regarde, toujours méfiant. S'apaise à son tour quand la nuit l'enveloppe, oubliant ses peurs et bercé par les flammes câlines. Le sommeil le cueille, il s'abandonne. Ses rêves sont peuplés de visions prodigieuses, mais nulle n'atteint la féerie des paysages qu'il découvre ces jours-là.

La mère

Et ces jours-là à l'estancia usent les mains et les
dos, avec deux fils partis, malgré Mauro, sa force, sa
fierté à elle la mère d'avoir engendré un tel colosse,
mais hélas quand il ne reste que lui – parce que même
si Steban travaille sans rechigner, ils ne peuvent pas le
laisser seul, pas lui confier, pas être sûrs. D'une certaine façon, il n'y a plus qu'elle la mère, et le grand
jumeau. L'autre aide comme le font les chiens, à coups
d'ordres, avec toujours à vérifier, sait-on jamais. D'un
côté le débile, de l'autre les bonnes bêtes, et au fond
cela se vaut, elle n'a plus peine à l'admettre, c'est
ainsi, c'est la vie qui l'a voulu. Si seulement Steban
courait à la vitesse des dogues.

C'est pour cela que la mère soupire en disant
qu'ils ne sont plus que deux pour tenir l'estancia qui
demande cinq paires de bras, et encore à six ce serait
mieux, et Steban ne réagit pas, penché sur son assiette,
à se demander s'il a entendu, s'il croit être inclus dans
ces deux dont parle la mère, ou tout simplement si les
chiffres le déconcertent, deux, cinq ou six, alors que
lui-même quand il y regarde compte trois – comme les

chiens, mais peut-être se trompe-t-il, et il continue à se taire.

Heureusement, la saison des tontes n'a pas commencé, sans quoi les chevaux enfuis auraient bien pu aller au diable, la mère aurait empêché Rafael de partir, ce qui lui aurait valu quelques nuits d'insomnie, le temps que les bêtes reviennent d'elles-mêmes ou qu'elles se perdent pour de bon. Car les brebis avant tout, c'est de cela qu'ils vivent, de cela que la mère a besoin pour boire à San León autant que le père buvait à la maison, au fond le sort n'a fait que passer de l'un à l'autre, mais la malédiction familiale ne l'effleure pas, elle, et les voix se font basses autour, quand elle s'assied au bar en réclamant un verre.

Alors pour chasser ce drôle d'ennui qui la guette dans l'estancia désertée, un matin bien vite elle attelle le cheval, part pour la ville. Elle laisse Mauro sur place : il faut que quelqu'un reste. Il proteste :

— Et Steban ?

La mère le regarde méchamment. *Ne dis pas de bêtises.*

— J'boirai tes réserves.

— Je serai là avant la nuit. Que je ne t'y prenne pas. N'oublie pas les génisses.

Et fouette, elle s'en va, dévale le chemin, trop heureuse d'échapper à la journée morose. Ce n'est pas tant la monotonie qui la gêne que le vide, deux fils en moins à engueuler, elle ne s'y fait pas. Trop peu de monde à diriger. Trop peu de consignes à aboyer, et les bœufs ne courent pas assez, même les chiens ont la tête basse. Peut-être qu'à son retour le petit sera rentré, ce bougre de rêveur qui doit traîner sur la piste en regardant le ciel.

À la ville, elle vaque un moment dans les commerces, pour sa bonne conscience, se précipite au bar dès que l'heure lui semble opportune. L'effervescence y règne et elle s'étonne, pourtant elle est en avance, et déjà tout ce monde qui s'esclaffe en parlant fort, elle s'approche de la table où se trouve Emiliano qui l'appelle, et elle dit en s'asseyant à côté de lui :

— Il doit s'en passer des choses, pour qu'il y ait foule comme ça.

Il rit doucement.

— Tu les connais. Un rien et cela les excite.

— Je voudrais bien savoir, moi.

— Ah ha.

— Ah ha ?

— Ça vaudrait bien une bière, non ?

Quand Alejo pose les verres devant eux, Emiliano remercie, souffle la mousse. Boit une lampée avant de commencer en riant déjà.

— Alors écoute. D'abord, il y a ce gros éleveur de la pampa qui s'est fait dévaliser il y a une semaine, tu en as peut-être entendu parler. Des millions en billets tout frais dans son coffre, envolés, sûrement un de ses gars. Figure-toi que le voleur serait dans le coin. Une milice est passée ici hier, ils ont perdu sa trace. À mon avis ils l'ont perdue depuis un moment ; quand un type court depuis trois cents kilomètres, c'est mauvais signe. Sûr qu'ils étaient sur le point de renoncer et faire demi-tour. Alors tu sais, dès qu'un de ces salauds de riches en bave, ça nous fait plaisir, à nous autres. Et ses gars, on les a raccompagnés aux portes de la ville avec des moqueries pas fines. Ah, vrai ! Ça me fait ronronner cette histoire.

La mère sourit aussi.

— Y a quand même une justice. Ces sales viandards.

— Qu'il y en a que pour leur gueule.

— Ils feraient crever le pays qu'ils s'en ficheraient, tant qu'ils ont les poches pleines.

— Celui-là, il est pas près de les remplir.

— *Dios mio*, ça fait du bien d'entendre des choses comme ça, Emiliano.

— Ouais. Mais le mieux…

Il s'interrompt et la mère ouvre de grands yeux.

— Eh bien ?

— J'te promets que c'est vrai : c'est la femme de Juan qu'a eu un noiraud.

— Hein ?

— Ouais, un nègre. Un bébé noir. Tu les vois tous ces cons qui boivent autour de nous en se pliant de rire ? C'est à cause de ça.

La mère n'ose pas y croire.

— Mais… le Juan de la banque ?

— C'est ça.

— Juan Gomez ?

— Oui, j'te dis !

— Oh nom de nom ! Oh Alejo ! À boire ! C'est moi qui régale !

*

Après, la mère va toquer à la banque. Mais comme elle a bu longtemps, la porte est fermée. Elle tambourine en chantonnant : *Gomez, montre-moi ton moricaud, fais-moi les yeux noirs...* La voilà comme une sorcière courbée en deux tant elle rit, et elle tourne en rond devant le bâtiment clos, ivre et acharnée, cherchant les pires plaisanteries qu'elle ait entendues ce soir, et pour sûr il y en avait au bar, les pires pour les redire, bras ouverts dans une danse hésitante et joyeuse, elle s'époumone, elle appelle : *Gomez, Gomez, ça fait quoi d'y être à son tour ?*

Derrière elle le sanglot dans la nuit.

Elle regarde.

La femme de Juan est là assise contre le mur, le petit dans les bras – du moins le suppose-t-elle, car elle n'y voit guère avec cette obscurité. La mère ouvre la bouche, réfléchit un instant avant de causer ; les mots sont loin dans son cerveau. Et tout ce qu'elle arrive à articuler au début, c'est ce grognement d'alcoolique, avec un point d'interrogation derrière sans doute, mais qui le devinerait ? Elle se concentre encore : *Hé ben. Le voilà alors.* Recule sous les pleurs qui redoublent, les phrases qui s'emmêlent et qu'elle ne comprend pas. Elle tend la main pour écarter la couverture qui protège le visage de l'enfant. Tique un peu : il est moins noir qu'elle ne pensait, elle qui s'attendait à découvrir une peau comme le charbon, mais peut-être voit-elle mal à cause de la nuit, peut-être le reflet de la lune, et elle se redresse, croise le regard effondré de la femme, entend dans un frisson la voix tremblante qui murmure :

— S'il vous plaît, aidez-moi.

Et la mère n'aime pas ces mots, elle qui n'a jamais demandé, jamais supplié, et elle contemple muette la silhouette en tas devant elle qui fait penser à un amas de laine quand on a tondu les brebis, informe, croulante, seule cette pensée lui vient, elle ne répond pas.

— S'il vous plaît.

Cette fois la femme avance le bébé vers elle et la mère comprend. Qu'elle pourrait le prendre. En faire ce qu'elle veut, cela ne l'intéresse pas elle la coupable, la baiseuse de nègre, elle veut juste qu'on lui prenne cet enfant, qu'il disparaisse de sa vie. À cet instant la mère lui dirait qu'elle l'abandonnera aux pumas – Dieu fasse qu'il en passe un ces jours-ci – ou qu'elle ordonnera à Mauro de le taper contre un mur pour le tuer avant de l'enterrer, l'autre acquiescerait sans réserve. Tout plutôt que de le garder. Et elle, est-ce qu'elle ne pourrait pas atteler, avec son banquier de mari, et filer le déposer devant l'église d'un autre village ? Oh, la mère sait qu'il faudrait aller loin pour trouver un endroit jusqu'où l'histoire n'aurait pas circulé, et qu'on ne ramène pas le bébé noir dès le lendemain, et elle entend d'ici les moqueries :

— Alors, Gomez, t'as perdu quelque chose ?

Trop loin, impossible bien sûr.

— Madame…

La mère dévisage la femme qui l'implore. Bien sûr que c'est elle la meilleure solution, elle la mère pauvre et déjà vieillie, à qui on peut demander quand on ne veut pas se salir les mains. Jamais la bourgeoise ne l'aurait appelée madame si elle n'avait le couteau sous la gorge, mais elle est bien contente de la trouver cette nuit-là, et elle y ajoutera une bourse pleine s'il le faut, pour peu que la mère hoche la tête, pour peu qu'elle dise oui. De tous temps il en a été ainsi, et les riches ont fait laver leurs fautes aux miséreux, rejetant sur eux la honte et le sang, parce que les pauvres s'en foutent, et qu'à leur tour ils transforment la saleté en argent. Cela ne les gêne pas de tendre la main ; ils y sont habitués depuis des siècles, c'est comme rincer la merde, et peut-être ils se pincent le nez mais ils finissent par le faire et c'est toujours assez bon pour eux.

La mère se tient balançant d'un pied sur l'autre dans la nuit et n'importe qui la voyant dirait qu'elle hésite, qu'elle est prête à basculer maintenant, et vrai, cela ne l'embarrasserait pas de noyer l'enfant, pas plus qu'un chaton, aujourd'hui qu'elle sait à quel point il vaut mieux s'en défaire. Ce qu'elle essaie de calculer, c'est combien la femme peut lui offrir. Combien Gomez serait prêt à mettre pour faire table rase d'hier et d'avant-hier, comme si c'était possible, comme si les gens n'allaient pas ricaner chaque fois qu'il traversera la rue devant eux, avec ou sans moricaud, et tout ce qui s'ensuit. Elle se demande si les nègres de San León se sont déjà enfuis de peur d'être lynchés, à défaut que le coupable se dénonce.

Dix mille pesos.

S'ils croient que la vie redeviendra normale, après. Il faudra des années pour que l'on cesse d'en parler. Des années qui serviront à bâtir des hypothèses plus ou moins improbables sur le sort de l'enfant. L'ont-ils tué ? L'ont-ils vendu comme esclave ? L'ont-ils abandonné quelque part, et où, et à qui ? Pour faire taire ces langues-là, il n'y a que le temps.

Vingt mille.

Et même s'il en a toujours été ainsi, la mère enrage de se voir là vilain pantin, une femme inférieure qui ne se formalise pas de ce qu'on lui demande, car Dieu sait comment ces gens-là pensent qu'elle vit et combien d'enfants indésirables elle aurait déjà tué pour quelques pièces, des enfants et des chats, et les pères, y a-t-elle pensé la bourgeoise en face d'elle, aux pères ? Si elle se doutait.

La mère se rappelle que ce n'est pas difficile de tuer. Cela vient parfois sans réfléchir, et sans faire exprès. Et s'il faut faire exprès, qu'est-ce que ça change ? Mauro le cognera, c'est comme saigner un lapin. Un coup derrière la nuque. Un trou. Pas de danger qu'il se réveille une fois enfoui là-dessous. Saletés de riches.

Alors que si la mère dit non. Elle devine soudain que son pouvoir est là, dans sa capacité de refuser, sa force de nuisance, sa force tout court, ne pas se mettre à genoux cette fois. Ce serait trop facile de prendre l'argent et d'enterrer l'enfant ; trop facile de les débarrasser. Il suffit qu'elle dise non.

Même pour trente mille.

Dieu, trente mille.

Elle s'en étrangle presque, d'imaginer la bourse pleine s'éloigner d'elle à petits pas, et tout en la repoussant dans sa tête elle sent ses doigts se recourber comme s'ils pouvaient en attraper un peu, accrocher le bord du cuir, l'air de rien, glisser l'index, sortir une pièce ou deux. Pour que la victoire soit totale. En dessous d'elle qui regarde sans le voir le ciel étoilé avec ces étranges pensées, la femme geint, les traits défaits, cette douleur dans les yeux à vous donner envie de pleurer. Mais la mère ne connaît pas la pitié ;

ne rendra jamais ce qu'on ne lui a pas donné. Et elle, qui serait venue à son secours plutôt que de lui cracher dessus, si elle avait eu un tel corniaud ? Elle s'en serait débrouillée, bien obligée, car personne ne l'aurait aidée. Bien sûr qu'elle aurait pensé à le tuer. Mais elle l'aurait fait toute seule. Pas par goût : mais parce que personne n'est là pour laver les fautes des gens comme elle.

Alors doucement, pour voir s'allumer l'espoir dans le regard, elle se penche vers eux, la femme et le petit nègre. Elle entrouvre rond la bouche pour articuler le mot.

Et elle dit non.

*

La mère danse la nuit devant la banque, et ses souliers sur le bois rythment sa lente farandole, ses bras ouverts qui la soutiennent telles les ailes d'un grand oiseau gris et opaque. Il n'y a plus de bruit en dehors de ses lourds entrechats sur le seuil de la maison, pas même les sanglots de la femme qui s'est retirée depuis longtemps avec son moricaud dans les bras, qui doit l'entendre d'en haut derrière sa fenêtre et devenir folle à compter les pas et les gambades, et ça ne s'arrête pas, ça ne s'arrête pas, la mère espère que le Juan aussi, dans sa chambre, serre les poings en attendant qu'elle en finisse la vieille sorcière.

Elle tient sa revanche, piètre consolation en vérité, mais elle ne la laissera pas gâcher. Ce soir c'est elle qui gagne. Une respiration enfin, une étincelle, et le froid de la nuit ne l'atteint pas, toute brûlante qu'elle est, du dedans et du dehors. Elle danse et fait des signes à la fenêtre de l'étage en gloussant et en trébuchant, persuadée qu'on la regarde. Par moments la lune éclaire sa silhouette courte, et elle attrape la lumière blanche dans ses yeux, ouvre la bouche pour que ses dents brillent – des dents comme celles d'un prédateur. Depuis combien de temps n'y a-t-il pas eu cette légèreté en elle ? Depuis combien de temps ne s'est-elle pas repue de la vision d'un être plus malheureux qu'elle ?

La mère danse encore et toujours, comme un vieil ours ivre.

Elle se sent méchante. Vivante.

Rafael

Le quatrième matin – ou est-ce déjà le cinquième –, le petit se met à chasser. Même s'il trouvait les chevaux aujourd'hui, ses réserves de nourriture sont trop entamées pour lui permettre de revenir jusqu'à l'estancia. Le fusil à la main, il laisse Halley au bord d'une rivière, le nez plongé dans l'herbe mouillée, et s'éloigne en silence. Le gibier de cette région lui est inconnu. Les jours précédents, il a croisé des rongeurs, des lièvres. Les guanacos ont disparu depuis qu'il est entré dans la zone forestière, et il ne sait pas d'où viennent les bruits de fuite qu'il entend sur son passage. Prudent. Rien ne dit que les pumas aient eux aussi déserté les lieux pour rester à proximité des lamas, leur proie préférée. Les solitaires, errant hors de leur territoire, sont souvent les plus dangereux, et il avance fusil chargé et épaulé, prêt à tirer.

Autour de lui, la faune se tait peu à peu, alertée par un instinct troublant ; depuis qu'il chevauche au milieu des arbres et des lacs, jamais un tel silence ne s'est fait, même quand il parle fort à Halley ou qu'il chante à tue-tête. Les oiseaux ont toujours jacassé comme s'ils étaient seuls au monde, et certains petits mammifères qu'il a croisés l'ont regardé quelques instants avant de continuer leur route paisiblement. Mais là. Un à un, les pics, les merles, les *chucaos* interrompent leurs bavardages, et rien ne bouge, ni dans les feuilles, ni sur le sol. La forêt est mutique. Le petit regarde, écoute sans comprendre. Sa respiration est le seul bruit qui lui parvienne, ici et là la stridulation d'un oiseau, un cri d'alerte – et à nouveau le silence.

Il écarte les lianes. Quand il se retourne, le chemin s'est déjà refermé sur lui et il fait des entailles sur le tronc des arbres pour se repérer, intrigué par la densité des plantes, jetant de vains coups d'œil au ciel en espérant davantage de lumière. Des bambous lui coupent la route, il n'en a jamais vu. Au bout d'une heure, le découragement le saisit. La forêt l'encercle, se resserre, dévorant l'espace – même pour les animaux la place est trop ténue, un renard s'y faufilerait à peine, les flancs égratignés par les branches cassées. Pourtant ces bois regorgent de vie, et l'immense effort des bêtes qui se taisent est palpable, elles ne tiendront pas longtemps, se dit le petit, qui les sent presque piétiner d'impatience en attendant son départ. Parfois un cri, une plainte s'élève, aussitôt étouffé. Des pas suintent sur la terre. L'immobilité est la pire des épreuves pour ce peuple de course et d'envol, habitué à la fuite plus qu'à la ruse. Le piège impressionne le petit, mais il ne s'y laisse pas prendre. Il reste. S'assied sur un tronc gris et moussu couché là depuis des années, à moitié pourri. Ne bouge plus. Il se souvient des récits, des jours de désespoir quand le gibier réfléchit plus et mieux que son braconnier, quand toutes les autres solutions sont épuisées : il chassera à l'affût. Ce n'est pas que cela l'amuse de se figer pendant des heures au même endroit, appuyé contre un arbre ou tapi dans la cavité d'un rocher. S'il avait le choix. Même exaspéré par le silence, il faudra bien qu'il se fonde dans le paysage, qu'il s'y rende invisible – jusqu'à ce que les animaux croient au mensonge et que la forêt s'anime à nouveau. Et peu à peu le petit se sent happé par les feuillages, masqué par les toiles que les araignées tissent en toute hâte sur lui, à n'en pas croire. Les mains immobiles malgré les piqûres d'insectes et les démangeaisons, il respire sans bruit. La nature l'enveloppe. Un instant, il se demande s'il pourra s'en défaire. Si les lianes ne vont pas lui attraper les chevilles, le retenir à tout jamais. Il résiste à la tentation de se débattre. Dans sa tête il répète : *Je suis un arbre. Je suis un arbre…*

Halley l'attend il le sait, qui broute au bord de l'eau. Peut-être pourrait-il faire cuire de l'herbe pour s'en nourrir lui aussi. Mais une viande fraîche, bon sang. La salive lui vient, il passe la langue sur ses lèvres, comme s'il pouvait goûter l'odeur de grillé qu'il imagine, celle du mouton cuisiné par la mère, et les épices, et la graisse pour attendrir ; le crépitement de l'huile et du laurier dans la poêle quand on pose les côtes dessus. Seule la mère arrive à saisir la chair à l'extérieur et à la laisser rose dedans, avec son parfum tendre, et le jus qui coule sur les pommes de terre. Dieu qu'il a faim soudain.

Et puis le bruit est là, tout contre lui, de l'autre côté du rideau de bambous. D'abord il croit à une hallucination, encore saisi par sa vision, et il ne regarde pas. Mais la forme s'avance, il ne peut plus l'ignorer. Il tire. Par réflexe, sans même savoir sur quoi. Pas une plainte, pas un souffle. Il se précipite.

*

Le petit n'a jamais vu de mara aussi haut – dans la steppe, ils sont plus maigres – mais la viande est goûteuse, et il fume les restes toute la nuit pour l'emporter le lendemain. Il prend son temps. Les traces des chevaux se font plus précises sur la terre : la fin de la chasse approche. Forcément les bêtes ralentissent, indécises, car rien ne les appelle plus loin. Elles ont réduit leurs pas, restreint leur horizon. Elles se sont arrêtées sans doute, humant l'air dénué de promesses, tournant la tête pour tenter de reconnaître le paysage. Mais elles sont perdues, et rien n'est pareil. Si le petit ne chevauchait pas à leur suite, sauraient-elles revenir ? Elles éternuent, se frottent le nez. Leur hennissement déchire le silence. Mais rien ne répond, et elles somnolent pour oublier leur solitude, se remettent en route sans conviction. Des heures en arrière, Rafael pense à elles. C'est un long voyage qu'elles ont fait là, et nul doute qu'elles auront des blessures à soigner, plaies grattées sur les épines, paturons abîmés par trop de chemin. Il prévoit de ne pas rentrer aussitôt, de les laisser se remettre. Une journée. Au fond de lui, il rechigne à retrouver l'estancia, la mère, ses deux frères de reste. La correction qui ira avec, pour avoir été aussi long à revenir ; il a beau mémoriser les endroits qu'il traverse pour prouver qu'il est allé au bout du monde, l'accueil sera aigre. La liberté lui manque déjà. Si seulement les chevaux trouvaient un nouvel élan, que la piste s'éloigne, et grimpe dans les montagnes qui s'annoncent.

*

Nordeste et Jéricho, le dos tourné au vent, surplombent la pente qu'ils viennent de gravir en faisant rouler les cailloux sous leurs sabots. Les arbres se raréfient encore une fois, gênés par l'altitude, laissent voir la roche qui reprend son territoire, et l'écho de chaque bruit infime. Les bosquets persistent, denses et clairs, leurs racines courant à même le sol, ancrées dans les interstices les plus invisibles.

Il y a du sang par terre.

Oreilles baissées, les chevaux surveillent autour d'eux, alternant chacun des temps de vigilance et d'assoupissement. Personne ne peut dire pourquoi ils se sont arrêtés là, pourquoi ils ont décidé de ne plus bouger. Personne ne peut savoir s'ils ont entendu résonner la voix du petit au loin, ou le claquement des fers de Halley. Peut-être l'odeur de quelque chose de connu les a figés. Peut-être sont-ils agacés par la présence derrière.

Nordeste tourne la tête, fait claquer ses dents pour empêcher le troisième cheval de s'approcher davantage.

*

Le petit marche à côté de Halley dans la montée trop raide. Il avance en fronçant les sourcils, désorienté par les traces qu'il vient de découvrir au sol.

Ils sont trois.

Trois, ça n'est pas ça. Quelque chose a changé.

Il prend le fusil. Renonce à progresser sans bruit dans cet endroit encerclé par les montagnes où l'écho le trahit à chaque pas. Il a le sentiment d'entrer dans un immense traquenard. Ne ralentit pas. La proximité des chevaux l'électrise.

*

Un peu à l'écart des autres, le bai est le premier à l'apercevoir. Nordeste et Jéricho sentent l'attention du cheval, se retournent. Un léger hennissement. Enfin.

Le regard balayant l'espace, le petit reste en retrait d'eux.

Il regarde. Compte – bien sûr que c'est idiot, il les a sous les yeux.

Le troisième cheval est dessellé mais il a toujours son mors, les rênes traînant à terre. Ce que le petit cherche, c'est son cavalier.

*

À couvert un long moment, il guette les bruits, enregistre chaque détail des façades de la montagne. S'il s'écoutait, il attendrait encore des heures, mais les chevaux s'approchent de lui, curieux de sa rigidité, tendent le nez pour le renifler. Le reconnaissent sans doute, car ils se rangent à ses côtés, l'œil soulagé de voir l'emprise enfin revenue. Ils ne bougent pas quand le petit leur passe le licol. Sans quitter le troisième du regard.

Il attache les chevaux, entrave le bai après lui avoir enlevé le mors ; depuis combien de temps traîne donc celui-là, pour que des croûtes de sang aient séché à la commissure de ses lèvres ? Autour d'eux, les monts regorgent de cavités dont l'entrée est parfois cachée par des arbustes touffus. Des dizaines d'endroits où peut se terrer un homme, et le petit décide de les explorer, même s'il ne sait pas ce qu'il cherche, le fusil toujours à la main – ne sait pas en dehors du fait qu'un cheval harnaché ne vagabonde pas seul, et qu'il veut trouver ce qui l'accompagne. Chaque fois qu'il arrive à une grotte, il jette un regard peureux, garde son corps bien sur le côté, si quelqu'un l'attaquait ; appelle ensuite, pas trop fort, pour être entendu de là mais pas d'ailleurs, ne pas donner d'indices, ne pas attirer l'attention. Il y a forcément un problème, car personne dans ce pays ne laisserait aller son criollo en liberté le mors à la bouche, qui le blesse et lui arrache la gueule de cette façon.

Alors s'il comptait, Rafael se souviendrait que c'est dans la dix-septième cavité qu'il repère la forme par terre. Il fait un bond en arrière.

Le cœur lui bat comme jamais, la réflexion lui manque. Tel un jeune animal, il se rencogne à l'extérieur de la montagne, coupe tout : voix, respiration, pensée. Il lui faut plusieurs minutes pour oser armer son fusil, d'autres encore avant qu'il chuchote, collé à la roche orange et protégé par elle :

— Hé ?

Pas un bruit en retour, et pourtant il est certain d'avoir vu quelque chose. Alors il répète, deux fois, dix fois, inlassablement, de la même façon qu'il procède avec les bêtes apeurées, jusqu'à ce qu'elles se calment, et qu'elles le regardent. Qu'il puisse les toucher, ou leur passer le lasso. *Hé.*

Et d'un coup, un grognement s'élève. Pas une réponse, pas un mot, non : un grommellement, un borborygme, dont il est incapable de dire s'il provient d'un homme ou d'un animal, et il se retient de crier, de reculer, de s'enfuir. À l'intérieur, ça remue, le bruit d'une chose que l'on traîne, un souffle infâme. Lui sa voix tremble quand il murmure encore :

— Hé ? Quelqu'un ?

Et cette fois il comprend, derrière le grondement.

— ... aide.

Le vieux

Dans la grotte, le vieux essaie d'appeler. Foutu pour foutu. À cet instant tout lui semble préférable à crever là seul, ce qui ne serait pas le pire pourtant, le pire ce serait de crever à petit feu, en se sentant partir durant des jours et des jours, avec cette sale douleur qui ne s'arrête pas et qui le ronge plus sûrement encore que la blessure elle-même. Il ne sait plus depuis combien de temps il se terre dans cette cachette qui pue la pierre humide et le sang ; la conscience lui échappe. Il voit bien qu'il a perdu connaissance plusieurs fois, qu'il s'est réveillé la nuit, le matin, sans savoir lequel, parce que c'est le cadet de ses soucis, parce que les heures et les journées s'enchaînent quoi qu'il veuille y faire et que la seule chose dans sa tête, c'est la souffrance.

Il n'y croyait pas, à la douleur. N'avait pas cru Nivaldo, il y a des années de cela, quand un taureau l'avait embroché et qu'ils attendaient un docteur inutile, ils le savaient tous les deux que cela ne servirait à rien, mais le vieux se serait senti coupable de rester là sans bouger en attendant que son collègue claque. Nivaldo par bribes lui murmurait la souffrance. Chaque fois qu'il desserrait les lèvres pour cracher un mot, du sang coulait sur sa joue. Il avait dit l'étau terrifiant de son corps, et l'orage à l'intérieur, et la sensation de se vider de tout. Même respirer il aurait préféré arrêter, pour que cessent cette douleur et la peur panique, bon sang s'il avait pu, et peut-être était-ce une prière muette adressée au vieux mais il n'avait pas voulu l'entendre, il ne voulait pas de ce sang-là sur ses mains, et il avait continué à attendre sans rien dire. Le vieux avait vu les entrailles palpiter en dehors de Nivaldo, au bord de ses mains comme un étrange animal, se débattant à peine, et il avait détourné le regard. Il aurait souhaité que cela aille plus vite. Il espérait que le docteur n'arrive pas, ne tente rien. Laisse Nivaldo mourir sans l'ouvrir un peu plus, et sans toucher à ce corps déjà passé. Mais la souffrance, il ne comprenait pas. La sueur, les traits défaits, presque méconnaissables, la chair recroquevillée sur elle-même, il voyait tout cela et n'y croyait pas. C'était seulement la mort qui s'annonçait. La douleur telle que la chuchotait Nivaldo n'existait pas. Il ne l'écoutait plus d'ailleurs, fermant ses oreilles et se contentant de mettre une main ici et là sur son épaule, jusqu'à ce que l'homme dans un souffle lui dise :

— Ne me touche pas. Ça fait trop mal.

Nivaldo était mort à l'instant où le docteur s'était penché sur lui. Peut-être avait-il eu un immense espoir en le voyant, car son regard voilé s'était éclairé d'un coup, peut-être avait-il pensé qu'il était sauvé, que tout était possible. Il avait bougé une main, pas vraiment la main mais quelques doigts, le bout des doigts, et le vieux lui aussi avait cru à ce moment-là que la vie ne lâcherait pas Nivaldo. La seconde d'après il expirait.

Cela valait mieux c'est sûr. Le vieux avait allumé une cigarette.

Voilà à quoi il pense, roulé en boule sur sa couverture dans la grotte, et enfin il comprend à quoi ressemble la douleur, pas celle d'une jambe fracturée ou d'un nez cassé par une bête rétive, non, la vraie douleur, celle qui fait pleurer, celle qui fait appeler quel que soit l'homme dehors, bon ou mauvais, et ses yeux qui s'écarquillent parce que son cri s'étouffe dans un gémissement, jamais on ne l'entendra, jamais on ne viendra. À lui, le hurlement explose dans la tête, lacérant ses chairs, et il recommence jusqu'à s'évanouir, jusqu'à crever s'il le faut, *À l'aide, à l'aide*, et la vie s'écoule lentement, il voudrait la rattraper, la remettre à l'intérieur, la vie se déverse.

*

Du temps qu'il était jeune, il avait fière allure sur son criollo, et les filles quand il traversait la ville le regardaient en coin en riant sous cape. Il n'avait pas le sou mais cette gueule, *madre*. Il aurait pu en faire ce qu'il voulait, malgré les gars qui lui trouvaient les traits trop fins des Indiens – oui, il avait ces pommettes hautes et ce nez aquilin qui gênaient, des cheveux noirs comme la steppe les nuits sans lune ; mais il n'avait connu ni son père ni sa mère et on pouvait bien se perdre en conjectures, nul n'en savait rien. La seule certitude qu'ils avaient lui et les autres, c'était qu'il était beau gars et qu'il faisait damner les femmes.

Longtemps la fille d'un gros éleveur lui avait fait de l'œil et il aurait pu s'arrêter là. Il se serait fait à cette vie sûrement. On lui aurait donné du *monsieur* et il aurait appris à ne pas voir les petits sourires moqueurs devant ses mauvaises manières. Il y avait pensé tout un hiver, essayant de s'habituer à poser convenablement le cul sur une chaise quand on ne sait qu'être sur une selle. Vraiment il y avait réfléchi. Mais il n'aimait que les grands espaces, et le vent qui brûle les yeux et la gorge à l'intérieur, et il était reparti le printemps suivant pour la transhumance. Il emmenait le seul être qu'il n'aurait quitté pour rien au monde : son cheval. Déjà à l'époque il avait un bai. Mais il en est mort trois depuis, trois bais usés par le temps et les courses derrière le bétail, à séparer les chèvres des vaches pour que les bêtes ne se blessent pas entre elles, à repérer le moindre animal à l'écart, ne pas en oublier lorsque les troupeaux s'égaillent en septembre dans les pâtures d'altitude ou se replient aux premières neiges vers les terres basses.

Les bais sont passés, et le temps, et les années. Il a fini par s'arrêter, pas pour une fille : mais pour un travail, pour un patron qui payait moins mal, et des milliers d'hectares jonchés de bœufs bruns. Cela fait vingt ans. Jamais il n'a perdu le goût de cette rudesse, de la liberté de ne rien posséder, que son cheval et sa selle. Il n'a pas changé. Il ne vieillit pas.

Du temps qu'il était jeune, avec ses longs cheveux blancs noués derrière. Hier encore.

*

Bon Dieu que la blessure le tord dedans, et la douleur qui refuse de s'atténuer depuis des jours qu'il est là dans cette grotte où son odeur a infesté jusqu'à la roche. Il ne comprend pas comment il peut être encore vivant tant cela lui cogne le cœur, et le mal le ronge de plus en plus loin à l'intérieur, dévorant la chair en la brûlant sur son passage, qu'il doit être vide partout, un lambeau de peau plaqué sur presque rien, des os, des nerfs, un peu de sang encore. Si on lui disait qu'il est arrivé en enfer, il le croirait. Ne voit pas ce que ça peut être d'autre, car dans ce bas monde il n'a jamais imaginé, jamais entendu parler d'une telle douleur, sauf Nivaldo bien sûr mais Nivaldo c'était il y a longtemps, il a peut-être oublié, il s'est peut-être trompé.

Soif. Sa gourde est ouverte à côté de lui et il essaie de laper une goutte qui resterait, mais hier déjà il a fait pareil, et ses lèvres craquent comme si elles étaient en vieux papier. Il voudrait passer la langue dessus pour les humidifier mais sa langue aussi est rêche et enflée, et rien ne le soulage, même avaler il ne sait plus comment faire, sa gorge se serre convulsivement sur ses muqueuses sèches et ça s'enflamme au fond. La soif, ou la douleur. Elles alternent dans son cerveau confus, se mélangent, le rongent. La vie normale lui semble loin ; il sait qu'il n'y a plus droit, plus jamais, jusqu'à la fin.

Qu'est-ce qui lui a pris à lui, le vieux, d'aller voir le patron un matin et de lui coller son fusil sur la tempe, avec l'air assez méchant pour que l'autre réalise qu'il n'hésiterait pas à tirer et que sa tête tenait à pas grand-chose ? Impossible à dire, un coup de folie, n'importe quoi, un matin différent des vingt années qui ont précédé et pourtant il ne s'est rien passé, juste le vieux ce jour-là s'est levé et il a toqué à la porte. Cet argent il n'en a pas besoin. Il ne venait pas le chercher. C'est parti d'un coup.

Mais trop tard pour regretter hein, et le sac c'est tout ce qui lui reste, il le protège comme un trésor. Dans la semi-obscurité de la grotte, les yeux collés par les larmes séchées, il ne le voit pas. Il sait seulement que sa tête repose dessus, il sent le cuir dur sous sa joue.

Parfois il pense à son bai dont il a glissé en arrivant là, défaisant la sangle avant de perdre connaissance, son bai qu'il n'a pas retrouvé en se réveillant et qui doit errer dans la montagne s'il n'est pas déjà mort, tous les deux à crever ensemble dans ce coin de merde, tous ces kilomètres, ces jours de fuite pour ça.

Mais à présent il y a le bruit dehors.

Le corps en feu, le vieux continue à appeler dans un murmure.

*

D'abord quand la silhouette avance avec précaution jusqu'à lui, il y a cette immense déception : ce n'est qu'un gamin. Et puis tout de suite après, le soulagement. S'il ne lui fait pas peur, il pourra le mener comme il veut. Le petit a l'air plutôt dégourdi, avec son visage dur, pas trop farouche. Le vieux épuisé attend qu'il approche, se tait pour garder des forces. Quelque chose de confus le bouscule dans sa tête et il pense à Nivaldo mort à l'arrivée du docteur, il ouvre les yeux d'un coup, tant qu'il peut, il ne veut pas, lui, il refuse de claquer maintenant et l'effroi le saisit, le grand trou, pas glisser, non. *Madre*, qu'il comprend la peur – et il tend le bras pour s'agripper au gamin, un être vivant qui le retienne, tant qu'il s'accrochera à de la chair chaude il sera sauvé. Mais le gamin recule, échappe à ses doigts refermés sur le vide, et le vieux le voit prêt à filer comme s'il avait le démon en face de lui, un instant il s'interroge, s'il était vraiment en enfer cette fois ? Il ouvre la bouche pour dire un mot, se prouver qu'il n'est pas crevé, pas encore, et la douleur revient, qui l'avait abandonné un si court moment, l'irradie, s'il souffre de cette façon c'est qu'il y a bien un corps pour endurer, il marmonne, tremblant :

— J'ai soif.

*

Peut-être s'est-il endormi le temps que le petit aille chercher de l'eau, peut-être a-t-il frôlé l'abîme sans le savoir, au bord du précipice, et vraiment ce serait trop injuste à présent qu'il a de quoi vivre cent ans comme un roi, il tâte en dessous de lui, le sac est toujours là. Il sourit et ses lèvres gercées saignent et piquent, il les palpe, voit le rouge sur sa main. Passe la langue et devine le goût ferreux qui enflamme sa gorge, et l'urgence le prend à nouveau, avide et pantelant qu'il est, il en lécherait le sol, frappe du poing par terre, pleurant presque. Lorsque le gamin revient avec la gourde, il la lui arracherait des bras.

— Pas trop vite, dit le gosse sans oser le toucher.

Mais il s'en fout lui le vieux, il en a vu d'autres, et il ne peut pas s'arrêter de boire cette eau qui se déverse dans son corps comme une rivière gonflée par les pluies d'hiver, s'il était une herbe il germerait aussitôt, monterait, grimperait jusqu'au ciel, et il bénit cette soif que rien n'étanche, et l'eau qui coule dans sa bouche et déborde en le faisant rire, il s'étrangle. Le gamin répète :

— Pas trop vite. Faut pas boire trop.

Cette fois le vieux sent une drôle de chose dans son ventre, l'impression que l'eau qui lui redonnait vie d'un coup le traverse de part en part, à croire qu'elle cherche le chemin des blessures, cogne pour sortir, et les chairs meurtries s'ouvrent sans résister les chiennes, les traîtresses. Son corps secoué de soubresauts ne lui appartient plus, se plie sur la douleur qui investit chaque veine et chaque viscère, et le vieux voit venir le moment où tout se déchirera au-dedans de lui, tout mêlé, juste la vie qui s'enfuit, et il voudrait aspirer l'eau et la faire remonter jusqu'à sa gorge jusqu'à sa bouche, la recracher dans la gourde et qu'on reparte de cet instant-là, qu'il réécrive l'après, les yeux écarquillés de terreur, qu'on lui donne une seconde chance. Les mains ouvertes appuyées en grand sur son ventre pour que rien ne passe, il crie quand les spasmes arrivent, alors c'est la fin, ce n'est pas comme ça qu'il l'imaginait, pas si misérable, Dieu, pour une gourde d'eau, et si le gamin l'avait empoisonné ?

Au même moment, le petit lui attrape la tête et ses doigts s'enfoncent à la commissure des lèvres, se fraient un passage et l'étouffent. Le vieux sait qu'il va mourir. Il ne se bat plus. Une pensée pour le sac derrière lui, dont il ne fera rien, une autre pour les chèvres et les moutons qu'il a égorgés toute son existence sans se demander ce que cela faisait de se voir crever. Peut-être essaie-t-il encore une fois de mordre le gamin qui lui broie les mâchoires.

Et puis il sent les doigts au fond de sa gorge, il sent venir la convulsion, et le petit se recule d'un coup. L'instant d'après le vieux vomit ce qu'il vient d'avaler et qui le noyait de l'intérieur.

Rafael

Agenouillé dans la grotte, il observe le blessé qui vient de reperdre connaissance. Une loque d'homme, puante et déchenillée, si assoiffée qu'il a fallu que lui le petit plonge les doigts dans la gueule écœurante pour lui faire recracher l'eau engloutie, sans quoi le gars y restait, l'estomac soulevé par les grouillements et la bile et le sang. À présent il se tient à l'écart. Il s'est lavé les mains avec la fin de la gourde, les dents serrées. Il regarde le vieux. Écoute la respiration sifflante. Malgré lui, son nez se pince, écœuré par les relents fétides des chairs, les excréments sous l'homme et la sueur, mais autre chose aussi, qu'il reconnaîtrait entre mille – l'odeur des blessures surinfectées, la même que chez les animaux qui gangrènent à force de traîner des plaies impossibles à soigner. Dehors, les chevaux attendent, s'ébrouent, le rassurent. Il sort leur parler, passer les mains sur eux, sur les égratignures qu'ils se sont faites pendant leur fugue. Le bai se tient un peu en retrait. Rafael vérifie que les écorchures soient propres. À la fin, rebuté par l'idée de retourner à la grotte dans les effluves infects, il s'adosse à un rocher et ferme les yeux.

Se frotte le visage. Hésite. Évidemment, il n'avait pas prévu cela. Un endroit désert, et d'un coup les voilà à deux au bord de la montagne. Déguerpir en laissant l'homme, voilà qui lui semble la meilleure solution. Poser près de lui une gourde pleine d'eau, un peu de nourriture, et filer. Oublier ce qui se passera forcément, parce que ce n'est pas son affaire. S'il avait pris deux cents mètres plus à gauche, deux cents mètres plus à droite, il n'aurait même pas su que le vieux était là.

Mais à cause du cheval, il n'arrive pas à décider. Laisser le bai ou l'emmener, des deux côtés il y a du pour et du contre. S'il les abandonne, lui et son cavalier, la mort les prendra tous les deux c'est certain, l'un crevard et l'autre errant ; il ne peut s'y résoudre, sans savoir pour lequel des deux il temporise. Et s'il emmène le cheval. D'abord il pense que la mère le félicitera d'en avoir gagné un de plus. Et puis, en réfléchissant, il se dit qu'elle demandera. Où il l'a trouvé, et à qui il l'a pris. Pourquoi il a laissé l'homme, un vieil homme. Et qui sait si ce cheval, quelqu'un ne le reconnaîtra pas un jour – qui sait d'où vient ce bai, et quel passé il cache, enfin trop de choses, et peut-être la mère lui ordonnera de retourner chercher l'homme blessé à l'odeur de charogne, il ne veut pas, ne sait plus. Alors encore une fois il reste. Il a de la viande d'avance, et au bas de la montagne une rivière coule, et des baies sur les arbustes, il les a vues, ira les cueillir. Demain il choisira, repartir ou non, seul ou non – mais sur ce point il a déjà la certitude que l'homme de la grotte ne pourra pas tenir en selle, il avisera, pour l'instant il y a trop de questions et il a mal à la tête.

Accroupi près du blessé à nouveau. Il a disposé à manger et à boire devant lui, attend qu'il ouvre les yeux. Mais le temps passe et le vieux continue à ronfler, tremblant et raidi, murmurant des paroles incompréhensibles. Quand la douleur le secoue, remuant un bras ou une jambe, il laisse échapper des relents écœurants qui ne le réveillent pas.

*

Quand la nuit arrive, Rafael fait un feu, au bord de la cavité pour ne pas s'asphyxier. Des pans de nuages s'effilochent dans le ciel. Au milieu d'eux, quelques étoiles. Le vent souffle toujours mais la montagne le protège.

Au matin il découvrira que l'homme a mangé pendant son sommeil à lui Rafael, sans bruit, sans le réveiller. Il s'en veut. Imaginer qu'il aurait pu être surpris, volé, égorgé. Son couteau a disparu. Il tombe sur l'iris enfiévré du blessé couché près de lui, s'accroupit, prêt à bondir. Mais non. La chose en face de lui est incapable de se lever, de lui faire du mal. Alors le petit dit :

— Y faut me rendre mon couteau.

Un coup d'œil épuisé. Il suit le regard. La lame est posée là où il avait mis la viande fumée la veille pour le vieux, qui a dû la couper plus fin. Avec ses blessures il ne peut sans doute pas bien avaler, et malgré la pénombre le petit devine de la nourriture recrachée par terre, tressaille sous la voix murmurante.

— Bon sang j'suis pas passé loin.

Un silence, et encore le vieux parle, essoufflé.

— J'ai cru que tu voulais m'étouffer. Mais sans toi je s'rais mort au moins deux fois.

Et puis :

— J'ai soif.

Rafael pousse une gourde à moitié vide vers lui, dit très vite :

— Y en a plus. Je vais aller en chercher à la rivière.

Le râle du vieux l'immobilise. *Tu te sauves pas hein.*

— Non. Je reviens.

— Faut pas laisser un pauvre bonhomme comme moi.

— Non, je vous dis que je reviens.

— T'as une bonne raison de pas m'abandonner, tu sais.

— Ah bon.

— Tu vois ce sac ?

Le vieux roule la tête sur la sacoche de cuir qui lui sert d'oreiller, la tapote du plat de la main.

— Tu as une idée de ce qu'il y a dedans ?

— Non, monsieur.

— *Non, monsieur.*

Le blessé sourit, sent aussitôt ses lèvres se tirer et il arrondit la bouche pour que ça ne saigne pas, ouvre grand, et Rafael regarde la grimace en fronçant le nez, attend la suite.

— Eh bien, j'vais te le dire hein, reprend le vieux. Dans ce sac, il y a… le bonheur.

Le petit ne dit rien, et l'homme attend, hausse les sourcils.

— Tu me demandes pas ce que c'est, le bonheur ?

— C'est quoi ?

— Quelque chose que tu peux même pas imaginer. Y a que si tu le vois que tu te rends compte. Mais je vais pas te le montrer. Ça se mérite. D'abord il faut que tu me soignes, d'accord ?

— D'accord.

— Alors file trouver de l'eau. Et reviens.

Le petit saute sur ses pieds, sort de la grotte en courant. Il n'a rien compris de ce que lui a dit le vieux, et la sacoche en cuir abîmé, salie par le sang des blessures, ne lui inspire guère que du dégoût. Mais il a vu l'éclat de joie dans le regard en face, et un gars avec des blessures comme ça, des caillots dans la barbe et de l'hémoglobine partout à ne pas savoir où sont les plaies, ça ne sourit pas comme si ça avait la Vierge devant les yeux sans une bonne raison, et la question lui tourne dans la tête tandis qu'il enfourche Halley et descend à la rivière. À vrai dire, il ne se demande même pas ce qu'il peut y avoir dans le sac : il n'est pas habitué à inventer ou à supposer, et l'imagination lui manque. C'est le mot qui l'interpelle, un mot qu'il n'a jamais entendu. Le bonheur.

Souvent, pour maudire le sort, la mère, devant une bête morte, une récolte gâtée par le mauvais temps ou trop de factures à la fois, s'écrie : *Malheur !* Cela, il connaît. Une patte cassée, malheur. Une charogne tombée dans la réserve d'eau, malheur. Et malheur encore, les fils qui tardent à finir leur ouvrage ou le vent qui couche les clôtures, laissant échapper le bétail. Toute sa vie baigne dans ce mélange de résignation et de poing levé au ciel, s'étrangle de peur devant les éléments déchaînés, de rage face au monde qui n'est ni juste ni beau. Pas un jour qui ne commence par un soupir, une récrimination ; jamais la mère ne s'est levée en souriant et en prononçant des paroles douces ou joyeuses. Quant aux fils entre eux, ils affichent une neutralité prudente tant qu'ils ne se prennent pas à partie, prêts cependant à s'enflammer pour une remarque acide, ou parce qu'ils ont mal au ventre, en d'autres mots pour rien, rien de valable et parfois rien d'identifiable, que l'envie de mettre eux aussi du mal dans l'air, et de la tension, et du conflit.

Puisqu'ils ne connaissent rien d'autre.

Alors le bonheur, à quelle occasion inouïe le petit aurait-il pu entendre ce mot-là ? Dans la bouche d'un vieux pourri de chair et d'esprit – car sûrement la tête lui fait défaut aussi –, dans la puanteur d'une grotte où les vers se pressent déjà, c'est là pourtant que son oreille le découvre, et tout de suite à cause du regard du blessé en fait son affaire et le construit. Dieu, ce qu'est le bonheur, il n'en sait foutre rien. Sauf que cela tient dans un sac.

S'il bouge ? S'il sent ? Mais si c'est de lui que vient cette odeur écœurante dans la grotte, le petit est prêt à y renoncer tout de suite. S'il parle, peut-être ?

Quelque chose de suffisamment magique pour éclairer la prunelle du vieux quand il en cause, de suffisamment précieux pour que lui le petit voie bien les maigres mains s'agripper au cuir de peur qu'on ne le lui prenne, ou que cela s'échappe.

Alors il emplit vite les gourdes à la rivière, pour revenir observer le bonheur. Se dit que si le vieux est toujours éveillé, il lui demandera de le lui décrire, un peu – pour l'eau qu'il apporte, et la viande qu'il offre. Mais quand il remonte, l'homme est étendu les yeux fermés et seul son souffle saccadé rythme les parois de la grotte. Sous sa tête, le sac est là, bien gardé. Le petit le contemple un long moment, cherchant à déterminer si cela peut s'enfuir ou si l'étreinte du vieux l'en empêche. Cela ne remue pas, ne respire pas. Ne brille pas. On dirait qu'il n'y a rien dedans, si ce n'est qu'il est plein c'est certain, tout enflé qu'il est malgré la tête posée dessus. Un mystère. Le petit le regarde de loin, les yeux brillants.

*

Toute la journée il installe le camp pour un séjour dont il ignore la durée mais dont il pressent qu'il pourra être long. Long de quoi, il n'y pense pas, est-ce le temps de soigner le vieux, le temps qu'il meure ou simplement le temps que lui le petit décide de partir, enfin il prépare, emmêle de longues branches pour clôter les chevaux et qu'ils puissent aller librement la nuit sans les entraves – le jour il les leur laissera afin qu'ils broutent plus loin. Dans la grotte, il rassemble du bois mort en réserve, nettoie le sol, met à sécher des feuillages pour se coucher plus moelleux et pour déposer les baies qu'il ramasse. Il court telle une fourmi, infatigable et critique, arrange une barrière, change la viande de place, qui était trop près de l'ouverture, à portée des insectes. Cherche le meilleur endroit pour faire le feu, et calcule déjà combien de jours ils tiendront avec la nourriture qu'il a. En s'éloignant de la grotte vers le nord, des herbes tassées, des arbustes écartés indiquent des passages réguliers d'animaux : tous convergent, par des chemins variés, vers la rivière où de nombreuses traces de cervidés laissent des marques au bord de l'eau, d'autres bêtes aussi, mais les pistes piétinées, recouvertes les unes les autres, sont presque impossibles à identifier. Elles rassurent le petit cependant, car la viande ne manquera pas. D'avance, il effile plusieurs branches vertes pour embrocher les bêtes, les cuire ou les fumer. Dans la grotte, des pierres entassées entre lesquelles il pose de longues branches serviront d'étagères – pas question que les vivres soient laissés à même le sol.

Ici et là, l'homme blessé ouvre un œil et le regarde, boit un peu d'eau, geint en se repliant sur lui-même. En fin de journée, avant que l'obscurité ne les paralyse, le petit s'approche près de lui et dit, tout gonflé de courage :

— Faudrait voir les blessures.

*

De sa vie, il n'a soigné que des bêtes, et le vieux en est une parmi d'autres ni plus ni moins, voilà ce qu'il se répète en mettant l'eau sur le feu, parce que les plaies puent pareil, saignent pareil et font mal aussi. Quand il a ouvert la chemise sur les déchirures du ventre, il a pensé aux broutards qui s'empalent sur les barbelés, aux chairs boursouflées de pus. Les blessures dans ce coin-là du corps sont toujours mauvaises, parce que derrière il y a les organes de la mangeaille, les intestins et autres saletés, et ça s'infecte au fond, il faudrait pouvoir tout nettoyer tout brûler bien propre. Faute de mieux, il mélange et chauffe des herbes pour poser un cataplasme un peu hasardeux. Il a cueilli des plantes qui ressemblent à celles qu'utilise la mère sans être sûr que ce soient les mêmes, mais le vieux ne saura pas, et lui il fera comme si, pour donner l'impression de soigner, une herbe ou une autre au fond, quelle importance. Avant, il lave les plaies autant qu'il peut avec le vieux qui lance les mains pour l'empêcher et qui gueule que ça fait mal.

— Je sais bien, *abuelo*, mais pour mettre le pansement il faut que ça soit propre, sinon les herbes vont rentrer le mauvais à l'intérieur au lieu d'enlever l'infection, j'ai presque fini, presque.

Pendant la nuit, le vieux délire, fait de la fièvre, et le petit réveillé chaque fois change le chiffon mouillé sur sa tête, remonte la couverture, attise le feu parce que le blessé a froid, tout brûlant qu'il est, et le cataplasme glisse plusieurs fois de son ventre. Entre deux somnolences, Rafael chantonne. S'endort à son tour, s'éveille parce que ça braille de l'autre côté du feu, et parfois se dit que si Mauro était là, c'est sûr qu'il aurait déjà réglé son compte au vieux avec ses cris et ses plaintes qui lui vrillent les nerfs, sûr que le grand n'aurait pas supporté, qu'il aurait préféré l'étrangler à mains nues, comme il l'a vu faire à une brebis le ventre ouvert par un puma. Lui le petit, l'idée le tente à un moment mais il sait qu'il n'a pas la force malgré l'état du vieux, et pas vraiment l'envie, c'est juste que ça lui vient, la fatigue, les gémissements qui lacèrent son sommeil et lui font crisser les dents, enfin il ne le fera pas, pas tout de suite, pas aujourd'hui.

Au matin, l'homme s'apaise, comme tous les blessés qui se rendent à l'aube, soulagés d'avoir passé la nuit et que la Grande Marcheuse ne les ait pas pris.

Les défenses s'abaissent et la panique le cède à l'épuisement – c'est là que souvent les bêtes meurent, quand elles croient être sauvées et que les ténèbres font un bond en arrière pour leur arracher leur dernier souffle, et dans leurs yeux éteints il reste cette lueur surprise, ce mauvais tour qu'on leur a joué et qu'elles n'ont pas vu venir. Mais de cela le petit n'a cure. À son tour il s'enroule dans sa couverture et profite de l'accalmie, sombre dans un sommeil sans rêves, tout de bleu et d'étoiles, comme le ciel qu'il aperçoit par ses paupières entrouvertes lorsqu'un bruit d'éclairs le réveille, l'orage noir et sec cognant aux parois de la montagne, il s'en moque, recroquevillé dans son abri imprenable et le cœur flottant au milieu du monde.

Joaquin

Ils tiennent les béliers serrés entre leurs cris et leurs
fouets. Parfois Eduardo claque de la langue et son
criollo pousse encore un peu plus les bêtes mauvaises,
par à-coups, se tenant à distance des cornes enrou-
lées dures comme la pierre, des cornes qui brisent les
os des chevaux, et ils le savent eux les criollos et
les béliers, qui se regardent du coin de l'œil tout le
temps que dure le chemin jusqu'à la ville. Emiliano
marche devant, déjà fier. Chaque année ses mâles
remportent un prix, souvent deux ou trois, et Joaquin
en les voyant se rend compte que ces bêtes-là n'ont
rien en commun avec celles de la mère, des monstres,
trois mérinos et deux corriedales tout droit sortis des
entrailles de la terre, les muscles, la laine, la lueur
méchante dans l'œil. Élevés pour la reproduction et la
compétition, qui ne se croisent jamais à l'estancia où,
galvanisés par la présence des brebis, ils se jetteraient
l'un contre l'autre. Les troupeaux sont soigneusement
divisés, les territoires fractionnés. Chaque nouvelle
saison, les gauchos surveillent les jeunes béliers avides
de querelle pour les séparer des vieux chefs ; malgré
leur vigilance, il leur arrive de trouver deux morts au

fond d'une pâture, cornes emmêlées qu'ils n'ont pas su défaire, et leur cou cassé, leur souffle épuisé par la lutte, brisés, rompus.

Pour la première fois, Joaquin entre dans la ville sans la mère. Il a l'impression de la découvrir à nouveau, posant un regard différent sur les rues, les gens, la grande place envahie par la foire. Cela sent la fête et le monde se presse. Des centaines de bêtes, bœufs, béliers, chèvres et boucs sont parqués dans des enclos de fortune, appellent, trouant le ronronnement puissant des conversations, des rires et des cris. Cela lui fait tourner la tête à lui Joaquin, qui n'a jamais vu une telle foule, jamais entendu tant de bruit ensemble, pas que cela lui pèse au contraire, une sorte d'excitation au fond de lui, ses yeux et ses oreilles virevoltant de toute part, il aspire la ville profondément, ses mains tremblent un peu.

À leur tour ils enferment les béliers et Emiliano les congédie d'un geste, qu'ils aillent manger, lui reste là, et déjà des éleveurs l'ont reconnu et le hèlent, et Eduardo murmure en souriant : *Y a des affaires qui vont se faire*. En début d'après-midi il faudra revenir pour présenter les bêtes : mais pour l'heure, les gauchos sont libres, et Joaquin les suit dans les rues, qui semblent aller avec certitude, il les suit en salivant au parfum des asados et des empanadas. Cependant ils s'éloignent du cœur de la foire, et il dit :

— On va où ?

Mais ils ne répondent pas. Bientôt Arcangel qui marche en tête s'arrête, se retourne vers eux et hoche la tête.

— C'est là. Ils en ont pris deux.

D'abord Joaquin s'approchant comme les autres ne voit rien, à part la foule qui ici aussi s'agglutine en parlant fort, et puis si, ces deux silhouettes agenouillées que les gens regardent sans les toucher, ils viennent seulement constater, ils en font le tour et repartent. Joaquin questionne en se mettant sur la pointe des pieds :

— C'est quoi ?

Mais il a déjà compris qu'il s'agit de deux cadavres repliés devant eux, retenus tête basse à genoux par la corde qui les attache à un poteau en bois, et ce n'est pas cela qu'il demande, c'est la raison, l'explication, pourquoi les deux nègres sont morts et exposés là, et Eduardo répond sans quitter la scène des yeux :

— C'est à cause de Gomez.

Fabricio opine, ajoute :

— Sa femme s'est fait engrosser par un moricaud, alors ils ont cherché ceux qu'ils pouvaient pour les punir. Les autres ont dû filer depuis longtemps.

Joaquin regarde les corps avachis, les enfants qui jouent à les pousser avec des badines, et les visages figés oscillent de gauche à droite comme si le vent les balançait, les chemises déchirées s'ouvrent et se referment. Il fronce les sourcils.

— C'est eux qu'ont fait ça ? J'veux dire, c'est ces gars-là qu'ont eu la femme ?

— Pas forcément.

— J'comprends pas.

— Y a pas grand-chose à comprendre. Juste c'est des nègres. Peut-être que le coupable y est, et s'il y est pas, ils paient pour lui.

— Bon sang, quand le vent vient par là, ils puent hein.

— Ça doit faire un moment qu'ils les ont mis là.

Eduardo, qui s'était avancé jusqu'aux cadavres, recule vers eux.

— Ils les ont pendus à terre. Comme des chiens.

— Bah qu'est-ce que c'est de plus, dit Arcangel.

Joaquin regarde les nuques brisées, imagine le temps qu'il a fallu. La mère leur a raconté un jour comment un éleveur avait pincé un voleur de bétail, en pleine steppe. Pas un arbre : qu'importe. Avec ses gars, ils avaient pendu leur homme de cette façon. D'un côté, deux ou trois gauchos le soulèvent et le maintiennent à l'horizontale ; de l'autre, on lui passe une corde autour du cou et on tire dans le sens opposé. Ça fait rire tout le monde, ceux qui tiennent le type parce que la traction des autres les déséquilibre et qu'il faut résister ferme en arrière, et ceux qui ont la corde parce qu'ils voient la gueule se déformer et la langue sortir, et ça dure un moment avant que les cervicales craquent ou que le souffle s'arrête, enfin tout le monde est content, et bien rouge, et on boit un coup.

C'est pour cela que les yeux et les langues sont gonflés devant lui Joaquin, qui a vu des bêtes mortes bien souvent à l'estancia, mais des hommes jamais, il n'ose pas le dire, les autres regardent sans ciller. Cela a l'air si normal. Si évident. Et puis enfin Fabricio les interpelle :

— J'crève de faim, pas vous ?

— T'as raison, marmonne Eduardo, on n'aura bientôt pas le temps si on passe notre vie ici.

Ils s'éloignent en se frayant un passage entre les gens qui viennent voir, et Joaquin se sent vaguement nauséeux soudain, l'odeur sans doute, et les mouches qui se posent par milliers sur les cadavres, découvrant des plaies noires et immenses lorsqu'un gamin passe en courant et qu'elles s'envolent quelques instants dans un bourdonnement lugubre.

Lorsqu'ils s'asseyent et commandent des empanadas, il hésite. Mais il aurait l'air de quoi. Alors il grignote du bout des lèvres avec les gars qui épiloguent encore sur l'affaire, et comme eux l'appétit lui revient, qu'il noie dans une ou deux bières. Il finit par ne plus y penser car déjà les conversations se focalisent sur les concours et les paris à prendre, ils veulent être sur place à temps pour jouer leur paie, les billets qu'Emiliano leur a donnés ce matin au moment de partir et que Joaquin palpe dans sa poche sans se décider à les sortir. Eduardo lui tape sur l'épaule.

— Comme t'es nouveau, je te dis sur qui parier, tu veux ? Rien que dix pesos.

Et dix pesos cela lui convient, il lui reste de quoi s'offrir à boire tant qu'il veut, et peut-être grâce aux conseils du vieux gagnera-t-il quelque chose en plus, il se met à rire.

— Ça marche.

Un instant il se sent riche, exalté, comme si tout était déjà joué et qu'il ait raflé la mise, il observe les béliers d'Emiliano, tend le doigt.

— Celui-là ?

Eduardo glousse et vient se caler à côté de lui.

— Tu vois ce que je regarde, là ?

Joaquin tourne la tête à demi, ouvre les yeux. Dit seulement :

— Oh.

— C'est ça. Le mérinos.

— Bon sang c'est pas un mouton, c'est un bœuf.

— C'est celui-là qui va gagner la catégorie laine. Peut-être même la viande.

— T'es sûr ?

— Sûr.

— Et ceux d'Emiliano ?

Eduardo hausse les épaules.

— Manolo, chez les béliers de moins de trois ans. Mais pour cette année ce sera tout.

— J'te fais confiance hein.

— Tu peux.

Le soir après les concours, ils s'enfoncent dans la petite ville, ses lumières, ses rues bondées. Joaquin a un peu plus d'argent en poche que tout à l'heure ; Eduardo ne l'a pas trompé. Il en a bu une partie et chantonne, trottinant derrière les autres, la tête lui tourne. Comme le matin, il demande :

— On va où ?

Et encore une fois, personne ne lui répond et il continue à suivre. S'arrête avec les gars devant une enseigne, lève les yeux, recule. Mais Fabricio l'empoigne.

— Dis donc, bébé, tu vas pas te défiler ?

— Ça ne m'intéresse pas.

Eduardo éclate de rire derrière lui, le pousse vers la porte.

— J'me trompe ou t'as jamais fait ça ?

Il essaie de se dégager : rien à faire. Et puis avec l'alcool. Et puis la tentation, même terrifié. Il finit par marcher l'air crâne, les défiant du regard, les mains dans les poches.

— On y va alors.

Sa voix a tremblé et il se racle la gorge. *Saloperie de poussière.* Il entre, coincé par Eduardo, Arcangel et Fabricio. Les filles les regardent. Font des signes de la main.

— Elles vous connaissent, murmure Joaquin.

Arcangel s'esclaffe. *Ouais, ça doit être ça.*

Quand elles viennent vers eux, Joaquin doit se faire violence pour ne pas s'enfuir. La sueur dans son dos, les frissons. La trouille. Rien à voir avec les brebis derrière la grange, cette fois, et l'image des culs laineux lui brouille les idées, lui coupant tout, lui semble-t-il.

— Faudra en prendre soin, dit Eduardo à voix haute. Il a pas l'habitude le petit. C'est encore un ange.

*

Après, Joaquin est couché nu sur les draps, les yeux ouverts sur la longue fissure au plafond. La nuit est claire, c'est la pleine lune peut-être, il ne se souvient pas. Ou alors les lumières dehors, qui font des ombres à l'intérieur. Devant la fenêtre ouverte, le rideau ondule. La fille s'est rhabillée. Il la regarde. Une jolie brune, un peu ronde – tout lui paraîtrait joli à côté de ce qu'il connaît, bien sûr. Elle doit avoir le même âge que lui et il hésite à lui demander, se tait, par paresse, continue à l'observer. Elle se poudre à la va-vite, entre deux, pas la peine de faire des frais pour ce tas de gueux qui l'attend ; cependant elle ne presse pas Joaquin, et il n'ose pas la regarder davantage. A-t-elle compris que c'était sa première fois à lui ? Sans doute. Cela a été trop vite, il s'en veut. Aurait aimé que cela dure. Mais rien à faire. Il l'a senti venir, incontrôlable, il a eu le temps de se dire que ça allait être foutu. Et puis c'est arrivé. Il n'aurait jamais cru que la sensation puisse être aussi forte, aussi entière. Si différente – mais il efface ses frères de son esprit, car cette vie-là est finie, à présent il est un homme, un homme à femmes. Il se passe une main sur les yeux.

La fille s'assied près de lui sur le lit, lui offre une cigarette sans un mot. Parce qu'il a été si vite peut-être, et elle ne veut pas y retourner tout de suite, elle temporise, sait combien de temps cela prend d'habitude. Combien de minutes elle a gagnées avec lui. Il sourit. Au fond il se sent si bien qu'il s'en moque.

Dehors il y a cette odeur de viande grillée et de lampes qui brûlent. Ici et là, le beuglement d'un taureau, un bélier qui blatère. Il imagine les plaines gris et bleu dans la nuit, ne sait pas si les autres l'attendent déjà.

Les bras étendus le long du corps, Joaquin regarde la fissure. Son cœur bat à plein, lentement, puissamment. Quelque chose de neuf commence. Il est prêt.

La mère

Le cinquième matin, la mère envoie Mauro et Steban à la recherche du petit. Elle leur a donné deux jours, pas un de plus, pour trouver sa trace. Quand ils reviennent sans lui, ils ont bien distingué des pistes, mais avec les vents de sud-ouest accumulant la poussière en monticules sur le bord des chemins, elles disparaissent vite. Le petit est parti vers les mesetas, ils en sont certains. Ils n'ont rien vu, rien entendu d'autre. Rien trouvé non plus, ni corps ni cheval – Halley ou les autres. Ils ne savent pas.

— Bien, marmonne la mère – mais cela ne va pas avec l'expression qu'elle a sur le visage et qu'ils ont du mal à comprendre, de la colère, oui c'est cela, de la colère.

Les jours suivants elle guette la route sans un mot. Le matin, et le soir avant la tombée de la nuit, plantée à la fenêtre de la cuisine, elle attend bras croisés, et vraiment sur son visage il n'y a rien de douceur ni de chagrin, parce que c'est au destin qu'elle s'adresse en se tenant là, coquin de sort qui n'arrêtera donc jamais de lui en faire voir, eh bien, qu'il y vienne. Elle la mère, ne compte pas quitter son poste, matin et soir à souffler de la buée sur la vitre, tant que quelque chose ne sera pas advenu, elle ne sait pas quoi, le retour du petit, un cheval égaré, une mauvaise nouvelle. Qu'importe. Que l'on cesse de se moquer d'elle, de l'ignorer ainsi, elle exige des réponses. Son regard méchant court sur la plaine à perte de vue, et sans doute si elle pouvait enflammer les bosquets sous sa fureur le ferait-elle, pour leur montrer à tous qui elle est, et ce qu'elle leur réserve – leur montrer à eux les esprits, les petits dieux malhabiles, qu'elle défie de venir là devant elle, pour leur causer du malheur qu'ils apportent, puisqu'ils ne sont capables que de cela. C'est pour cette raison qu'elle lève les yeux vers le ciel, pas une prière, non, mais une menace, des dents qui grincent à en faire péter les oreilles des éternels et la fulmination qui lui sort par le nez et la bouche, elle ravale des blasphèmes – sait-on jamais – en se mordant les lèvres.

La croisant ici et là vissée sur sa chaise et le regard lointain, Mauro et Steban pensent au père qui est parti pour ne jamais revenir par ce chemin-là, et Mauro grogne : *Ce salaud.* Steban se tait. Il ne saurait toujours pas dire avec certitude ce qui se passe la nuit quand la mère vous emmène sur un cheval. Mais elle les balaie tous les deux les frères restants, d'un geste de la main.

— Allez.

Allez, cela signifie : *Au travail.* Et vrai ça s'accumule dans tous les coins de l'estancia, et pourtant elle doit l'admettre elle la mère, ils courent, ses fils, de l'aube à la nuit, même Mauro a les traits fatigués. Mais il ne cède pas, finissant de réparer une pioche ou un harnais de vêlage à la lumière de la loupiote le soir dans l'écurie, et quand elle le voit rentrer, il dit seulement :

— C'est fait.

Une ou deux fois, il a ajouté : *C'est pas grave, hein.*
Et la mère sait bien de quoi il parle, le deuxième départ
après celui de Joaquin, le grand vide dans l'estancia,
lui Mauro ne veut pas qu'elle pleurniche ou qu'elle
regrette. Il s'en fout, du petit, il s'en fout qu'il soit
parti à son tour. Il peut être mort dans un coin que ça
ne changera pas le cours de son existence, ni celle de
la mère, ordonne-t-il par son silence et son visage dur,
ils n'ont pas besoin de lui. Et si elle, le chagrin l'a déjà
presque quittée parce qu'elle est rompue aux coups du
sort, courbant le dos par avance et calculant ce qui lui
reste pour aller de l'avant, en revanche l'inquiétude la
tiraille, celle des bras qui manquent à la tâche, parce
que Mauro se trompe elle en est sûre, à eux trois ils
n'y suffiront pas. Il faudra qu'elle embauche pour la
saison de la tonte, elle n'avait pas besoin de ça, non,
vraiment pas besoin. Tous ces efforts qui partent en
fumée.

Car voilà, quand elle fait les comptes, deux sur
quatre, la moitié pour rien. S'il n'y a pas là de quoi
s'étrangler de rage. Des années à les nourrir et les
élever à la sueur de son front ces gamins, les reins
arqués pour tenir le coup. C'est que ça en demande,
des efforts ; c'est que ça en mange, des soupées. Juste
au moment où ils devenaient forts tous les quatre, et
qu'ils prenaient leur part de besogne, la soulageant
d'un peu de son fardeau. Oui juste à ce moment-là,
quand enfin ils donnent plus qu'ils ne coûtent. Misère.
L'un des jumeaux, déjà, qui n'est plus là depuis des

semaines ; maintenant le plus jeune. Deux en un rien de temps. Bien sûr, comparé aux bêtes sauvages c'est peu, car huit lapereaux sur dix sont tués avant d'atteindre l'âge adulte, tout le monde le sait. Mais cela ne console pas la mère. Elle oublie que c'est elle qui a perdu Joaquin au jeu, et que pour le petit, rien n'est certain. Dans sa tête embrouillée, elle fait l'amalgame : les absents sont morts – sa façon à elle de voir les choses, la mort ce n'est pas forcément être mort, c'est disparaître voilà tout. Et ils y sont bien pour quelque chose ces deux partis-là, à lui tirer ce pied de nez, à elle qui a trimé sans relâche pour en faire des hommes, pas pour les voir s'évanouir dans la nature ou filer travailler chez les autres. Leur désertion la rend furieuse, aveuglément. Elle est injuste, elle le devine dans le regard de Mauro quand elle parle d'eux et qu'il se renferme parce qu'elle jure. Mais ce n'est pas lui dont les efforts viennent d'être anéantis coup sur coup, pas lui qui perd des années de patience, à tirer le diable par la queue en attendant le jour où elle aura sa revanche, quatre fils solides, durs au mal, et elle enfin, reposer son corps endolori épuisé par cette vie qui n'est pas celle que l'on doit à une femme c'est sûr. C'est pour cela qu'elle a crié d'abord, quand Mauro et Steban sont rentrés sans avoir trouvé Rafael :

— Où est cette petite saloperie ?

Comme si le petiot la faisait enrager exprès, bien caché et riant de la plaisanterie. Mais elle la mère s'est bien rendu compte que ce n'était pas un jeu quand il n'est pas revenu, il s'est passé quelque chose elle le devine, et quoi de bon dans ce pays-là, rien, il ne faut même pas poser la question, ce pays de chagrin.

Même les chevaux, ils ne les ont pas revus. Trois chevaux est-ce que ça s'évapore comme ça alors qu'ils connaissent l'endroit, qu'ils y ont toujours vécu ? On les retrouve forcément, errants et fourbus : mais ceux-là non. À croire qu'ils n'ont jamais existé. Qu'ils ont été happés par le ciel ou la terre, ou par les esprits. La nuit elle entend des bruits de sabots, se lève d'un bond. Mais ce n'est que son imagination qui lui joue des tours, même quand elle croit voir le petit au bout du chemin, sa silhouette maigrichonne trottiner pour, enfin, rentrer à la maison. Elle attend jusqu'à ce que ses yeux brûlent et qu'elle se rende à l'évidence, il n'y a personne, que des arbres tordus dehors et des larmes dedans, elle attend et se recouche, et ne dort pas, c'était son plus jeune, tout de même.

Après une semaine encore, elle cesse de compter, cesse de se lamenter, admet qu'il ne reviendra sans doute pas. Le mieux qu'elle ait à faire c'est de le chasser de son esprit, pour ne pas gêner et ne pas geindre. Cela ne l'empêche pas de continuer à s'embusquer derrière la fenêtre de la cuisine matin et soir, brûlant du regard le paysage qui l'entoure et marmonnant de nouvelles imprécations comme une vieille femme dont l'esprit a chaviré. Mais elle ne pense plus à Rafael. S'il est tombé, s'il a été tué et que des rapaces le dévorent déjà, cela ne sert à rien d'espérer. Il y a suffisamment de mal tous les jours pour ne pas s'en créer en vain. Et il faut continuer à s'occuper des brebis. Arque, ma fille. La vie n'attend pas qu'on ait envie d'y mettre les mains.

*

Après les foins, la saison des récoltes est passée à l'estancia. La maison, la grange sentent la terre et la pomme. Tout est en ordre. Les clayettes sont pleines et Mauro surveille chaque jour les fruits abîmés, les enlève pour qu'ils ne contaminent pas les autres avec la moisissure. La mère les épluche, donne le mauvais aux poules, qui se jettent dessus. Avec ce qui reste de bon, elle fait des tartes et des compotes, des purées qu'elle mélange avec des pommes de terre pour que cela tienne au corps, pour que la viande grillée exhausse le goût du sucre. Quand Mauro et Steban descendent de cheval à la fin de la journée, ils hument le parfum suave en salivant d'avance.

Dans la parcelle sablonneuse derrière la grange, ils ont bêché les pommes de terre aussi, les laissant sécher la journée au soleil et au vent. La récolte est bonne et Mauro a souri, même si la mère s'est contentée de grogner :

— Quand même quelque chose qui va.

La remise est pleine, une promesse jusqu'à l'hiver. D'habitude la mère se réjouit elle aussi de cette saison de fenaison et de cueillette, mesure, calcule, range, passe derrière les fils pour surveiller que rien ne moisisse, penchée sur les réserves et manipulant fruits et tubercules avec précaution, qu'elle ressemble à un rongeur faisant provision, chantonnant presque. Mais cette année elle a gardé son humeur sombre et regarde sans y toucher, les mains dans le dos, promeneuse blasée, sourcils froncés. Lorsque Mauro s'enthousiasme, elle garde le silence, et tout aurait pu être mieux, semble-t-elle susurrer, toujours un peu plus, en réparation des soucis que le sort lui a faits, oui c'est la moindre des choses. Elle jauge, considère qu'elle n'a pas gagné au change, peut-être avec cent kilos de pommes de terre en plus, et encore. Alors elle va avec une bêche remuer la terre pour vérifier qu'il n'en reste plus, tourne autour des pommiers la tête en l'air, montre à Mauro un petit fruit rêche caché derrière les feuilles, et Mauro fait un signe de tête au débile qui court chercher l'échelle. Ensuite elle s'enferme dans la cuisine, coupe et cuit, maussade, et les fils vaquent de leur côté, insouciants de son aigreur dont ils perçoivent à peine qu'elle a empiré, avec ce fichu caractère qu'elle a toujours eu.

La mère ne va presque plus à San León. Là aussi quelque chose s'est tari en elle, bienheureux pour ses comptes, car lorsqu'elle descend payer ses dettes dorénavant elle évite soigneusement le bar. Elle rapporte de l'alcool qu'elle boit comme avant, le soir après dîner, seule dans la cuisine. Un petit verre pour mieux dormir ; souvent, elle s'en sert un second, celui qui berce et fait tanguer. Dehors, couchés contre la porte, les chiens écoutent ses marmonnements, pas même articulés. Ils perçoivent l'acrimonie dans sa voix, qui se passe de mots. Eux attendent toujours les deux absents. S'interrogent. Comme la mère, souvent leur attention se tourne vers l'horizon, pour un bruit ou un courant d'air, un espoir – les voilà. Après quelques instants où rien ne bouge, ils se replient à nouveau pour s'étendre, étouffent un gémissement. Parfois ils croisent le regard de la mère, lorsque tous ensemble ils scrutent le chemin en vain, comme si elle y pouvait quelque chose. Agacée, elle secoue la tête et fronce les sourcils, prend un balai s'il le faut.

— Ouste. Filez !

Affalée dans le vieux fauteuil avant d'aller dormir, elle fait le point, recense, échafaude des plans pour se passer des deux fils absents ; mais la fatigue la prend trop vite, et elle pique du nez sur sa blouse. Elle a le temps de maudire le banquier encore une fois, qui a les malheurs qu'il mérite, de crisper ses doigts sur son torchon en pensant aux parties de poker qu'elle a failli gagner, avant, et qui lui rendraient si grand service aujourd'hui. Des pesos à ne plus savoir qu'en faire. Elle en a tremblé, les a touchés du bout des ongles. Elle aurait pu tout envoyer paître. Même l'estancia, elle n'en aurait plus eu besoin, ni vaches ni brebis. Ni fils : pas quatre, pas deux, non. Aucun. Elle aurait fini son existence en buvant des verres accoudée à la table et en jouant, parce que cela lui manque terriblement. Elle aurait claqué une fortune, perdu, recommencé, et il lui en serait resté encore. Gomez lui aurait fait la révérence tous les jours, et elle, elle se serait acheté une boniche, pour ne plus jamais nettoyer la maison ni préparer les repas. Ce vieux rêve, elle l'a frôlé, à deux doigts elle était. À une carte près.

Toujours une foutue carte.

Au fond, elle a passé sa vie à perdre. Et ces soirs-là cela la rend folle, parce qu'elle sent l'argent à portée de main, pourvu qu'on lui donne un jeu, elle aurait la chance avec elle cette fois c'est sûr, et elle retourne ses paumes qui brillent d'un éclat si particulier, allons, comme si elle ne voyait pas. Le monde est à elle. L'expliquer elle ne saurait pas, c'est à l'intérieur que ça se fait, une grande lumière, une grande chaleur, quelque chose qui lui dit que c'est son heure, bon sang, les doigts lui gigotent et elle marche en rond autour de la table de la cuisine, fébrile. Pour un peu elle les aurait dans les yeux, ces fichus jetons, ces billets, ce trésor.

Mais justement ces soirs-là elle est à l'estancia. Elle a travaillé la journée, oui, et elle a nourri les fils, le grand et le débile, lavé derrière eux, rangé, mis les bols pour le café le lendemain. À cause d'eux elle est restée à biner, sarcler, cuisiner, nettoyer. Si seulement elle s'était écoutée. À cette heure, elle gagnerait des tas et des tas. Au lieu de quoi elle rumine en pensant à tout l'argent qu'elle perd depuis qu'elle a arrêté de jouer, ouvrant les mains tant la sensation est forte, fait un geste comme si elle balançait les cartes, en vain, elle est toujours assise à la table de l'estancia, seule, pauvre, oh la colère.

Tout cela à cause des fils.

Rafael

Depuis combien de jours ils sont encloisonnés là, le vieux, le petit et les chevaux, personne n'a pensé à compter, et Rafael en essayant de s'y retrouver confond les matins et s'y perd. Si cela ne tenait qu'à lui, il dirait sept ou huit jours, mais le vieil Abuelo, comme il l'appelle maintenant, secoue la tête. Plus de vingt. Le petit glousse.

— Tu as tellement déliré que tu ne repères plus rien, proteste-t-il. Même en pleine nuit, tu croyais que c'était le jour, et tu en as compté deux pour un, c'est sûr.

— À cause de la lumière du feu. Mais j'ai rectifié.

— Moi je sais combien de pansements je t'ai mis, et combien de fois tu m'as engueulé parce que cela brûle.

— Foutaises.

— Je peux redire les mots que tu m'as dits.

— Tais-toi donc. Est-ce qu'il reste de la viande ?

Le petit coupe une tranche fumée qu'il lui tend.

— Faut que j'aille chasser. Dans deux ou trois jours on n'aura plus rien.

— Bientôt je pourrai tenir en selle. On rentrera chez toi.

— Oui, *abuelo*. Chez moi.

Il ne dit pas comment c'est, chez lui : une vie de misère plombée par le travail et les terres arides, et la mère qui lui arrachera la tête s'il revient avec le vieux qui ne peut pas arquer, une bouche à nourrir et rien en échange, jamais elle n'acceptera. Et aussi le vieux peut s'estimer heureux que lui Rafael se contente de ses silences et de ses grognements quand il demande d'où lui viennent ses blessures, parce que la mère ça ne lui suffira pas c'est sûr, il faudra bien qu'il donne une explication, une plaie pareille ça ne se fait pas en affûtant son couteau. Le petit a son idée là-dessus, une bagarre qui a mal tourné ou un règlement de comptes, peut-être même une délinquance, autrement le vieux ne serait pas si avare de commentaires, forcément il y a quelque chose de pas très net dans son histoire. Mais après, tout n'est que supposition et il a beau revenir sur la question encore et encore, il n'obtient aucune réponse, que des yeux méchants sur lui et parfois la suspicion.

— Tu me cherches des ennuis c'est ça.

— Non, *abuelo*, c'est par curiosité, je voudrais bien savoir.

Immanquablement, à ce moment-là, le vieux part dans une quinte de toux et se tient le ventre, et ça dure, impossible de l'arrêter, ni l'eau ni le maté ni l'air que le petit lui fait, à croire qu'il va s'étouffer sur place violet et gris comme il vire. Peu à peu ça se calme et il dit dans un souffle : *Cette fois, c'était presque la bonne, sang de Dieu.* Il reprend haleine, des larmes plein les yeux. *Tu vois, hein, tu vois.*

Le petit ne sait pas de quoi il parle. Mais ce qui est sûr, c'est qu'il a oublié sa question. Et le temps passe.

*

Le temps passe et le vieux ne reprend pas de forces. Les premiers temps, il y a eu du mieux, vraiment, mais il faut dire qu'au point où il en était, aller plus mal c'était tirer sa révérence. Reprendre conscience, s'alimenter un peu, bavasser quelques mots, ça s'est fait normalement. Et puis le mieux s'est arrêté malgré la nourriture et malgré les soins, laissant le petit perplexe. Quand il a vu le vieux commencer à récupérer, il a pensé : *Ça y est, c'est gagné*, comme pour les vaches et les moutons, soit ça crève, soit ça repart pour de bon. Il en a tiré une certaine fierté parce que c'est lui qui a mis les cataplasmes, même qu'il a hésité sur les plantes, et qu'au fond ça devait bien être les bonnes, pour ragaillardir son blessé de cette façon. Et puis les blessures se sont rouvertes, le vieux s'est remis à se plaindre et tout est allé de travers. Veut pas se lever. Veut pas manger – il dit qu'il a des trous partout dans le ventre. Veut pas causer. Sauf pour brailler quand ça ne va pas, réclamer de la bière ou le houspiller lui le petit parce que les plaies le tourmentent à n'en pas finir. Replié dans son coin de grotte, ancré au sol si Rafael essaie de le faire s'asseoir au soleil, au bord, un peu. *Cela te fera du bien, abuelo.*

— Tais-toi. Donne-moi à boire.

Comme il le traite. Sur ce chapitre, le vieux ne vaut pas mieux que la mère et, dès qu'il a eu repris un peu de vitalité, il a aboyé des ordres. Pire : jamais il n'a reparlé du bonheur. Pourtant il vérifie vingt fois par jour que le sac se trouve toujours là sous sa tête – et comment pourrait-il en être autrement –, partant d'un rire nerveux quand il le touche, le palpe, le retourne pour mieux se caler. Ce n'est pas faute d'avoir essayé de lui en faire causer : mais aussitôt il entoure le cuir de ses bras, jette au petit un regard suspicieux.

— Tu voudrais pas me le voler, des fois ?

— Mais non. J'aimerais juste savoir ce que c'est.

— Faut pas être trop curieux.

— Tu avais promis de me dire.

— Si je te le montre, tu me le prendras.

— Si je devais le prendre, ce serait déjà fait.

Alors le vieux attache la lanière du sac à son poignet en plus de dormir dessus. Un seul mouvement, et il se réveille. Impossible d'imaginer ouvrir la sacoche pendant la nuit, et pourtant cela taraude le petit, de voir la chose qu'il a si peur de perdre. Pour ne pas alerter le vieux, il arrête d'en parler. Fait ce qu'il sait si bien faire : attendre. Comme les grands fauves, il porte en lui la conviction que l'autre finit toujours par commettre une erreur. Quand on traque, cela peut être une branche sur laquelle on marche, et dont le craquement résonne dans le silence ; une odeur qui prévient, parce qu'on a négligé de se mettre sous le vent et que la steppe, avec son horizon infini, ne pardonne pas, et les guanacos s'enfuient en quelques bonds, s'effacent, disparaissent. Des maladresses, par inadvertance, fatigue ou stupidité. La seule règle, c'est de patienter. Des heures, des jours. Des semaines, s'il le fallait.

Mais tout de même l'idée le taraude. La nuit, ou le jour quand le blessé sommeille, il s'approche. Il a toujours une excuse prête : une branche à remettre sur le feu, un cauchemar, la couverture à réajuster. Il fait du bruit exprès, pour que le vieux n'y prête plus attention, l'habitue aux objets qui tombent, à ses pas qui lui passent juste derrière la tête. Quand il est sûr que ça dort, il s'agenouille à côté. À présent il peut tirer la sacoche de dessous la tête du vieux, au moins cinq ou six centimètres, sans l'éveiller ; mais six centimètres, c'est trop peu pour ouvrir le sac, trop peu pour voir dedans. Et il n'ose pas glisser la main. Alors il tâte du dehors, cherche la forme, hume l'air. Le cuir est trop épais, et il renonce aussitôt qu'un grognement l'alerte. Il se jette accroupi devant le feu comme s'il avait toujours été là. Parfois le vieux ouvre un œil, le regarde. Rafael ne tourne pas la tête. C'est pas moi, *abuelo*. Un courant d'air peut-être.

Cela devient un jeu. Parce que au fond, il suffirait de prendre le fusil et de faire sauter la tête du vieux. Plusieurs fois, Rafael s'imagine en train d'épauler et de tirer, observe la carcasse étendue de tout son long devant lui, la retourne du bout du pied pour dégager la sacoche. Son cœur bat plus vite. Cependant, quelque chose l'en empêche. Pas l'affection bien sûr, car ils sont de la même veine tous les deux le vieux et lui, durs et vides d'émotion, chacun avec leurs faiblesses si enfouies que personne ne les trouvera jamais, à moins de leur creuser la chair jusqu'à l'os. L'affection, le petit en a pour son cheval et ses chiens ; pas pour l'homme.

Mais donc. Malgré la viande, et malgré les herbes sur les blessures, le vieux a cessé d'aller mieux. Depuis plusieurs jours déjà son état stagne, et le petit encore une fois pense aux bêtes qui végètent avant de crever, comme si elles hésitaient encore du côté où tout va pencher, la tête basse et l'appétit manquant. Deux ou trois fois, en soignant la plaie, il a enlevé des vers blottis dans la chair, des vers blancs, les mêmes que l'on voit sur les charognes, et cela lui a fait tout drôle d'aller chercher ces asticots gesticulants sur une bête vivante, ou peut-être en transition décidément, peut-être un signe, il surveille, les vers ne reviennent pas. Mais il y pense chaque fois qu'il soulève le cataplasme, se fait à l'idée qu'un matin cela pourrait grouiller là-dessous et qu'il ne faut pas crier, pas reculer. Autour de la blessure, la peau a blanchi, grise ici et là, fripée à croire qu'elle va tomber en lambeaux. Au milieu, ça ne se referme pas, ça ne cicatrise pas ; les chairs s'entremêlent avec toujours ce trou qui les aspire à l'intérieur, et qui rend au-dehors des sucées de pus jaunâtre et ces effluves à faire vomir. Le visage du vieux est devenu noir et jaune lui aussi, et son haleine quand il parle. Il dort de plus en plus. Souvent le petit doit le secouer pour refaire les pansements, la belle affaire, car chaque fois il faut se battre, le cataplasme a collé aux chairs, la peau s'arrache, et ces mains qui n'arrêtent pas d'essayer de l'empêcher, comme si cela pouvait guérir tout seul, juste en se repliant dessus et en ne bougeant plus.

La raison pour laquelle Rafael soigne le vieux a fini par lui échapper ; il le fait par routine et par fatigue. Il continue parce que la mère lui a appris à ne jamais laisser une bête blessée, et qu'il est dressé à cela. Son intuition lui commande de rester là, de porter secours. La seule chose qui le ferait quitter le vieux, c'est la mort ; mais il se dresse devant elle tel un chien enragé, mû par un instinct au-delà du raisonnable, prêt à combattre pour l'éloigner parce que la survie est ancrée dans son sang. Dût-il rester des années.

Certains soirs, il pense à l'estancia. Trois lui manque. Il regrette de ne pas l'avoir laissé venir avec lui. Du bout des doigts, il fait comme s'il caressait le poil dru. Il murmure : *Bon chien*. En face de lui, le vieux dort toujours. Somnole, ronchonne et sommeille encore, à croire qu'il s'est mis en hibernation en plein été, d'avoir décidé de dormir autant, réveillé pour manger et boire un peu, pas plus. Le petit voudrait qu'il remue davantage : une bête qui se laisse aller et refuse de se lever est une bête fichue, sinon elle lutte pour se tenir debout parce qu'elle le sait au fond d'elle, être allongé c'est la position de la mort, c'est ainsi que finissent tous les cadavres, sur ses pattes on a encore une chance. Mais le vieux le repousse s'il essaie de lui prendre le bras, gémit sur ses blessures et supplie qu'il le laisse tranquille. Alors il fait comme il dit, et il retourne s'asseoir à l'entrée de la grotte, d'où il voit les chevaux, et le paysage plein de lumière.

*

Mais qu'est-ce donc que cette blessure qui ne se remet pas et qui suinte tout ce qu'elle peut, avalant le mal au lieu de le repousser, excédant le petit quand il croit qu'elle s'assèche et que, sous le pansement, les chairs se rouvrent ? Il en veut au vieux de ne pas mieux guérir, lui reproche son apathie et son regard éteint. Sans volonté, rien ne se fait : et la sienne seule ne suffit pas, il faut que le grand-père y mette du sien, ne pas avoir l'impression de presque l'obliger à cicatriser ou à se désinfecter. Seulement les forces qui lui restent, il les utilise à envelopper la sacoche de ses bras rachitiques, à la caresser, à lui murmurer des mots incompréhensibles. Ses doigts fébriles courent sur le cuir quand ils ne sont pas à compresser son ventre, laissant des traces grasses et humides. Assis non loin de lui, le petit regarde.

La perception du temps lui échappe. Les jours se succèdent et il lui semble voir passer le temps depuis la grotte, en franges lumineuses et en couleurs, un peu plus tard le matin, un peu plus tôt le soir, surtout les jours de gris. L'inaction lui pèse, sur les épaules et dans le dos, douloureux alors qu'il n'a ni moissonné, ni récolté, ni rien. Un sentiment d'urgence lui brûle le cœur. Bouger. Peut-être l'immobilité grandissante du vieux fait-elle naître en lui cette réaction animale d'aller de l'avant, de quitter les lieux morts. Pour la première fois, il prend conscience qu'il aurait pu partir chercher des secours plutôt que d'attendre là à soigner n'importe comment des blessures trop lourdes pour lui. Se cherche des excuses : le vieux aurait claqué dans l'intervalle. Après tout, c'est lui qui n'a pas voulu que le petit s'en aille.

La vérité, c'est que Rafael était trop heureux de la diversion, soulagé de ne pas rentrer trop vite avec les chevaux, retourner, vraiment, l'idée ne lui est même pas venue. Grisé par la solitude et la liberté, la toute-puissance – tuer pour se nourrir, allumer des feux, trouver de l'eau, comment expliquer l'exaltation ressentie chaque fois qu'il a trouvé de quoi survivre ? Un réflexe primitif ancré au fond de lui, révélé par ces semaines où son existence était entre ses mains et rien d'autre, seul faiseur, seul responsable. Le vieux en ce sens n'est ni plus ni moins que le couronnement de l'escapade, la réalisation de son pouvoir sur un homme. Dorénavant il tient deux vies – en plus de celles des chevaux. Jamais il n'a été aussi fort.

Mais la magie se ternit, et il se lasse de régenter, décider et attendre. Quand, par-dessus, la santé du grand-père se met à décliner, quelque chose en lui se fissure, de l'ordre de la colère et du découragement. Il aura beau faire ! Parfois il se retient de lui envoyer un coup de pied bien senti pour le réveiller, et de crier à son oreille :

— Debout, *abuelo*, marche, marche ! Il faut y aller maintenant.

Il s'imagine en train de hisser le blessé sur son cheval et de l'emmener jusqu'à l'estancia, où il le laissera à la mère. Il en rêve, d'abandonner le vieux, et avec lui les échecs et les contraintes, les questionnements, les doutes. Au fond il sait qu'il ne retrouvera jamais cette sorte de légèreté qu'il avait avant ; mais il voudrait se défaire de la chape de plomb qui l'enfonce chaque jour un peu plus dans le sol de la grotte. La mère, il en est certain, saurait soigner les blessures. Quand il y pense, il se frotte le visage et les yeux, piétinant presque. Il voudrait se retrouver deux semaines plus tôt, se relever après la raclée infligée par Mauro et aller fermer la porte des écuries. Ensuite, il se réveillerait de son cauchemar. Mais depuis longtemps il a compris que la vie ne fonctionnait pas de cette façon, et des retours en arrière, il n'y en a pas. Comme quand il se faisait piquer les doigts aux barbelés des prés, et que les aînés lui disaient en se moquant :

— Fallait réfléchir avant.

Encore une fois il s'est laissé prendre, il y a trop de poids. Il a vu trop grand. Les larmes roulent sur ses joues et il les essuie avec un regard surpris, il ne les a pas vues venir. Alors il cède, court hors de la grotte en sanglotant. Au début cela lui coupe le souffle tant il y a de douleur qui demande à sortir, et il s'agenouille au bord, convaincu qu'il va s'évanouir. Et si le vieux l'entend – mais il n'est plus temps pour la honte, il s'en moque du vieux. Il faut des minutes et peut-être une heure pour que les pleurs s'atténuent, ils reviennent, et puis cela s'arrête un peu, pas beaucoup d'abord, encore un peu plus. Des reniflements. Une tristesse immense, fragile et fatiguée, qui ne demande qu'à repartir. Dans ses gémissements on reconnaît la voix d'un enfant.

*

Il marche un long moment dans la montagne, écoute son souffle qui ne veut pas se calmer, les oiseaux autour de lui s'envolant quand il passe. Il n'a pas pris son fusil, comme nu dans la nature, à la merci d'un prédateur égaré. Lui aussi se sent telle une bête perdue, à ne plus savoir quoi faire ni où aller ; revoyant la statuette dans le coin de la cuisine chez la mère, il murmure des prières. Que la vie lui vienne en aide et choisisse pour lui. La liberté lui fait peur dorénavant, il n'en veut plus, avide de retrouver l'estancia, les consignes, l'odeur des vaches et des moutons. Peut-être que le vieux supporterait le voyage, blotti dans un brancard attelé au cheval. Il lui faut des branches et de la corde. Dans sa tête, ça démarre d'un coup. Il élabore déjà le schéma, ajuste les lanières, renforce les montants en bois pour que cela tienne. Ça le secouera bien un peu le grand-père, mais plutôt que de continuer à traîner là. Il fait demi-tour. Il court.

En arrivant à la grotte, il refrène l'envie de réveiller le vieux et commence par remettre des brindilles sur le feu éteint. Mais c'est plus fort que lui. Il se rapproche à petits pas, fait du bruit, l'appelle. *Abuelo*. Ce que ça dort cette charogne, c'est à ne pas croire. Lui le petit peut bien chasser, remonter de l'eau, surveiller l'âtre, soigner : mais c'est l'autre qui ronfle. Pas même. Car il n'y a pas un bruit dans la grotte. Rafael finit par secouer le vieux à l'épaule.

Abuelo.

En vain.

*

De rage, le petit renverse les branches sur lesquelles il a posé les réserves de baies, éparpille le feu d'un coup de pied. Dehors, les chevaux entendent le rugissement et lèvent la tête vers la grotte, inquiets. Ça cogne là-dedans comme si le diable y avait surgi, et il y a de la casse c'est sûr, avec les chocs contre les parois qui résonnent, de bois et de métal, ça vole et ça percute, et fort. Et puis un bruit plus sourd, celui d'un corps que l'on heurte, un bruit de mou, le même que si on tapait dans un sac en sable, ou en chair et en tripes, la violence à l'intérieur, féroce ; la voix du petit déchire l'air :

— Enfoiré de merde !

Agenouillé dans la grotte. Pas à côté du vieux, qui est mort pour de bon, il l'a deviné tout de suite. Pour lui il n'y a plus rien à faire que le rouler dans la couverture, bien serré, et le laisser là, puisque creuser un trou est impossible, ni dans la roche, ni même plus loin dans cette terre de cailloux, sans pelle, sans pioche, ne pas y penser. L'odeur ne dérangera personne dans ce désert. Mais sûrement les prédateurs y viendront, intrigués par les relents de bête crevée, il faudra les en empêcher, la couverture ne suffit pas. Pour le moment c'est devant la sacoche en cuir que le petit fulmine et injurie ; le vieux lui est bien égal.

Il a mis plusieurs minutes à oser l'ouvrir, ce sac. D'abord il l'a traîné loin du grand-père, de peur que celui-ci, de derrière la mort, ne se relève dans un réflexe furieux et l'attrape – on sait ce qui arrive quand un macchabée vous tient la jambe, elle brûle et passe violet puis noir, et l'os apparaît dans les chairs, et puis c'est tout le corps qui y va, dévoré par une force terrifiante, gobé par la Grande Marcheuse, par les ténèbres sans fin. Alors le sac, il l'a remué avec un bâton, des fois qu'il reste de sales esprits dessus ou que quelque chose à l'intérieur se dresse pour l'agripper. Quand il a été sûr, presque sûr, parce qu'il n'en aurait pas mis sa main à couper mais enfin il fallait bien essayer, il a ouvert les boucles en tremblant. Reculé à nouveau. Et d'un coup, basculé le rabat du bout du pied, vite et fort, pour ne pas se faire prendre.

Bon sang quand il a vu ce qu'il y avait dedans ; il sait bien ce que c'est. Et ce n'est pas le bonheur.

C'est pour cela qu'il gueule autant.

*

Des heures plus tard, au moment de quitter la grotte pour de bon, la lassitude le fait chanceler. Vrai que ces jours-là, ça n'a pas toujours été drôle. Soigner le vieux, supporter la puanteur, toucher les blessures. Et s'occuper de l'eau, du feu, de la nourriture, des chevaux dehors, surveiller que rien n'arrive. Patienter et regarder le sac. Parfois les fourmillements le prenaient si fort dans les jambes qu'il allait marcher autour de la montagne. La tête lui cognait, à se demander en boucle s'il fallait partir, oui il fallait partir, et il restait, savait qu'il avait tort, incapable de trouver la solution qui débrouillerait le tout, partir un peu, rester un peu – il n'allait pas se couper en deux quand même. D'une certaine façon, il est soulagé que cela finisse. Mais à savoir si ce qui l'attend vaut mieux ?

Pour protéger le grand-père du mieux possible, il a passé l'après-midi à l'ensevelir sous des dizaines, des centaines de pierres. Des grosses, des petites ; celles qui veulent bien, du fond de la grotte ou du dehors, et qui s'accumulent lentement, à croire d'abord que le vieux est grand comme l'univers, impossible à enfouir. Mais peu à peu ses mains disparaissent, puis ses bras, et ses pieds. Quand le petit n'y voit plus que de la caillasse, que la poitrine et le visage du grand-père se sont affaissés sous le poids, invisibles, impossibles à aller chercher pour qui n'est pas doté de mains et de doigts, il s'assied dessus. Pas au milieu, bien sûr. Au bord, là où il n'y a que des pierres. Pour reprendre haleine. Écouter. Il n'y a pas un bruit, il en est sûr, mais vérifier, cela lui vient du fond de lui, et pourtant il le sait, que le vieux ne respire plus, qu'aucun souffle ne cherche à filtrer de dessous la roche. C'est comme une dernière attention – une dernière peur. S'il s'était trompé tout du long. Dans la préparation des plantes, dans les soins, et même dans la mort. Si le grand-père dort.

Combien d'histoires il a entendues, de ces cadavres qui se réveillent après une journée, parfois deux. Combien d'entre eux enterrés vivants par ceux qui, comme lui le petit, ont cru que. Alors il tend l'oreille, longtemps. Et quand cela bourdonne à force d'attention, et qu'il est certain que rien ne bougera plus, il se lève. Parce que le vieux ne pourrait pas enlever les pierres, il y en a trop, elles sont trop lourdes. *Dios mio*, il est mort et bien mort. Oui pourvu qu'il le soit. Le petit ramasse le sac de cuir et s'en va, il ne dit rien, ni au revoir ni désolé, puisqu'il n'y a personne pour l'entendre. Si le vieux lui faisait un signe de la main pendant qu'il s'éloigne, il se retournerait, mais il l'a enseveli il le sait bien, ça ne remuait pas, et déjà l'odeur de la mort, même s'il ne faut pas s'y fier parce qu'avec les blessures ça sentait depuis des jours, enfin c'est décidé, tout ce qui reste dans la grotte c'est du crevé, il n'y a pas à y revenir, il part.

Le vieux

Il n'est pas sûr de l'avoir vu venir et pourtant, quelque chose l'avertissait depuis des jours et il s'en doutait bien, que ça finirait de cette façon, même si un temps il avait cru que le gamin pourrait l'en sortir, les premiers jours, quand ça allait mieux avec ses plantes qui brûlent. Mais depuis, son corps à lui a renoncé et il n'en peut plus, de ce tas de chair puante qu'il voudrait cogner pour le remettre en route et qu'il se contente de serrer entre ses bras pour le contenir, pour que le peu de vie qui s'y cache ne file pas par un trou au-dehors.

Cela non plus il n'y croyait pas, qu'il tiendrait à son bout de peau avec tant d'ardeur et de hargne, lui qui a fait la nique à la mort tant de fois et tant pis si elle l'attrapait, de ce temps-là il s'en moquait bien, il ne savait pas que cela faisait si mal. Ou parce qu'il avait vu Nivaldo, il s'en doutait un peu ; mais cela serait toujours moins douloureux que Lorenza partie, Lorenza qui lui avait donné sa vie, et l'avait reprise, et peut-être était-ce ce qui l'avait décidé à continuer à garder du bétail pour les autres, puisque son idée à lui c'était fini, une ferme avec Lorenza, du passé, il fallait tout gommer.

Pourtant elle la première avait compris qu'il aimait les bêtes et la steppe plus que lui-même, et elle était d'accord, avait dit qu'elle l'attendrait d'une saison sur l'autre, entre les temps de vêlage et ceux des migrations, juste il faudrait qu'ils calculent, elle ne voulait pas que l'enfant naisse en hiver, le pays était déjà bien assez rude comme ça. Et lui avait ri, un enfant, lui qui n'avait jamais tenu dans ses bras que des veaux et quelques agneaux, il n'en revenait pas que Lorenza puisse espérer cela de lui, elle avait tenu bon. *Il me tiendra compagnie quand tu seras parti.* L'automne suivant, alors qu'il préparait la transhumance, Lorenza l'avait prévenu : à son retour, ils seraient trois. Elle était certaine d'attendre un garçon, qui lui cognait déjà les côtes ; et le vieux qui n'était pas vieux à cette époque s'était senti confus, car il ne s'était douté de rien, mais elle l'avait embrassé en lui souhaitant bon chemin.

Il avait emmené les troupeaux en chantant. Les gars se moquaient parce qu'elles disent toutes cela, au début, qu'elles ne demanderont rien et ne changeront rien. Et les hommes, pauvres idiots qui y croient, croient qu'ils pourront avoir une famille et rester dans les plaines tout en même temps, sans imaginer qu'il faudra choisir, et que chaque fois c'est la pampa qui gagne. Tu verras, qu'ils affirmaient – et ils gloussaient encore. Lui restait convaincu.

Ils avaient fait la saison dans les *invernadas*, les pâturages d'hiver, il avait presque oublié qu'il avait une femme et bientôt un fils ; la pensée lui était venue au moment de redescendre dans les plaines et quelque chose d'étrange s'était noué en lui, une sorte d'impatience, de fierté, une angoisse aussi. Certains jours, l'empressement le faisait piétiner sur son cheval, et il encerclait les bœufs épars sans relâche, qui retardaient son retour comme exprès. D'autres fois, il n'était plus certain d'avoir envie de revenir, pensait déjà au moment où il remonterait en selle accompagner les bêtes au bout de la plaine. Pour ne pas ruminer davantage, il buvait bière sur bière le soir et jusque tard dans la nuit, remontait à cheval le lendemain, des crissements aigus plein la tête.

C'est le destin qui avait décidé pour lui.

Lorenza était partie deux jours avant son retour, emmenant son rêve et son fils, puisque c'en était un – elle l'avait mis au monde un mois plus tôt. Elle avait suivi un marchand, apprit-il ; il ne demanda même pas de quoi. Il pouvait bien vendre des poules ou des chiffons, pour ce qu'il en avait à faire. Lorenza n'avait rien dit pour lui. Pas laissé de message à quiconque. La petite pièce dans laquelle elle vivait en l'attendant – en l'attendant ! – était parfaitement rangée, ni poussière ni affaires qui traînent. Il avait refermé la porte derrière lui et les mots lui tournaient dans la tête. *Eh bien voilà, c'est fini, ils te l'avaient bien dit hein, que ça n'irait pas.*

C'était il y a peut-être trente ans et rien ne lui a jamais fait aussi mal depuis, et pourtant il l'a cherché, le sort, jouant à cache-cache avec lui, le narguant du haut des plateaux, sur des chevaux fous, sous les cornes des taureaux. Chaque fois qu'il s'est fait embrocher une main ou une jambe, il a espéré que la douleur le distrairait de celle ancrée au fond de sa poitrine. D'année en année, la brûlure s'est atténuée bien sûr. Mais de mémoire d'homme, pas une fois par la suite il n'a senti un tel feu lui dévorer le cœur et les entrailles, pas une fois, sauf ces jours-ci couché dans la grotte, avec son ventre et sa vie qui se rongent de l'intérieur, et au début cela l'a fait rire, presque joyeux, de voir qu'il existait une souffrance plus grande. Mais à présent.

À présent il ne sait plus comment s'en défaire, et sûrement la douleur de Lorenza lui semble dérisoire, avec son chagrin d'alors. Aujourd'hui il n'a pas de place pour la tristesse, pas de force, et la blessure lui prend tout, ses pensées et ses efforts, et son envie de vomir. Quand le gamin est venu, il pouvait encore se dire qu'il n'avait pas grand-chose à regretter de l'existence, que le bétail avait sans doute été sa meilleure compagnie. Mais maintenant même cela, il n'y arrive pas. Des images défilent dedans ses yeux et il voudrait les arrêter, mauvais présage, ces souvenirs oubliés qui resurgissent sans qu'il leur ait demandé, ces idées confuses, superposées, et il a beau fermer les paupières elles sont là à l'intérieur et rien ne peut les faire partir, pourtant il faudrait que cela s'arrête il ne les supporte plus.

Les visions terribles des *saladeros* lui emplissent la tête, dans lesquels il a travaillé tout jeune, c'était avant Lorenza, les bêtes braillant à l'approche des abattoirs, les pièces entières de viande plongées dans la saumure puis enfouies dans des tonneaux de sel pour les conserver. Son père lui avait dit comme les chairs étaient gâchées avant, qu'on ne tuait les bœufs que pour le cuir et la graisse ; et bien sûr on découpait les meilleurs morceaux, mais si peu, parfois juste la langue pour la faire griller – mais le vieux à ce souvenir n'arrive plus à saliver, et pourtant qu'il aimait ça, la langue grillée.

Le reste des bêtes était jeté, laissé, abandonné, jonchant le sol de cadavres aux trois quarts pleins, que c'en était pitié. Saler la viande a été la première façon de la garder, et il se souvient des *desolladores* qui séparaient la peau de la chair à l'abattoir, les mains dans la mort toute la journée, que le soir ils la puaient encore et qu'on s'écartait d'eux dans les bars. D'abord, cette viande boucanée, on l'a envoyée au Brésil, bonne pour les esclaves guère plus, cela les faisait rire eux ici, ils avaient l'impression de leur jouer un tour. Et puis très vite la population s'y est mise. Et encore après – mais cela le père du vieux ne l'a pas vu, car il était déjà mort – ils ont inventé le froid pour conserver la mangeaille, et les *saladeros* ont fermé les uns derrière les autres. Lui le vieux a connu ces années qui ont changé le monde, et il a regardé hébété les bovins reprendre la place des moutons après avoir été eux-mêmes chassés de la pampa par la folie du mérinos, à qui rapporterait le plus, l'or de la viande ou celui de la laine, quand ce n'étaient pas les deux en même temps, qu'on ne savait plus où donner de la tête.

Aujourd'hui les éleveurs exportent l'essentiel de la viande en frigorifique. La salée, ce sont les petits qui la font encore, pour eux, pour les gens du coin, de ces jambons secs et odorants qu'il connaît par cœur pour les avoir emportés des années durant pendant les périodes de transhumance. Parfois il regrette le temps de sa jeunesse, quand les gauchos dans les steppes tuaient vaches et moutons autant que de besoin, c'était comme ça, un coup de faim, une bête abattue. Et vrai, ils en laissaient la moitié sur place quand ils avaient fini de ripailler, eux aussi gaspillaient sans remords, sans en avoir conscience, tout le monde faisait pareil, c'était une époque tout de même. Ils mangeaient le *matambre*, la viande entre la peau et les côtes, épaisse et moelleuse. Le reste, personne n'en voulait : il n'y avait qu'à tuer une autre bête. Les chiens sauvages et toutes sortes de prédateurs s'en régalaient après eux, par une sorte d'accord tacite, attendant assis à une centaine de mètres, alléchés par l'odeur et hurlant quand le festin durait trop longtemps. Mais aussi il fallait que cela cuise, grillé dehors et rouge dedans, et le feu devait avoir de la braise. Cela demandait du temps.

Le vieux se replie un peu plus sur lui-même. Le souvenir du parfum de la viande lui fait bouger le ventre et la souffrance le lamine au fond. Il appelle le petit qui ne répond pas. Lorsqu'il arrive à relever la tête, la grotte est vide et il se sent affreusement isolé. C'est idiot cette impression qu'il a, que tout seul il va flancher, qu'il n'a pas la force, et il n'ose pas dire de quoi parce que cela flotte dans son cerveau, résister, ne pas se laisser emmener. Il veut dire au gamin de trouver une solution pour le traîner jusque chez lui, qu'importe si ça fait mal, au point où il en est. Un brancard de fortune, une selle avec des branches encordées pour le retenir, tout lui ira, pourvu qu'il quitte cet endroit dont il devine la mauvaiseté soudain, et le vent s'engouffre dans la cavité, vient lui glacer les mains. Il appelle encore :

— Nino…

Le silence. Et si le petit était parti. S'il en avait eu sa claque de le soigner et de l'entendre gueuler, lui le vieux qui ne fait pas beaucoup d'efforts, sauf pour chouiner et râler que ça ne va pas, à sa place il aurait filé depuis longtemps.

Il étend lentement les jambes, tirant sur les entrailles, mais ses muscles tétanisés n'en peuvent plus. Une immense fatigue le prend, et un instant il se rappelle ce cerf qu'il a chassé il y a une dizaine d'années, un vieux cerf rusé qui lui avait fait faire des kilomètres, qui tournait en rond près des marais, marchait à reculons pour le perdre, cela lui avait pris trois jours pour le retrouver. Et quand il l'avait aperçu au détour d'un plateau, il avait eu l'impression que ce n'était pas un hasard, et l'animal n'était pas surpris ni effrayé. Il ne bougeait pas, comme s'il avait été invisible, protégé par son immobilité absolue, pas un cillement, pas un tressaillement. Le vieux l'avait observé, les bois immenses aux cors ravalés, il lui donnait quatorze ans, seize ans peut-être. Peu arrivaient à cet âge, entre les chasseurs, les blessures et les prédateurs, peu arrivaient à cette taille, un mètre cinquante à vue de nez, un des plus beaux qu'il ait jamais vus.

Il avait tiré. À ce moment-là il s'était dit qu'il n'aurait pas dû : le jeu des jours précédents était une fête suffisante, la traque, les pistes, la façon de se faire mener, de s'acharner à rattraper la bête. Combien de fausses traces avait-il suivies ? Combien d'heures à rêver de capture, à humer l'air, à remuer la terre du bout des doigts pour savoir où le cerf avait bifurqué.

Mais il se l'était dit trop tard, le coup était déjà parti. Peut-être avait-il dévié la trajectoire sous l'hésitation, car quand il s'était approché l'animal respirait encore, touché au ventre. Étendu de tout son long il l'avait regardé venir, et dans son œil le vieux n'avait trouvé que cela, une immense fatigue, plus de place pour le reste, ni peur ni mal, juste cet épuisement qui lui faisait le regard gris et brillant, et la respiration hachée. Il l'avait achevé d'une balle dans la tête. Lui tailler les artères au couteau, il ne se sentait pas, non qu'il craigne un mauvais coup car il se serait accroché derrière le cou de la bête, mais il n'avait pas le cœur à ça. Sur tout le chemin du retour il s'était trouvé triste, revoyant le sursaut quand il avait tiré entre les deux yeux, et la plaie béante du ventre, et pour la première fois il avait pensé que la mort n'était pas belle.

La même pour lui hein, dix ans plus tard, et le vieux saisit bien l'ironie du sort, éventré dans sa grotte, et ce harassement jusque dans ses doigts, jusque dans ses paupières qui ne veulent plus s'ouvrir, et sa bouche qui n'appelle plus, ses jambes raides. Le pansement suinte entre ses mains un liquide vert et jaune, il ne sait pas si cela vient des plantes ou si c'est tout ce qui reste au-dedans de lui, vidé de son sang et de sa chair, juste cette coulure qu'il ne reconnaît pas, il la regarde, ne comprend pas. Déplace sa paume crispée et s'étonne car la douleur est partie soudain, et il bouge encore un peu, rien. De surprise il se met à rire ; même les soubresauts ne lui font pas l'effet de pointes de verre enfoncées sous sa peau et il ouvre les yeux dans un effort prodigieux, brutalement heureux, comme anesthésié. Et si les simples du gamin donnaient enfin quelque chose. D'un coup cela se déverse à l'intérieur, une sorte de courant d'air, de fluidité lumineuse, et il se sent léger, presque aérien, quand son corps le traînait peu à peu vers la terre, à l'incruster dans chaque fissure de la roche, à l'aspirer par en dessous. À présent il flotte, libéré, les entrailles ouvertes et calmes. Il voudrait dormir, certain qu'il se réveillera guéri, dormir comme on se repose, comme on se répare, quand on n'a rien à manger et qu'il faut bien passer le temps, quand on est blessé et que la chair demande grâce. Alors il s'enroule dans la couverture tel un petit animal dans son terrier, cherche la meilleure position, cale le sac sous sa tête. Tourne le dos à tout pour que le jour ne le dérange pas. Aurait bien grignoté un peu de viande séchée mais le petit n'est pas là pour la lui couper, et la torpeur ne le lâche pas, il ne veut pas la perdre, pas risquer qu'elle s'échappe. Il entend la mélodie au fond. Cela fait des semaines qu'il ne s'est pas senti aussi bien et il s'abandonne, ouvre les mains, soupire. Il devine encore le pas léger qui entre dans la grotte, le bruit du feu qui craque sous les brindilles sèches, peut-être autre chose, trop tard, il sombre, il a encore le temps de se dire que tout s'arrête, et puis plus rien, tout est bien.

Rafael

Rafael a pris le chemin du retour sans regarder en arrière, emmenant les chevaux et ne laissant bientôt dans son sillage qu'un long nuage de poussière. Il sent l'espace entre la grotte et lui, qui s'étire et se distend, et l'emprise enfin relâchée, le nœud dans son ventre et dans son dos cédant à chaque pas que font les criollos. Une légèreté presque joyeuse lui parcourt le sang, irradiant ses bras et ses jambes. Pour un peu, il talonnerait Halley, piquant un galop fou en descendant la montagne – mais il pense à temps qu'il ne pourra pas tenir les trois autres chevaux, se refrène, lève la tête pour repérer sa route à la position du soleil. L'excitation retombe et le rend sage. Au fond, il n'est pas pressé de rentrer à l'estancia ; un étrange malaise lui monte dans la gorge d'heure en heure. Exprès ou non, il tient la bride à Halley, marche au pas pendant des heures. Les criollos piétinent, habitués au galop, même celui du vieux qui est sûr un mélange, tout haut qu'il est sur ses jambes grêles, oui même celui-là bronche et renâcle, ils tirent sur la corde les trois, et Halley se bat au mors, le petit s'énerve.

Le premier jour, il a vérifié toutes les heures que le sac tenait bien derrière lui, retourné sans cesse pour le surveiller, passant une main sur les boucles, pour sûr il est fermé, encordé, serré. Il faut bien qu'il le rapporte, que la mère croie à son histoire, et sans doute elle aura commencé à le disputer avant qu'il ait pu ouvrir la bouche, mais quand il lui montrera, elle se taira d'un coup, ah oui ça il en est certain. Et Mauro et Steban le regarderont autrement, à cause du sac d'abord, et aussi parce que lui le petit a changé tous ces jours-là, grandi malgré lui, à vivre comme ça dans les effluves du sang et de la mort d'un homme, pas un animal, un homme. Face au mal qui dévore les chairs, s'accroche aux murs de la grotte, et suinte et essaie de s'ancrer dans tout ce qui vit, combien de fois Rafael s'est-il réveillé en sursaut avec le sentiment terrifiant qu'un courant d'air lui soulevait la peau pour essayer de rentrer à l'intérieur ? Penser à toutes ces choses le console un peu d'avoir pris le chemin du retour, forcément il aurait baissé la garde à un moment ou à un autre, lui aussi un jour les vers se seraient mis au pli de son ventre pour le ronger petit à petit. Alors il laisse tout là-bas, les blessures, les asticots et la mort, et le vieux sous les pierres, qui n'a pas voulu se réveiller. Il oublie la grotte. La respiration lui revient enfin, qu'il avait pincée pour ne pas vomir là-bas aux odeurs de chair putréfiée, sinus ouverts d'un coup, inondant son corps d'air pur, il avale le ciel bouche ouverte, tousse, éternue. Les larmes dans les yeux le font rire. Penché sur l'encolure de Halley, il se laisse bercer, plonge les mains dans la crinière pour y laisser les parasites s'il en reste, lui le cheval, cela ne lui fera rien, et il jette tout, et les mauvais souvenirs avec, il marche.

Même la viande il l'a abandonnée, de peur de traîner avec elle de l'infection et des relents fétides. Alors il chasse encore, du neuf, tue un lièvre qu'il embroche le soir au-dessus du feu, renoue avec la magie d'un temps qui lui paraît lointain, avant de trouver les chevaux, avant de soigner le grand-père. Dans la nuit, les flammes montent au ciel, jouent avec les arbustes dans l'ombre, révélant des branches vertes, des bosquets argentés ; derrière, la rivière fait un bruit de murmure et le petit lutte pour ne pas s'endormir. Le parfum de chair grillée lui agace les gencives et il déglutit dans le vide, attend, meilleur ce sera. Depuis qu'il est parti, il fait comme le vieux : il dort sur le sac en cuir. Éparpillant les pierres pour adoucir le sol, il dispose la sacoche, sa couverture, revient s'asseoir au plus près du feu, le visage éclairé par les braises. De la pointe du couteau il découpe le lièvre, attrape un morceau encore rose, qu'importe, la tentation est trop forte, la salive au coin de ses lèvres, il sent ses dents prêtes à déchirer et à broyer, rit d'avance. Et la viande a le goût de charogne.

Il la recrache en jurant. Essaie une autre part et crache encore, et passe les doigts dans sa bouche pour enlever jusqu'aux fils pris dans ses dents, nauséeux soudain, boit longuement, avale une baie. Perplexe et humilié, il regarde la viande carboniser lentement sur les flammes, couché sur le sac, frissonnant sous la couverture. De là où il est, à la contempler par en dessous, la carcasse du lièvre lui semble immense ; elle obstrue le ciel telle une statue géante et incongrue, un amas de chair suspendu auquel manque le râble, la lune se faufilant derrière les trous laissés par les yeux, et la proie devient un monstre, une forme incohérente, un dragon noir et déchiré. Le petit se relève à moitié. D'un coup de pied il écrase la broche. Le feu bondit, se répand en des milliers d'escarbilles, lèche déjà la viande. Quelques instants plus tard, les flammes crépitent autour du lièvre méconnaissable.

*

Quand ils regagnent la steppe, le petit s'arrête pour observer le paysage. Il est bien plus au sud qu'il ne le croyait, à devoir remonter le long des rivières une journée ou deux encore. La densité de la forêt l'a leurré, cherchant à le ramener sans cesse, à l'égarer entre ses conifères, ses arrayáns ou les araucarias géants, de sommet en colline et de vallon en plateau. À présent la plaine le reprend, et son sol de rocaille à moitié recouvert par les bosquets de jarilla, de l'herbe pour le diable, dit parfois la mère, à vous arracher la gueule ou à la rendre increvable. La roche par endroits se creuse en petites lagunes, des points d'eau pour les bêtes – les chevaux sont allés y boire. Mais c'est le vent que le petit avait presque oublié, qui s'engouffre dans les anciennes vallées glaciaires, rebondit sur les montagnes taillées à la hache et fouette les visages et les crinières. Pour que son chapeau ne s'envole pas, il met une main dessus, regarde les nuages, c'est comme si l'été était passé pendant qu'il soignait le vieux dans la grotte, perdu pour lui, et pourtant il n'y est pas resté si longtemps. Dans quelques semaines, les feuilles des arbustes bruniront en se recroquevillant, courront le long des pâtures et il n'y pourra rien, ni les rattraper ni faire revenir le temps, et la mère criera qu'il n'a pas avancé son travail, c'est sûr, bientôt trois semaines de retard comment veut-elle. La première chose qu'il fera en rentrant, c'est ranger le bois pour la saison prochaine, chaque année il en est, et si cette fois Mauro et Steban l'ont devancé en pensant qu'il ne reviendrait pas, il triera les veaux et les agneaux tardifs, nettoiera les étables, ou réparera un outil pourquoi pas, l'ouvrage ne manque jamais. Et puis il sera là pour la tonte d'automne, il ramassera la laine des moutons, remplira les sacs. Cette fois, avec l'absence de Joaquin, il prendra peut-être une nouvelle place, si Mauro veut bien, mais peut-être Mauro choisira Steban et il n'y aura rien à opposer, depuis le temps qu'il est parti lui le petit, ils auront prévu sans lui. Mais il en est certain on lui redonnera sa place, à cause du travail, le labeur qui vous use avant l'âge parce qu'on a beau y aller hardi, il y en a toujours plus qu'il ne faut, et les mains sciées par la barre à mine et les barbelés, des mains de misère. L'hiver elles font des crevasses qui ne guérissent pas et, malgré le suif étalé dessus, on dirait des coups de lame chaque fois qu'on les serre sur une pelle ou sur une corde. La nuit, les fils dorment avec des chiffons gras enroulés autour, pour les soigner – en vain, car le lendemain tout recommence.

Alors oui, la mère et les frères la lui rendront, sa place, bien volontiers, et avec, de la besogne plus que nécessaire. Mais il s'en moque : il revient avec de la force. Ses mains le trahiraient si les autres regardaient, car les gerçures ont disparu, et les lézardes qui striaient ses paumes se sont refermées. Il s'est contenté de s'occuper du vieux tous ces jours, quand ses frères trimaient sans relâche, il ne se sent pas coupable, eux l'odeur de la crevure n'est pas restée accrochée à leur peau et à leur nez, à se dire que ça ne partirait jamais.

Il revient fort comme un homme, et avec le trésor dans le sac. Pourtant qu'il en a voulu au vieux de l'avoir mené en bateau de cette façon, à le duper sur le contenu, lui faire miroiter tant de choses. Quand il l'a ouvert une fois que le grand-père a eu passé l'arme à gauche, il a failli pleurer, même si la colère a pris le dessus tout de suite, le menteur, le salaud, qu'est-ce qu'il croyait, que lui le petit l'abandonnerait s'il n'avait rien de mieux à lui faire espérer ? Comme il l'a mal jugé, comme il s'est trompé sur son compte. Et pourtant la question se pose maintenant, à cause du mensonge du vieux, s'il n'y avait pas eu le sac. Se serait-il lassé plus vite ? Il le sait, lui, que tant qu'il y avait quelque chose à soigner, il n'aurait pas bougé, sac ou pas sac. Bien sûr, avec, c'était mieux. Mais comment peut-il imaginer ce qu'il aurait fait sans, alors qu'elle était bien là cette fichue sacoche, comment peut-il interroger ce qui ne s'est pas passé, réécrire l'histoire ? Il baisse les bras, donne du mou à Halley qui s'élance. Derrière eux, attachés les uns aux autres, les chevaux se ruent en avant sans même qu'il ait besoin de tirer sur la corde. Il se tourne pour les regarder, leurs corps musculeux, la poussière de leur galop, leurs naseaux ouverts par l'excitation de la course. Il les laisse filer un moment tous les quatre, grisé par les souffles rauques et le roulement des sabots sur le sol, le déhanchement entre ses jambes et les chevaux libres qui s'avancent sur sa gauche, Halley ne se laissera pas déborder il en est certain, s'il le faut il ira les tasser sur le bord de la piste. Son cœur bat de plaisir, à croire qu'il s'en est privé des années, de cette joie sauvage d'avaler l'espace et de créer du vent à lui seul, les cheveux en désordre, il ouvre les bras, lâche les rênes, Halley galope droit devant.

*

Et puis le voilà qui se présente devant lui sans prévenir, presque par surprise, il aurait dû le reconnaître bien sûr, mais peut-être ne s'y attendait-il plus et il sursaute en comprenant ce que c'est, et ce que cela signifie, il est arrivé, il l'a devant lui. Le chemin qui mène à l'estancia.

Dans son ventre, ça brûle et ça n'est pas l'impatience, non, bien plutôt quelque chose comme de la peur, celle du regard de la mère sur lui, des paroles trop dures des frères, peur que tout recommence. Alors il arrête les chevaux, le temps que ses mains cessent de trembler, le temps de trouver ce souffle qui ne veut pas reprendre, pour un peu il en suffoquerait, et sa vision se brouille. Un instant il envisage de mettre pied à terre, mais par fierté il ne peut pas entrer à l'estancia marchant tel un indigent, il a quatre chevaux avec lui, il en devait trois, un de plus, vraiment sur les quatre il y en a un sur lequel monter c'est sûr, il faut qu'il reste en selle, en selle et le dos droit.

Entre ses jambes, Halley frémit. Lui aussi a reconnu et le petit est bien incapable de dire s'il veut aller en avant ou s'enfuir, car c'est une solution aussi, faire volte-face et partir, là tout de suite, sans que personne les ait vus, ni entendus ni humés. L'alezan attend les ordres, les oreilles jouant de gauche et de droite, et rien ne filtre de ce qu'il préférerait, impossible de savoir, il s'en remet à lui Rafael. Qui regarde vers les mesetas, le chemin parcouru loin par-delà les forêts et les lacs, et là-bas non plus la vie n'a pas été facile, la liberté il en a déchanté, trop lourde à porter, la liberté quand ce n'est que du vide, pour quoi faire. Devant lui, une routine rassurante lui tend les bras, rassurante et brutale, un lit et des repas tout prêts, du bétail à élever, viande et laine, autant de raisons de se lever le matin – il a vu comme c'était morose ces semaines qu'il n'y avait que le vieux à soigner, quand tout le sens de la journée tient dans un pansement à faire et des vers à ôter.

Il ne s'y résout pas cependant, à avancer vers les bâtiments gris, freiné par on ne sait quel instinct lui rappelant ses heures noires, la violence, les insultes, l'épuisement, c'est là à quelques mètres qu'il les a connus, il a donc si mauvaise mémoire. S'il pouvait dire que la mère ou les frères lui ont donné quelque chose comme de la chaleur ou de l'affection, il irait aussitôt. Mais même cela, il n'en est pas sûr, et en y réfléchissant nulle larme ne vient au coin de ses yeux, et son cœur ne frissonne pas, aussi dur et sec que la roche sur laquelle il a marché pendant des jours et qui a cassé la corne de ses chevaux. Faire demi-tour. Il hésite. Il y a pensé sans se l'avouer depuis son départ, pressentant que la chance ne lui serait pas offerte deux fois. Sans doute au fond de lui sait-il déjà que son salut est là, dans l'abandon définitif de l'estancia, une question de minutes qu'il ne se décide, pauvre silhouette au milieu des chevaux, que personne ne regarde ni n'attend.

Sauf le chien. D'un coup, Trois bondit en l'apercevant, dévale le chemin en jappant avec frénésie, pour prévenir d'abord, et puis il y a cette odeur qui le fait hésiter et lever haut les pattes dans sa course, comme un point d'interrogation, cette odeur que le vent lui apporte à présent et qu'il reconnaîtrait entre mille à force de l'avoir attendue, et là presque arrêté il repart de plus belle, et ce ne sont pas ses jarrets qui le lancent ainsi vers l'avant mais son cœur et sa poitrine palpitants et ravis.

*

Au moment où le chien est arrivé à leur hauteur et l'a regardé lui avec ses yeux débordants et cette joie qui s'étrangle dans sa gorge en cris plaintifs, Rafael s'est mis à pleurer. Il ne voulait pas descendre de cheval ni revenir à l'estancia, tout bien pesé, c'est comme si on lui avait ouvert la porte de la prison et qu'il y revienne de son propre gré, une loyauté stupide, inutile, car rien ne changerait, le sac ne transformerait ni la mère ni les frères et sa vie à lui resterait la même. Il fallait vraiment qu'il la prenne cette chance, et vite, tant que les chevaux restaient immobiles. Il savait qu'on l'avait repéré, à cause des aboiements ; de là où il était, il devinait une silhouette figée, la mère sans doute, qui devait le regarder. Avait-elle déjà compris qu'il revenait ? Elle aurait dû s'agiter, courir. Crier son nom. Mais elle s'était seulement arrêtée pour observer et écouter. Et là, elle se tournait vers quelqu'un qui arrivait, Mauro bien sûr, la dominant de toute sa hauteur. Lui aussi regardait vers le bout du chemin. À ce moment-là le petit en avait été convaincu, il ne fallait pas y aller, sauf à se résoudre à reprendre la vie d'avant et à ne rien attendre, et s'il avait un jour à récriminer, il ne pourrait s'en prendre qu'à lui parce que l'occasion avait été là entre ses mains, il suffisait qu'il tourne bride, il allait le faire, dans sa tête il était déjà parti.

C'est là que le chien était arrivé avec ses yeux transis, et d'un coup ses câlins ses caresses étaient revenus à la mémoire de Rafael, sa façon de se coucher contre lui quand il reprenait haleine après une raclée, de gémir comme si c'était lui aussi qu'on avait frappé, et quand le petit attrapait sa fourrure pour pleurer, il venait taper son front contre le sien, posait son museau sur les larmes et sur sa joue.

Alors malgré la certitude qu'il aurait dû faire demi-tour et s'enfuir au galop, malgré la conviction que rien de bon ne pouvait sortir de l'estancia, il avait sauté de cheval pour prendre le chien dans ses bras.

Mauro

La mère l'appelle et il vient, alerté, la mère n'appelle jamais. Elle ne dit rien mais elle est tournée vers le chemin et à son tour, suivant son regard, il voit ces formes au bout de la route, qu'il ne peut distinguer tant elles sont loin encore. Son premier réflexe est d'attraper un bâton. Il ne pense pas que cela puisse être le petit, il l'a oublié depuis des jours. Quand il interroge la mère du coin de l'œil, il devine qu'elle non plus n'a pas idée de qui est campé là-bas, et il se gratte la tête, se demande s'il faut aller chercher le fusil. Il ne comprend pas pourquoi le chien qui a filé sur le chemin aboie ainsi, on dirait qu'il prépare une fête, pas du tout les grognements et les bruits de gorge furieux qu'il fait d'ordinaire, alors il cligne des yeux et fouille l'horizon, et le soleil derrière les silhouettes de l'homme et des chevaux le gêne malgré la main qu'il a mise en visière. Il sait juste que cela vient vers l'estancia. Trois les accompagne en bondissant, cette sale bête pas fichue de garder sa maison.

Quand ils s'approchent encore, Mauro s'est décidé à prendre son fusil et a marché vers eux à son tour, en avant de la mère, pas beaucoup, une dizaine de mètres

– elle lui dit de rester là. *Ne bouge plus, laisse venir.* Il surveille les gestes et les mains, les armes possibles. Ne voit rien. Et puis lui le premier, il le remet, le garçon là-bas, et il manque trébucher.

Le petit.

C'est étrange comme à ce moment précis, alors que Mauro aurait dû partir d'un grand souffle, relâcher la tension qui le tient depuis des jours et des semaines, crever de soulagement enfin, c'est le contraire qui se produit. Une boule de haine se colle dans sa gorge, il ne sait même pas pourquoi, par réflexe, quelque chose d'incontrôlable, et il se dit qu'il pourrait tirer, après il jurera à la mère qu'il ne l'a pas reconnu, qu'il a cru. Un brigand, un malfaiteur. Les steppes en sont pleines. Mais il ne bronche pas. Il les regarde arriver serrés les uns contre les autres tel un clan entrant en territoire interdit, vaguement inquiets, et Trois court entre les jambes de Halley, s'il voulait se cacher de lui Mauro il ne ferait pas autrement, ce chien galeux qu'il a nourri depuis le départ de Rafael et qui le trahit à la première occasion.

Steban est là maintenant, à côté de la mère, et elle aussi a vu à son tour, Mauro l'a entendue dans son dos. *Par le sang.* Elle a avancé près de lui. Personne ne se précipite cependant, ni les arrivants qui vont à petite allure, reniflant les humains qui les attendent, ni eux la mère et les deux fils qui les regardent venir tels des étrangers, de la hâte il n'y en a ni d'un côté ni de l'autre, peut-être ils pensent aux mots qui se diront. Mauro tourne la tête et interpelle la mère :

— C'est quoi ce cheval.

Elle répond par un geste d'ignorance et il observe le bai, un criollo trop grand, lui seul l'intéresse, les autres il les connaît, le petit et les chevaux, va donc. Et encore quand Rafael arrive devant lui, c'est le bai qu'il regarde, bien droit bien fort, il ne pose les yeux qu'après sur son frère, n'exprime rien, même s'il a perçu aussitôt le changement dans son visage amaigri et le rictus amer au coin de sa bouche. Il ne dit rien, parce qu'il s'en tient là voilà tout, le petit est revenu, pas que cela l'enchante mais la chose est faite, et il bloque encore un peu la mère qui pousse derrière, elle non plus ne pipe pas mot, ils ne s'embrassent pas, ils sont comme s'ils avaient été séparés la veille et que tout soit normal, parce qu'ils ne savent pas être autrement et qu'au fond ils ne s'aiment pas.

Le petit se tient devant Mauro, la mère et Steban avec les chevaux, il les arrête, relâche les rênes et pose les mains sur le pommeau, se cale sur la selle. Il ne descend pas, les forçant à lever les yeux pour le regarder, étonnés qu'il ne bouge pas de là, et le grand jumeau l'attraperait bien pour le faire tomber et lui apprendre les manières mais la mère ne moufte pas et il n'ira pas sans son accord. Parce que c'est à elle de dire les premiers mots, pas à lui Mauro, pas même à Rafael que l'on croyait mort et qui revient, tous les regards rivés sur lui et lui qui ne regarde que la mère, les prunelles noires sans joie et sans aménité, est-ce cela qu'il attendait vraiment. À cet instant le petit vacille et Mauro éprouve une joie farouche à le voir ainsi, décontenancé, il se dit sûrement qu'il a eu tort de revenir, tort de croire que la mère lui pardonnerait, se réjouirait de son retour peut-être, et puis quoi.

Parce qu'il serait indispensable ? Le grand ricane tout bas. Les yeux de la mère brillants de colère sont une réponse suffisante. Il continue à observer le môme qui gigote sur sa selle et se retourne et tend la main vers la sacoche derrière lui, ragaillardi d'un coup, et Mauro fronce les sourcils parce qu'il ne reconnaît pas le sac – or il a une mémoire prodigieuse des choses, et celle-là il en est certain, il ne l'a jamais vue. Rafael retrouve cet air joyeux, les embrasse du regard tous les trois, la mère, Steban et lui en allongeant le bras, s'immobilise. Qu'il veut jouer, ce petit salopiaud, à leur mettre l'eau à la bouche à se demander ce qu'il peut y avoir dans ce foutu sac, pour lui donner ce sourire soudain, cet amusement d'un gosse qui ferait une bonne surprise, sûr de son effet, oh il vaudrait mieux pour lui que cela vaille le coup de les faire saliver ainsi, sans quoi mon vieux, sans quoi.

Et en même temps Mauro bouillant d'impatience et d'hostilité, et Rafael rieur, presque enfiévré, ouvrent la bouche pour dire quelque chose, forcément différent l'un de l'autre avec le premier plein de fureur et le second tout secoué d'allégresse, et le son leur monte à eux deux dans la gorge, ils y arrivent, lorsque la mère les prend de court sans prévenir et avant même qu'ils prononcent un mot, elle dit en regardant le petit :

— Alors comme ça, t'as pas crevé.

*

Qu'il voudrait l'embrasser, la mère, d'avoir arrêté le geste de Rafael et décomposé son visage avec cette petite phrase méchante, d'avoir écrasé sa gaieté et son excitation insupportables, son retour en vainqueur et cet air suffisant sur sa vilaine frimousse insolente. Il faut de ces sentences définitives pour que les choses se remettent en ordre, et sûrement elle l'a senti elle aussi, qu'elle devait réagir, que le petit reste le petit, à sa place, sans même oser respirer – après eux, la mère et les frères aînés, et juste avant les chiens. Mauro voudrait rire, applaudir des deux mains. Les yeux étrécis, il se contente de surveiller Rafael qui descend de cheval à présent, comme assommé, pose le sac à ses pieds et se baisse pour ouvrir les boucles, et il n'y a plus ni joie ni ardeur dans ses doigts qui dénouent les lanières, malgré leur regard à eux trois rivé sur lui, sur le rabat de cuir encore fermé. Mauro perçoit de manière aiguë qu'à l'intérieur quelque chose les attend, sans quoi le petit ne mettrait pas tant d'attention à défaire les liens, et il se promet de ne pas s'exclamer, se mord les lèvres d'avance pour se taire, que tout soit irrémédiablement gâché. Mais c'est Rafael lui-même, au moment où il entrouvre le sac, qui tressaille, pourtant il sait bien ce que c'est, lui, et ils s'approchent tous les trois, piqués par la curiosité, la mère en avant, qui pousse un cri.

— Bonté divine, où t'as volé ça ?

Mauro a vu le contenu lui aussi et son ventre s'est serré de concupiscence, il regarde son frère, prêt à l'égorger si la mère lui en donnait l'ordre, étouffé par une haine viscérale, que ce soit le petit qui ait trouvé le sac et pas lui, il fallait que ce soit lui, d'un coup de couteau il peut changer l'histoire, et la tentation le brûle si fort qu'il en trébuche en avant. La mère croit qu'il veut prendre le sac, tend le bras pour l'arrêter, regard de ténèbres. Il recule en secouant la tête. Rafael dit très vite :

— J'l'ai pas volé. C'était au vieux que j'ai trouvé dans la steppe en cherchant les chevaux. Quand il est mort j'ai ramené son criollo et la sacoche, voilà, c'est la vérité j'le jure.

La mère s'essuie le front, la sueur lui perle, comme si elle avait pris un coup d'insolation soudain.

— Je comprends pas ce que tu racontes.

— J'ai essayé de le soigner avec les plantes, hein, mais l'avait une mauvaise blessure. Je pouvais pas le sauver.

— Et ce sac, c'était à lui ?

— Oui.

— Et puis ? Qu'est-ce qu'il a dit ?

— Rien. Il était pas bavard.

Mauro intervient, voix grave et tremblante :

— Mais c'était qui, ce gars ?

— J'sais pas. J'l'ai trouvé là.

Ils se dévisagent tous les quatre, Steban avec son regard vide, le petit tendu dans l'attente, et la mère et lui Mauro incrédules, qu'il faut que la vieille se penche à nouveau sur la sacoche et qu'elle murmure :

— C'est pas vrai…

Elle s'agenouille et il y a une lueur dans ses yeux, une drôle de brillance. Elle tend la main, hésite, avance encore. Et puis elle touche le sac, mais avant elle tergiverse un long moment, et Mauro sent les fourmillements dans ses bras les mêmes qu'elle doit avoir, peut-être se dit-elle qu'il y a un piège quelque part, enfin lui y penserait, méfiant qu'il est, et le malaise le prend, qu'elle y mette les mains, bon sang, que l'on sache.

234

Alors comme si elle l'avait entendu, d'un coup la mère empoigne des liasses et des liasses de billets de banque, les observe le souffle coupé. Elle reste ainsi sans bouger, les billets chiffonnés dans les mains, attendant possiblement d'être foudroyée. Mais rien ne se passe. Elle regarde les fils pétrifiée telle une statue, et rien n'advient encore ; après quelques instants elle baisse le nez, évalue le contenu du sac d'un rapide coup d'œil. Paume sur le cœur.

— Sang de Dieu. Y en a pour des millions. Des millions, je crois bien.

Et personne ne rit, ne sourit même, en dehors de Rafael qui dit :

— On est riches.

Ils restent là hébétés la mère et les frères, et le petit attend, se lasse, reprend les billets dans la main de la vieille et les met dans le sac, le referme. Comme il va pour le mettre sur son épaule, elle se précipite.

— Laisse. Je le prends. Occupe-toi des chevaux. Mauro, Steban, aidez-le.

*

— Tu es contente, la mère ? Ça te fait plaisir ce sac ?

Elle lève les yeux de son assiette de soupe, sourcils froncés.

— Tais-toi.

Il joue quelques instants à faire des dessins dans le bouillon, insiste.

— Mais c'est bien, non, de l'avoir rapporté ?

Cette fois c'est lui Mauro qui parle avant la mère, et regarde le petit avec dureté, comme s'il avait fait une bêtise.

— Tais-toi, elle a dit.

*

Le lendemain quand ils se lèvent, la mère est déjà dans la cuisine. Sur la table, elle a posé une bourse pleine, prélevée sur le contenu du sac, si peu, à côté de ce qui doit rester. Les fils déjeunent en essayant de ne pas regarder, de ne pas avoir l'air troublés par l'argent au milieu d'eux, prêts à le saisir cependant si la mère disait : *Le premier qui l'attrape, c'est à lui*, bien sûr ils savent qu'elle ne le dira jamais. Mauro repousse son bol de café vide jusqu'à la bourse, sous le regard acéré des autres. Il coupe deux belles tranches de pain, prend le beurre, la viande fumée. Appliqué à sa tâche. Pas un œil sur l'argent : il le méprise. Fait semblant. Au fond il crève d'envie de jeter sa grosse main dessus, pour ce qu'il en ferait. De la boisson et des filles. Il y a pensé toute la nuit.

Il n'y a plus trace du sac. Mauro balaye discrètement l'espace du regard, en vain. La mère l'a caché, elle a raison sûrement. Assise à la table elle aussi, elle attend qu'ils aient fini. Alors elle enlève la vaisselle et le pain, nettoie d'un coup de chiffon. D'habitude, à ce moment-là, les fils se lèvent pour aller travailler, mais ce matin pas un ne bouge, à cause de l'argent qui n'est pas là par hasard, à égale distance entre eux trois, on dirait un mauvais jeu. Mauro contemple la mère qui les observe en se grattant le menton. Soit qu'elle hésite, soit qu'elle se demande encore à qui confier la bourse – mais non, elle le sait bien, et elle la fait glisser devant lui le grand, dont le sang bouillonne d'un coup au fond de lui, oui c'est lui qui l'a. Il ignore Steban et Rafael qui le dévorent du regard. Met les mains sur la table, serrées, se concentre pour ne pas se jeter sur l'argent. Un coup d'œil interrogateur sur la mère, qui dit :

— Tu vas chercher Joaquin. Avec ça tu peux le payer deux fois.

*

Le loup dans la bergerie, voilà ce que le petit ramène sans le vouloir avec le sac, et s'il avait deviné, si seulement il avait réfléchi, sans doute aurait-il jeté l'argent au milieu de la steppe. Mauro éclate de rire au galop de son cheval. Mais voilà, il est si con le petit, l'idée ne lui est pas venue de ce que la mère commencerait par faire, récupérer le jumeau perdu, et vrai, c'est difficile de croire qu'il n'y ait pas pensé, et pourtant.

Quand le grand revoit la tête des deux, Steban et Rafael, au moment où ils ont compris. L'échange de regards entre eux et les reproches muets dans les yeux du débile, pour le coup il a saisi, celui-là, il doit déjà trembler dans la grange. Peut-être même qu'il a réussi à aligner trois mots pour engueuler le petit, quelque chose comme *T'es... t'es qu'une merde...*, et Mauro devine la voix hésitante et rit encore, qu'il en pisserait tout debout dans son froc s'il n'y prenait garde, quelle journée, quelle magnifique journée, avance, avance donc, vieille carne – et il éperonne le cheval qui ne court pas assez vite.

Joaquin

Son premier réflexe, quand il a vu son frère l'attendre au seuil de la maison d'Emiliano, a été de se préparer au pire. Tout de suite il a pensé à la mère. Un accident peut-être. Est-ce qu'elle est morte ou seulement blessée – il a poussé son cheval dans la plaine. Quelque chose s'effrite à l'intérieur, une sorte de culpabilité de ne pas avoir été là, de ne pas avoir pu aider ; car si Mauro s'est déplacé, c'est forcément grave. Mais il s'approche et le grand jumeau au bout du chemin ne semble pas fébrile, et le cœur de Joaquin s'apaise, commence à battre moins vite, cherche d'autres raisons. Les frères, alors. Cependant cela ne le touche pas, il remue la possibilité dans sa tête, sans émotion et sans désarroi. Oui, peut-être eux. Même il y aurait une sorte d'excitation morbide au fond de lui, à présent il aimerait savoir lequel des deux, et comment. Une bête, un outil qui dérape. Une chute. Le voilà qui arrive. Mauro lui sourit.

Et Joaquin quelques secondes auparavant s'est préparé au pire, ah oui, vraiment. Mais pas à ça.

*

Tous les trois assis autour de la table, Emiliano, le grand jumeau et lui. Pas un bruit. Il y a quelques instants, Joaquin a pris délicatement la bourse posée devant le vieux et l'a fait glisser devant Mauro pour la lui rendre. Il a dit :

— Non.

Quand le grand a eu expliqué – expliqué peu de chose d'ailleurs, que la mère avait fait une affaire, qu'elle l'envoyait le chercher –, Emiliano lui a laissé le choix à lui Joaquin, partir ou rester, et le vieux respecterait, soit il prendrait l'argent, soit il ne le prendrait pas. Rien ne l'obligeait, ni d'un côté ni de l'autre. Voilà, c'était à lui de voir.

Joaquin se remémore les dernières semaines passées avec Eduardo, Fabricio et Arcangel. Comment expliquer à Mauro la façon dont le manque de l'estancia s'est refermé aussi vite, il ne sait pas. Quoi qu'il dise, il aura l'air d'un traître, et il n'ose pas scruter le visage de son jumeau, échappe à son regard, et pourtant il faudra bien qu'ils causent, il faudra bien qu'il se justifie et que Mauro comprenne. Ce monde là-bas n'est plus le sien, les aboiements de la mère et ses grimaces jamais contentes, cette façon de leur faire porter un poids qui n'est pas le leur, la routine dans la tension et la violence. Tous ces nouveaux matins il s'est levé sans amertume, sans être cueilli par une remarque acerbe, trop tard, trop lent, trop de travail. Au début il a cru que cela viendrait, une question de temps que les gars ne l'attrapent et ne l'injurient parce qu'il n'arquait pas assez à leur goût, mais les jours se sont succédé et cela n'a pas changé. Seulement il s'est rendu compte. La petite vie étriquée que leur impose la mère. Ils ne connaissent rien, n'ont droit à rien. En quelques semaines, il en a appris davantage qu'en bientôt dix-neuf ans, et cela a été un choc pour son cerveau lourd et lent, pour sa raison paresseuse, il se souvient des étincelles dedans sa tête quand il a découvert toutes ces choses nouvelles et qu'il a fallu comprendre, enregistrer, s'adapter aussitôt, ça l'aurait fait pleurer comme un gniard – chez la mère, ils ne s'occupaient pas des moutons de cette façon. Sur le coup, vrai, quelle frousse il s'est prise, à se demander s'il n'était pas débile lui aussi, qu'il se serait moqué de Steban depuis des années sans se douter que – mais non, non, il a réussi, lui, il s'est obligé, aujourd'hui il ressemble aux autres, personne ne ferait la différence. Et c'est ce garçon-là que Mauro vient essayer d'arracher à son existence toute fraîche, Mauro qui n'apporte qu'une seule promesse, revenir et recommencer pareil, il faudrait qu'il soit fou lui Joaquin, et il l'a dit très doucement, pour ne pas froisser, il a rendu la bourse à son frère et c'est là qu'il a murmuré :

— Non.

Emiliano tousse et lui tapote l'épaule. Joaquin sait qu'il doit se lever et sortir, et Mauro aussi, car tout est clos. La présence du vieux le rassure, sans lui il n'est pas exclu que le grand jumeau aurait tenté de le persuader ou même de le contraindre, l'attachant au bout d'une corde et le ramenant à la mère au trot derrière son cheval, de gré ou de force, sourd à ses protestations et le traînant dans la poussière s'il le fallait, s'il s'était laissé tomber pour ne pas y aller. Alors Joaquin prend le temps, hésite en passant la porte, ne veut pas sentir le hérissement sur la peau de Mauro, ne veut pas se dédire devant le visage blême, et Emiliano perçoit le malaise et la peur de celui qu'il appelle le gamin désormais, hoche la tête et lui ordonne pour que tout soit clair et qu'il ne recule pas :

— Raccompagne-le.

*

D'abord il a fallu convaincre Mauro de ne pas le chasser lui Joaquin, car en remontant sur son cheval, le grand a mis la main sur son fouet et il a grondé, comme un animal les premières secondes puis avec des mots qui enfin ont bien voulu sortir :

— Dégage. Fous le camp !

Ils se sont suivis un moment de cette façon désordonnée, à se couper la route avec leurs criollos, et Joaquin évite la lanière en cuir une fois de justesse, qui est venue claquer sur l'encolure de son cheval, et puis il crie parce qu'il veut que cela s'arrête, parce que sa bête au mauvais caractère roule les yeux et claque sa mâchoire puissante, excédée elle aussi, et lance les antérieurs en avant, calme, calme, Joaquin braille encore. Le coup suivant il tend le bras et le fouet s'enroule autour des muscles en sifflant, mais au moins le tient-il, et il tire sec pour déséquilibrer Mauro inébranlable qui se met à rire, un rire grave et féroce, ils se regardent les deux frères et chacun attend que l'autre prenne la parole. Au bout d'un moment, Joaquin dénoue le cuir qui lui a brûlé la peau en longues serpentines, le laisse retomber, regarde le grand l'enrouler et le raccrocher à sa selle. Toujours le silence entre eux, mais il change de nature peu à peu, empreint d'une certaine tristesse, quelque chose de définitif. Joaquin sait qu'il a gagné, pas comme un combat, mais Mauro comprend qu'il ne rentrera pas, renfrogné et songeur, qui ouvre les bras en gueulant :

— Et qu'est-ce que je vais dire à la mère ?

Joaquin soupire, regarde vers la ville. *Si on allait boire un coup ?*

Alors ils vont chevauchant côte à côte, et Mauro s'est voûté sous sa joie abîmée, traits figés, la même mélancolie peut-être que son frère devant ce jour étrange, leur dernier ensemble cette fois c'est sûr, c'est Joaquin qui l'a décidé tout à l'heure dans la maison d'Emiliano, sans discussion possible. Les criollos trottent en cadence. Le bruit feutré des sabots sur la piste en terre, la résonance des pierres quand la roche affleure les distraient et ils ne parlent pas, surveillant le chemin par habitude, les trous, les fissures, les pièges. La sécheresse de l'été fait sortir les serpents qui ondulent sur la steppe, cherchent des bosquets et des cailloux où se réfugier à leur approche, et la terre jaune et grise tremble sous la course des chevaux, frémit des reptiles qui se hâtent ; parfois l'un d'eux se dresse, arrêté dans sa fuite, fait face car il n'est plus temps, et les sabots sont sur lui. Les criollos l'évitent, lèvent les pieds, en retombant l'écrasent par maladresse. Ils ne craignent pas les morsures, fils du pays, habitués à endurer et à survivre.

À l'entrée de San León, Joaquin emmène son frère à travers les rues. Il a beau jeu maintenant. Il montre du doigt, commente. Là, les meilleures empanadas ; ici, une bière étonnante, qu'ils servent avec des boulettes de gras de mouton grillé. Là encore, la place où ils ont pendu les nègres trois semaines plus tôt, et il est presque déçu qu'on les ait enlevés, lui qui voulait les montrer. Sans doute qu'ils puaient trop, et les habitants se sont plaints. Pour se donner de l'importance, il raconte l'histoire. Rit lorsqu'il explique que Gomez et sa femme ont préféré quitter la ville, pétris de honte, emmenant avec eux le moricaud – ou l'abandonnant après quelques heures au bord de la piste, personne saura jamais. Tout le monde s'en fout. Sont plus là, voilà. Mauro écoute, regarde, silencieux, absorbant tout. Joaquin se sent fort.

— J't'offre à boire, il dit – comme si la ville était à lui.

Au bar, Mauro sort la bourse que lui a donnée la mère.

— C'est elle qui fait cadeau. Tout ça c'est sa faute.

Ils regardent l'argent en riant. Ils en auraient pour des jours à boire cette somme, et Joaquin sort quelques billets, remet le reste à l'intérieur, qu'il empoche sous le regard perplexe de Mauro en gloussant :

— Fais-moi confiance. Tu vas pas le regretter.

Déjà il pense à la brunette de la fois précédente, exalté à l'idée de retourner dans la rue qu'éclairent deux faibles loupiotes, descend ses premières bières d'une traite, joyeux et agité. Mauro l'imite et bientôt le dépasse, avalant ses verres comme s'il était troué à l'intérieur et que rien n'étanche sa soif, et Joaquin le chahute, roule des cigarettes, boit encore. Quand ils sont bien saouls, le grand jumeau demande, presque allègre :

— Pourquoi tu veux pas revenir ?

— Pour me passer de ça ?

— Tu viens souvent ?

— On descend tous les dimanches.

— Pour la messe hein.

Joaquin éclate de rire. *Ouais. Pour la messe.* Mauro souffle la fumée de sa cigarette.

— Bon Dieu.

— Tu pourrais partir toi aussi.

Le grand ouvre un peu mieux un œil, fronce les sourcils.

— C'que tu dis ?

— T'as qu'à rester là. J'suis sûr qu'Emiliano te trouverait du travail.

Mauro répond par un grognement inaudible, s'esclaffe tout seul, et Joaquin n'est pas certain qu'il ait compris, alors il répète :

— T'es pas obligé de retourner à l'estancia.

— Déconne.

— J'suis sérieux. Ça te fait pas envie tout ça ?

Il pioche dans la parillada, s'essuie les mains sur son pantalon. Le goût de la viande braisée lui emplit la bouche, et les épices, et les tortillas dont il se régale. Vrai, pourquoi est-ce que la vie serait autre chose que travailler six jours, et le septième bouffer du grillé, du mariné, du gras autant qu'on veut, siffler des bières en écoutant de la musique, toucher une fille. Il explique à Mauro, la voix traînante, et l'autre rit trop fort, demande encore à boire. Secoue lentement la tête.

— J'peux pas laisser la mère.

— Elle se débrouillera.

— Avec les deux abrutis ?

— Pas ton problème.

— J'peux pas.

— Donne ton verre.

D'heure en heure ils tanguent, balançant sur leurs chaises, palabrent sans ordre et sans but, ne savent même plus pourquoi ils discutent, ni de quoi ils veulent se convaincre. La nuit fraîchit sur leurs épaules, ils s'en moquent, brûlants d'alcool. Des assiettes vides s'empilent sur la table, et des verres renversés, qu'ils portent à leurs lèvres pour être sûrs qu'ils sont vides. Autour d'eux, on bavarde, on rit, on s'exclame. Les mains se lèvent pour appeler à boire. Joaquin regarde tous ces gens qui ne valent pas mieux qu'eux Mauro et lui, ivres et fatigués, et demain il faudra monter en selle à l'aube, mais l'aube est déjà là, telle une nuit noire, il est déjà demain et il titube, secoue le grand jumeau affalé sur la table.

— Faut y aller, faut aller aux filles, après il sera trop tard.

Mais Mauro ne réagit pas, ronflant pour de bon, et Joaquin le traîne jusqu'à ce qu'il tombe, en vain.

— Merde.

Après plusieurs tentatives inutiles, il l'étend contre le mur. Donne des claques. Demande un verre d'eau qu'il lui jette à la figure, et Mauro dort toujours et s'affaisse, les bras repliés autour de la tête pour qu'on lui foute la paix, coupé du monde et du bruit, une masse énorme et molle, répandue là et refusant de toutes ses forces qu'on l'en déplace, et lui Joaquin voit venir le moment où il ne sera plus temps pour les filles, il s'énerve, trépigne. Crie bientôt, jusqu'à ce que le patron l'arrête parce qu'il emmerde les gars aux tables d'à côté, qu'ils aimeraient finir leur verre tranquilles, et le grand type par terre peut bien rester là, l'établissement ne ferme pas.

Alors Joaquin prend dans la bourse de quoi payer la fille et il enfonce l'argent restant dans la poche de Mauro, bien au fond pour qu'on ne lui vole pas, espère-t-il, qu'il rende quelque chose à la mère, son prix à lui Joaquin, dont ils ont soustrait une nuit de beuverie, et il court maladroit dans les rues en se tenant aux murs des maisons, bouche ouverte, dégrisé à peine mais assez cependant pour savoir ce vers quoi il va, il rit, le cœur battant, et ses jambes le portent comme un géant, comme un affamé, comme un homme enfin, et tant pis s'il est seul.

Rafael

Le retour de Mauro sans Joaquin, le lendemain, souffle un air glacé sur l'estancia. Déjà la mère s'est inquiétée de ne pas voir revenir son aîné la veille, maudite qu'elle serait si celui-là disparaissait à son tour, et c'est ce qu'elle crie en sortant de la maison au moment où il pose un pied à terre, son acrimonie qui lui déborde par la bouche et le nez, jusqu'à cet instant où elle dévisage Mauro, où elle prend conscience soudain qu'il est seul. Alors elle se tait. Ils se taisent tous. Le petit devine que le jumeau n'est pas dans son état normal, avec son œil morveux, la jambe qui traîne, et cet étrange équilibre qui lui fait rentrer les genoux comme une bête cagneuse lorsqu'il marche vers eux et qu'il s'écroule sur les marches devant la porte. Tête baissée. Sa voix blanche.

— L'a pas voulu revenir.

La mère se fige. Ne croit pas ce que ses oreilles lui murmurent.

— Tu ne l'as pas trouvé ?

— Si. Mais il veut pas.

— Rentrer.

— C'est ça. Il a dit non.

— Tu as bu.

— Et puis ? J'sais c'que j'dis.

Alors la mère se tourne vers lui, Rafael et Steban ébahis derrière, elle les chasse d'un geste. Ils ne bougent pas cependant, et elle s'agace. *Filez !* Le petit croise les bras sur sa poitrine ; il a le droit de savoir. Ils ne sont plus des enfants, aucun d'eux, ni des mouches qu'on éloigne d'un revers de la main quand elles vous gênent, et puis ce sont ses billets à lui le petit qui devaient racheter Joaquin, alors il reste, et c'est lui qui demande :

— Il est où l'argent ?

Mauro balance la bourse par terre ; il la ramasse. Dit en ayant jeté un coup d'œil :

— Il en manque.

— Ouais.

— Qu'est-ce que t'en as fait je peux savoir ?

— Me chauffe pas.

— C'est pas à toi.

— Tu veux que j'te montre comment c'est pas à moi ?

À ce moment la mère intervient d'un ton sec. *Mauro.* Dans le silence qui suit, leurs yeux à tous se tournent vers elle, même ceux de Steban qui n'a pas bougé, ils la regardent comme si c'était son trésor à elle, et qu'elle décide de tout. Le petit tique, s'efforce de ne pas réagir. Il avait qu'à ne pas le lui donner en rentrant, au fond. Et peut-être va-t-elle marmonner que vrai il faut voir avec lui aussi, que Mauro rende l'argent, parce que c'est un peu à Rafael tout ça, un peu grâce à lui, on ne peut pas l'ignorer, lui cracher dessus de cette façon, est-ce qu'une part spéciale ne

248

devrait pas lui revenir même – mais elle ne dit rien de tout cela, rien du tout, et vraiment l'argent n'est plus à lui il le sent, quand elle grogne qu'elle va réfléchir, ordonnant à Mauro de la suivre.

*

Voilà comment tout a changé concernant le sac ; voilà comme le petit s'est fait rouler, par la mère et par le frère, et sans doute ce n'est pas un hasard si Mauro se moque de lui depuis toujours, pas qu'il soit débile lui aussi, mais il croit tout ce qu'on lui dit, que même un mouton réussirait à l'empêtrer. Parce qu'il voit bien quand la mère revient, elle a préparé son coup. De l'argent pris par Mauro, il n'est plus question, sûrement cela a été réglé entre eux dans la maison, il devine aux yeux rouges de la mère qu'elle a dû pleurer un peu de rage de savoir les billets envolés. Maintenant c'est fini. Maintenant, il faut être prudent – et elle leur fait la leçon à voix basse, le petit cercle des trois fils et elle penchés l'un sur l'autre devant la maison, elle chuchote presque, il ne faut pas montrer qu'on en a tant d'un coup. Steban l'interrompt.

— Mais d… de quoi ?

Et le regard de la mère sur lui, bien sûr, il sursaute, comment il a pu oublier, il s'excuse : *Ah. Oui*, et la mère reprend. Les autres à la ville penseraient que c'est curieux. Ils viendraient chercher, fouiner avec leurs sales yeux, poser des questions auxquelles les fils finiraient par répondre, balourds comme ils sont, et pas fins pour deux sous. Autant mettre les choses au point tout de suite, elle dit, écoutez-moi, il n'y a jamais eu de vieux – et en martelant la phrase elle le regarde lui le petit droit dans les yeux, ajoute : *Je dis ça pour toi Rafael, est-ce que tu comprends, à partir d'aujourd'hui tu n'as jamais vu de vieux, cet argent il était déjà là, caché dans la maison, il est à moi, tu entends ? Sinon ils nous le prendront.* Et lui, perdu :

— Mais je l'ai trouvé là-bas en suivant la piste des chevaux.

— Tu n'es pas allé là-bas. Tu n'es jamais parti.

— Mais…

Mauro l'interrompt soudain, lui saisit le bras.

— Tu fais comme si rien n'était arrivé, tu comprends ça, tête de con ? T'as jamais bougé d'ici. La mère a découvert l'argent qui était caché dans la grange, sûrement c'est le père qui l'avait planqué avant de partir.

Et la mère opine. *Voilà.*

— Ah b… bon, dit Steban à son tour, sidéré.

— Et en vrai, on va en faire quoi ? demande le petit.

— Va pas tout embrouiller, gronde le jumeau. On en reparlera demain.

La mère se lève.

— Oui, demain. Le plus important, c'est qu'il ne faudra pas attirer l'attention, on s'en servira quand on fait des ventes de laine ou de bétail, un peu plus un peu moins, personne ne s'en apercevra. Allez.

Ils détalent tous les quatre, et la discussion tourne dans la tête de Rafael qui regarde ses mains comme si elles portaient la réponse en elles, d'un côté ce qu'il croyait être, les chevaux fugués, le vieux blessé, la grotte, l'argent – de l'autre ce que la mère vient de dire, pas de chevaux, pas de vieux, pas de sac. Et il ouvre et ferme lentement cette main droite qui ne coïncide pas, la retourne, l'examine, fait pareil avec la gauche, articule en silence une nouvelle fois, les criollos, le vieux, le sac, pas de chevaux, pas de vieux, pas d'argent, et décidément cela ne va pas ensemble, il agite les mains, finit par les laisser tomber le long de son corps, dérouté. C'est à ce moment-là qu'il comprend qu'il s'est fait avoir, la mère et Mauro ligués contre lui. Et cela ne lui plaît pas.

*

Un petit déjeuner comme les autres. Les mêmes choses sur la table, à manger et à boire, que n'importe quel matin. Et pourtant rien n'est pareil, et la fébrilité fait trembler les doigts des fils, briller leurs yeux qui cherchent en vain une nouvelle bourse posée devant eux, ou le sac par terre. La mère les sert, taiseuse, impassible : à la regarder elle, le petit jurerait qu'il ne s'est rien passé, ni son retour à lui deux jours plus tôt, ni l'argent qui les imbibe et leur fait tourner la tête. Elle est parfaite dans son rôle renfrogné, au point que Rafael hésite, et s'il avait rêvé ? Si la mère avait eu raison la veille quand elle a dit qu'il n'y avait ni vieux ni sac. Et il regarde encore, et se retourne, mais tout a disparu et le sol est vide, et la mère l'attrape.

— Qu'est-ce que tu cherches comme ça ?

— Mais le… – et juste à temps il s'interrompt, croisant le regard noir de Mauro.

À une seconde près il était dedans et il se frotte le front. Se lève d'un coup pour vérifier par la fenêtre, se fige. Et pourtant. Le bai broute dans l'enclos dehors, la preuve que, et il a ce soulagement dans la gorge, tout de même il n'est pas fou malgré ce qu'on lui dit de penser. Cela déferle dans sa tête à ce moment-là, l'argent, la vie nouvelle, et cette petite angoisse coincée en lui depuis le retour de Mauro se débloque, l'impression que les choses ne vont pas comme elles devraient, tout cela se balaie, il ne reste que le contentement que Joaquin ne soit pas revenu et l'excitation, savoir comment la mère va dépenser le contenu du sac, ce qu'il va demander pour lui, comment ils vont vivre. Ils sont là tous les trois les fils avec peut-être la même attente, nez levé vers la vieille qui attend elle aussi, mais autre chose, et Rafael n'a pas la patience, qui de sa voix pas encore muée articule les premiers mots de la journée.

— On fait quoi, la mère ?

Oh le très court moment de silence. Peut-être qu'elle-même a été surprise par la question, car elle a froncé les sourcils avec un air interrogateur, pas longtemps, et le petit ne comprend pas ce qui se passe dans sa tête à elle, ou un peu, rapport à la veille, de la prudence certes, oui il se souvient, ne pas parler fort. Mais aller à San León, ils vont bien le faire ? Acheter des vêtements et des cigarettes. Au moins goûter une bière. Il en a rêvé la nuit et, tout ensuqué encore, il dit – des fois que la mère soit lente ce matin :

— On descend à la ville ?

Et elle qui le regarde d'abord incrédule puis colère, et ça gronde à l'intérieur, qu'il croit l'entendre. Devine qu'il a fait une erreur, mais pas le temps, car la mère d'un coup fait claquer son chiffon sur le dossier de sa chaise et il sursaute, elle l'aurait giflé avec, ç'aurait été pareil.

— Que c'est pas Dieu possible d'avoir fait des gamins si bêtes.

Il se rencogne sur son siège, stupéfait puis vexé. Coule un regard vers les frères qui le lui rendent méchant, cet idiot qui met la vieille de travers dès le matin, même s'ils crevaient d'envie de savoir eux aussi. Le petit hausse les épaules, piquant du nez sous la voix aiguë de la mère qui le désigne lui, et Steban.

— Vous, vous ramenez les shorthorns ici pour voir lesquelles sont prises. Mauro, il faut préparer l'enclos. Et, vous deux : faites attention au taureau.

Cette fois le grand jumeau proteste.

— Mais…

— Je ne veux pas t'entendre. Ni toi ni les autres. Filez.

Alors un à un ils s'exécutent – c'est le grand qui a obéi en premier, son allégeance sans faille à la vieille, même quand la colère bout, même s'il donne l'impression d'avoir des griffes qui le retiennent à la chaise tant il ne veut pas se lever ni sortir, mais Rafael opine également, la mère a ses raisons, elle ne se trompe pas, bien plus maligne qu'eux trois réunis, et lui aussi une force obscure le pousse à suivre les ordres sans réfléchir. Pourtant qu'il lui en veut, et qu'il ne comprend rien à ses façons de faire ! Tour à tour il en rirait et il en pleurerait, et passant devant elle pour sortir il la regarde comme l'ont regardée les autres, interrogateur et maussade. Ce n'est qu'une fois dehors que cela le prend d'un coup sans explication. Soudain il se met à pouffer. De quelle belle manière il s'est fait berner en revenant et en donnant le sac à la mère, vraiment il devrait être fou de rage mais il ne peut pas, il préfère en rire, s'il avait su.

Ils sellent les chevaux sans un mot, juste ses gloussements à lui qui s'échappent malgré ses efforts, et Mauro rassemblant les piquets et la masse à côté d'eux a les mâchoires serrées, mais il ne lui crie pas de fermer sa gueule, ne s'élance pas pour le frapper ; ce n'est pas faute d'être excédé mais quelque chose le retient le grand, il ne comprend pas sans doute pourquoi le petit rit ainsi, cela l'inquiète presque, il a son œil trouble. Finit par s'éloigner en cognant le manche de l'outil contre la porte, et Steban s'impatiente.

— T... t'es prêt ?

— J'arrive. Elles sont où, les shorthorns ?

Son frère ne répond pas, l'attend, déjà en selle. Ce n'est que lorsqu'ils ont passé la grille de l'estancia qu'il fait un geste du menton vers l'est, et les criollos vont flanc à flanc, pleins d'ardeur, la poussière ne les gêne pas. Steban regarde derrière lui, comme si quelqu'un pouvait les entendre – mais il y a tant de vent ce jour-là que même les chiens ont renoncé à les suivre. Rafael le voit se concentrer un moment avant d'arriver à articuler :

— Il... il est où ?

— Quoi ?

— Sac. Le sac.

— Oh. L'argent ? Sûrement elle l'a mis à l'abri pour pas qu'on lui vole.

— Pour... pour elle.

254

Le petit s'esclaffe. *N'importe quoi.* Il ne supporte pas l'air navré de Steban qui le jauge depuis son cheval, qui lui sourit en biais.

— T'as perdu. Tout.

Et cela lui fait quelque chose d'entendre ça, même s'il sait que Steban a raison, mais passer pour l'idiot de la famille une fois encore lui déplaît profondément, surtout quand c'est l'autre qui se permet de lui dire, et il relève la tête en crachant :

— Qu'est-ce que tu crois, que je m'en doutais pas ? Je l'ai fait exprès. L'argent, ça m'intéresse pas.

Et le débile éclate de rire à ses mots, le hérissant au point qu'il lui défoncerait bien la tête à le voir comme ça se foutre de lui, lui qui jamais ne l'appelle ainsi, le débile, mais il y a de quoi pourtant avec sa gueule hilare ouverte sur ses dents déjà gâtées et sa façon bruyante de se moquer, Rafael le hait à cet instant, se retient de le frapper, crie : *Merde ! Il est à moi cet argent ! J'ai le droit de m'en servir, d'accord ? Tu comprends ? D'accord ?*

Il sait que ça ne sert à rien de braire là devant Steban qui applaudit à présent en répétant : *D'accord. D'accord.* Mais cela lui fait du bien de s'en prendre à lui, le seul qu'il ne craigne pas à l'estancia, le seul qu'il puisse secouer ou insulter sans redouter une trempe en retour, puisque pour le reste, la solidarité, la confiance, il faudra repasser, personne sur qui compter. Alors lui le petit continue sa hargnerie tant qu'il peut donner de la voix, réglant des comptes inutiles et braillant ses méchancetés à pleins poumons, et lorsqu'il s'enroue à la fin, il ignore Steban dont le visage s'est allongé et pense à l'argent, amer, à ce matin où ils auraient dû se réjouir tous les quatre de la chance et s'éveiller en riant. Jusqu'à la mère qui n'a dérogé à rien et qui les pousse dehors comme chaque jour, le bétail n'attend pas, qu'est-ce qu'il en sait, lui, que le petit est rentré avec un sac plein de billets, est-ce que ça le soigne, est-ce que ça met de l'eau dans ses abreuvoirs ?

— Là, dit Steban.

Les silhouettes massives, les robes rouge sombre et rouannes se dessinent sur la plaine devant eux. Rafael s'arrache à ses pensées acerbes, mesure la distance, le troupeau modeste mais éparpillé.

— On aurait dû emmener un chien.

Steban hausse les épaules. Ils rejoignent le troupeau au pas, se fondant dans le paysage avec les bêtes qui font à peine attention à eux, repérant la dominante – une femelle d'âge mûr à la robe brune – à la cloche fixée autour de son cou. Steban lève une main.

— Moi.

— Vas-y. J'attends. Fais gaffe au taureau : il est à gauche.

Le débile jette un œil au mâle monumental pour vérifier qu'il le laissera faire, place son cheval derrière la vache meneuse. Crie un *Yep* sonore, impulsant la direction à prendre par les déplacements du criollo. Rafael reste en arrière, surveille que les autres suivent peu à peu et houspille les paresseux, canalise les jeunes qui voudraient s'échapper par les côtés. Halley tourne sur les hanches, s'élance, stoppe net, évite un coup de tête et repart en sens inverse ; à le sentir vibrer entre ses jambes, les muscles tendus et l'œil roulant dans son blanc, le petit devine comme l'exercice lui a manqué ces dernières semaines, ce cheval pour qui le travail est inscrit dans les gènes, et son agilité, et sa résistance à la fatigue. Lui-même retrouve des sensations déjà oubliées, enfoncé dans sa selle, le corps emmené par Halley et les yeux presque fermés, et ça vole, et ça virevolte à n'en plus pouvoir. Lorsque le troupeau se met enfin à marcher d'un même pas, le cheval se cale à l'arrière. De là, il a vue sur le groupe entier, et le taureau qui marche à part, un peu en retrait, et qu'il faut laisser aller à son rythme pour ne pas l'échauffer. Un simple frisson sur l'échine d'un veau, et Halley accourt pour surveiller, vérifier, recadrer ; Rafael a à peine besoin de l'envoyer en avant. Steban le rejoint. Ils poussent les bêtes en silence, ravis de la simplicité de la tâche. Jusqu'à ce que le plus grand tape sa selle de la main en regardant le petit.

— Ça. Je veux une neuve.

Rafael regarde son frère, étonné. Puis un coup d'œil sur le cheval, et c'est vrai, avec les cuirs abîmés, usés à s'en ouvrir par endroits, les marques et les fentes, le harnachement est misérable. Ni l'un ni l'autre ne se rappelle d'où il vient. Tout leur équipement était là avant eux, issu des grands-pères ou des gardiens précédents, et leur seule certitude, c'est qu'au moment d'apprendre le métier aucun d'eux n'a posé le cul sur du matériel neuf. Patiné comme jamais ils n'en trouveront ailleurs, grogne la mère dans un haussement d'épaules quand ils se plaignent qu'une sangle a cassé et qu'ils passent des heures à démonter les pièces en cuir pour recoudre grossièrement de quoi emmener la selle encore un an ou deux. Et tous les ans, tous les deux ans, cela recommence. Un jour il y aura un accident, et la mère ne pourra pas dire qu'ils ne l'avaient pas prévenue. Mais maintenant.

— Oui, murmure Rafael, c't'idée. Moi aussi j'en voudrais une.

— Ah ha.

— On ira les acheter chez Antonio.

— Noire.

— Moi j'sais pas encore.

— Marron. Pour le… pour le cheval.

— Peut-être. J'vais voir.

Ils talonnent le troupeau en riant soudain, faisant de grands gestes. Tant qu'ils y sont, ils changeront aussi les brides, et les mors qui rouillent aux embouchures. Des chevaux habillés de neuf ! L'idée leur paraît si impossible. Et des chapeaux pour aller avec, si les criollos paradent sous leurs selles brillantes, il faut bien que les cavaliers ne déparent pas. Ils sentent jusqu'à l'odeur de la graisse et des cuirs à leurs narines.

Au milieu du bétail, un veau s'échappe, qu'ils ne remarquent pas. Ce n'est qu'en entendant une vache beugler qu'ils s'en rendent compte, sursautent et se lancent à sa poursuite en s'esclaffant.

— Moi ! crie Steban.

— J'y serai avant !

— Non. Toi, là ! – et le grand tend le doigt vers le troupeau qui s'inquiète déjà du fugitif, hésite, appelle.

Le taureau s'est retourné en marge du groupe et souffle fort, humant l'air. Rabioso – ce n'est pas pour rien que la mère lui a donné ce nom-là, toute la colère et toute la force de la bête, sa puissance irascible, et Rafael sait qu'il doit calmer le groupe pour amadouer le mâle, éviter à tout prix les antérieurs qui grattent le sol et les coups de tête annonçant la charge. Alors il stoppe Halley en maugréant, repart en sens inverse, agaçant le cheval de la voix pour piquer un galop terrifiant. Il n'a pas long à faire, cent ou deux cents mètres, mais dans un roulement de tonnerre. Les vaches le regardent venir vers elles, vaguement alarmées, et il s'écarte du troupeau pour ne pas les affoler, décrit une courbe qui lui permet de repasser derrière, de relancer vers l'avant. À cet instant, on pourrait croire qu'il ne s'arrêtera jamais. À la moindre erreur, ils se fracasseront au sol tous les deux Halley et lui – à cette allure, au moins un des deux se fera mal, cela arrive tout le temps, et les jambes cassées, et les bêtes brisées qu'on achève. Mais jamais le cheval ne trébuche ni ne glisse, un monstre né dans ces steppes, dans la traîtrise des roches, et lui le petit ne connaît pas la peur sur son dos, pas une hésitation, pas un faux pas, l'alezan s'envole, dévore la plaine. Les yeux plissés à cause de la poussière, Rafael lâche les rênes, ouvre les bras. Personne ne les voit, ni le cheval encolure basse et lancé dans un galop insensé, ni le petit mains tendues au ciel tel un fou rieur, sans quoi il y aurait des cris et des prières, qu'ils n'entendraient pas, des hurlements pour les ramener, mais ils les ignorent, sourds et aveugles, happés par une joie immense qui les jette en avant et leur enlève et la raison et la pesanteur du monde.

Mauro

Après deux jours, Mauro cloisonne le taureau. Ils ont trié les vaches, d'un côté celles que le mâle couvre toujours, de l'autre celles qu'il néglige bien que certaines d'entre elles continuent à beugler et à se présenter, à croire qu'elles ont toujours le feu ces furies-là. Comme si le taureau était le seul à savoir précisément lesquelles sont pleines et lesquelles encore vides, celles qu'il faut saillir et celles qu'il peut délaisser, sûr de son affaire. Mauro regarde le troupeau et fait les comptes, si tout va bien l'année prochaine, une trentaine de petits *rabiosos*. Tout ça pour nourrir, d'ici trois saisons, deux cent cinquante bouffeurs de viande pendant un an ; ou s'ils les vendent avant, de quoi acheter cent nouveaux moutons, ou refaire entièrement la deuxième grange qui menace de s'écrouler.

Mauro ferme la barrière et jette le bâton qu'il a à la main, rageur.

Dans le sac que la mère a mis quelque part, il y a mille fois cela, davantage peut-être.

Mais l'argent a disparu, et la mère n'en parle plus. Deux jours qu'il attend que cela change, que la vieille reprenne ses esprits. Une colère sourde gronde au fond de lui, qu'il attise en pensant à Joaquin là-bas, échappé de cet endroit de malheur, qui avec son maigre salaire vit tellement mieux que lui, car même de quoi s'offrir une bière il ne l'a pas eu, ni une bière ni rien, pas même les outils de travail qu'il réclame avec les deux autres abrutis pour s'acharner un peu mieux aux tâches de chaque jour.

*

— Ma, on a une idée. On voudrait des selles neuves.
— Parce que les nôtres, hein.
— Elles sont dangereuses.
— Tu sais bien, cela fait des années qu'on te le dit.
— Juste des selles neuves.
— Avec les brides.
— Oui, avec les brides.

La mère les regarde, tous les trois, puisqu'ils se sont mis d'accord entre eux.
— Et comment on pourrait acheter tout ça ?
— Mais… avec l'argent.
— L'argent ? Mais quel argent ?

*

Mauro figé devant le taureau immobile serre les poings. La mère a caché le sac et aucun d'eux ne sait où. Oh pour ça, elle n'est pas folle, la vieille, et elle l'a fait la nuit, quand ils dormaient tous, pour être sûre. D'ailleurs elle le leur a avoué en riant : *Oui oui, au milieu de la nuit, vous ronfliez comme des anges.* D'abord ils ne l'ont pas crue, même si l'entendre rire les a désarçonnés, à quand remonte le souvenir de la mère en joie ? Le petit a dit après qu'il ne l'avait jamais vue ainsi. Peut-être avant, du temps du père – mais les aînés ont froncé les sourcils, du temps du père, vraiment ? Pas qu'ils se rappellent. Au contraire.

— Pourquoi tu l'as caché, la mère ?

Quand elle a escamoté le magot il y a deux jours et qu'ils se sont alarmés surtout lui Mauro – le petit avait ses grands yeux ouverts incrédules et Steban, eh bien, Steban, il ne jurerait toujours pas qu'il a compris ce qui se passe –, elle a cherché les mots pour leur expliquer, cherché longtemps parce que ce n'est pas son fort, de parler, il fallait qu'elle réfléchisse ou qu'elle invente un mensonge. Mais pour la seconde solution non plus la mère n'est pas très bonne, et elle a dit abruptement :

— Pour pas qu'on le vole. Et pour pas le dépenser n'importe comment.

Qu'ils aient protesté, piaillé, gueulé même, elle s'en moque. Elle a son idée, refermée comme elle est autour de son trésor, et Mauro n'y comprend rien, qui a braillé :

— Et comment on va bien le dépenser, si même des selles dont on se servirait dix heures par jour, tu ne veux pas ?

— On verra. Il est pas perdu, va.

— Quand est-ce qu'on pourra acheter quelque chose ?

— On verra, je te dis.

— Ma, à quoi ça sert cet argent s'il est caché dans un coin ?

— On sait qu'on l'a. Si on a besoin, il est là.

— Mais on en a besoin !

— Non, pas comme ça. Faut pas le gâcher.

Il s'en est étranglé ce jour-là, cherchant du regard les deux frères bec cloué à côté de lui, et s'ils l'aidaient un peu ceux-là, avec leurs airs d'innocents, s'ils l'ouvraient un peu, et Rafael a réagi enfin.

— Mais ça serait utile, des selles. Et il en restera tellement de l'argent, même après ça !

— Pas tant que ça. Pas tant que ça.

Et là le petit a couiné, comme si c'était après son honneur qu'elle en avait : *Si ! Y en avait des tonnes !* Bien sûr. C'est pour cela que Mauro a demandé, grinçant :

— Tu as compté, toi, la mère, bien sûr, avant de le cacher.

Un haussement d'épaules. Il a insisté.

— Tu n'as pas pu le planquer avant de compter. Pas toi.

Elle a concédé. *Peut-être.* De mauvaise grâce. Mais lui ne l'entendait pas de cette oreille, pas qu'elle s'arrête en si bon chemin et qu'elle les prenne une fois de plus pour des cons, il n'y avait pas d'autre mot, c'est ce qu'il lui a dit quand elle les a regardés bien en face en affirmant qu'elle ne savait plus combien il y avait, oui une belle somme, mais pas si énorme, combien exactement elle avait oublié il fallait la croire – à d'autres. Alors lui Mauro les a tous fait sursauter en gueulant, la mère Rafael et Steban, mais ça le démangeait à l'intérieur et peut-être qu'il aurait tordu le cou de la vieille si elle n'avait pas répondu à ce moment-là, parce qu'il n'en pouvait plus d'attendre et d'espérer, c'était trop frais, trop tentant, qu'est-ce que ça lui coûtait de donner un chiffre, ça n'enlèverait rien au sac, ça ne la ferait pas crever. Alors la mère a cédé le regard rivé au sol, elle a murmuré quelque chose d'inaudible, les mains recroquevillées sur son tablier, et il a fallu que Mauro crie encore en scandant les syllabes : *J'ai pas entendu.*

Elle a répété, un tout petit peu plus fort. Cette fois, attentif, il a entendu, et les deux autres aussi, qui ont ouvert la bouche plus grand encore si c'était possible.

— Nom de Dieu, a lâché le petit, et la mère l'a giflé.

Mauro est resté stupéfait. *Waoh. Ça fait une blinde. On peut s'en acheter autant qu'on veut, des selles et des brides.* Il a vu à côté de lui les deux plus jeunes compter en silence, cherchant le nombre de zéros. Mais leurs doigts n'y suffisaient pas et ils confondaient, recommençaient, se trompaient dans la retenue, et Mauro n'était pas très sûr non plus à vrai dire, regrettant que Joaquin ne soit pas là, qui avait plus de calcul qu'eux et qui leur aurait écrit la somme dans la poussière de la terre avant qu'ils ne l'effacent d'un coup de botte, pour ne pas laisser de trace. Rafael la main sur la joue a levé le nez vers lui comme s'il savait forcément, alors le grand a pris une moue intéressée et a hoché la tête, grave, a croisé les bras sur sa poitrine parce qu'il mesurait tout de même l'étendue du trésor, muet, et la mère aussi, et le petit les regardait l'un après l'autre avec cette prière dans les yeux, qu'il aurait tant voulu se rendre compte de cette somme si démesurée qu'elle avait fait taire les aînés. Comme ils se dérobaient toujours, Mauro a deviné à son front plissé qu'il réessayait, lèvres mordues dans l'effort, les doigts se pressant discrètement pour compter et recompter, finissant par renoncer en baissant les épaules, oui cela devait toujours être énorme, vu leur tête à eux la mère et Mauro, et le petit a dit d'un air entendu :

— Ah oui. Quand même.

*

Mais voilà, cela fait des jours et Mauro n'a plus la patience, il ne veut pas que la mère pense qu'il oublie ou qu'il accepte, la prochaine fois qu'il ira chez Emiliano c'est lui qui emmènera Joaquin et qui paiera les bières et les filles, la prochaine fois cela pourrait être demain, le temps presse.

L'absence de son jumeau n'a pas cicatrisé. Autant la première séparation, celle qu'ils doivent à la mère et aux cartes, aurait pu se réparer pense-t-il ; car ils n'y étaient pour rien, ni l'un ni l'autre. Il aurait fallu ceinturer la vieille avant de descendre au bar s'ils avaient su, non non, rien à se reprocher, personne n'aurait parié un peso que la nuit finirait ainsi. Mais la seconde rupture a laissé un goût amer au grand, qu'il traîne depuis dans le fond de sa gorge, la bile fade et métallique de l'imbécile qui n'a pas osé partir, pas voulu jouer le rôle du traître, et qui a regardé son frère s'éloigner en mourant d'envie de le suivre – *madre* que la vieille doit payer pour cela, pour tout ce qui s'effondre en lui Mauro, et l'effrite de l'intérieur. Certains soirs, replié sur le vide de la chambre, il sent s'ouvrir un gouffre dans ses entrailles, qu'il s'en faudrait de peu qu'il n'y bascule tout entier, happé par des peurs nouvelles d'une brutalité inouïe. Alors il cherche à quoi s'accrocher pour ne pas sombrer tout à fait, le travail jusqu'à l'abrutissement, la douleur si vivante de son corps exténué, l'espoir de gagner un peu d'argent pour retrouver Joaquin le temps d'une soirée – quelques pesos, supplie-t-il, quand la mère pourrait nager dans une auge de billets depuis que le petit est revenu avec le sac, quelques pesos, qu'est-ce que ça lui coûterait à elle ?

Et de la même façon qu'une bête, lorsqu'elle perd un vieux compagnon, pleure deux jours puis va chercher dans le troupeau un nouveau complice, Mauro a fini par se rapprocher des frères restants. Oh bien sûr, il les méprise toujours, avec force, avec haine ; mais sans un mot, ils ont scellé cette étrange alliance sur le dos de la mère, soudés par le sentiment d'avoir été floués, par la colère de ne pas voir réapparaître le sac, ni lui Mauro, ni le petit qui comptait bien que cela lui revienne pour une part – ni encore Steban qui hoche la tête quoi qu'ils murmurent le soir, cachés dans une des chambres. L'incompréhension a fait place à une rage froide qui les dévore, sans qu'aucun d'eux n'aille au front avec la mère cependant, car ils n'oseraient pas. Et même lui Mauro, une sorte de respect craintif le retient, mélange de reconnaissance et de circonspection – la certitude aussi que s'il employait la force, la vieille ne céderait pas plus, butée comme elle est et, il le découvre, si avare. Quand il le lui reproche, elle s'écrie, se défend ; et peut-être au fond la devine-t-il davantage effrayée que cupide, elle dont les traits se creusent plus noir et plus profond qu'au temps où elle courait après les délais pour payer ses factures, mais

266

Mauro s'en moque, il veut de l'argent, donne de la voix de plus en plus. Qu'elle s'asseye en se plaignant qu'elle est fatiguée, il éructe : *J'm'en fous !* Qu'elle a des douleurs, et il rit trop fort.

— Si on avait des sous, tu pourrais te faire soigner. C'est idiot hein la mère.

Elle ne répond jamais à ses plaisanteries, qui n'en sont pas, car il n'a plus l'humeur à s'esclaffer, sa complaisance sapée, il veut la bousculer sans savoir comment s'y prendre, la tête envahie par un trésor qui se déverse et l'empêche de réfléchir, et l'aigreur jusque dans ses gencives quand les mots y passent, il la déteste de tenir bon, de ne pas en démordre. Car l'argent restera là où il est jusqu'à ce qu'elle décide de l'en sortir, qu'elle leur a dit, et Mauro est certain de ce que cela signifie : jamais il n'en verra la couleur, malgré l'acharnement qu'il met à lui prouver qu'elle a tort, à la convaincre que le sac ne vaut pas mieux caché que perdu.

Alors il la regarde par en dessous, l'épie chaque fois qu'il le peut, cherche dans sa façon de ciller où elle a mis la sacoche à dormir. Un jour où il en parle une fois de plus avec véhémence et qu'elle jette un œil vers la grange, persuadé qu'elle vient de se trahir, il traîne Rafael et Steban avec lui, leur fait passer la nuit à remuer le foin. En vain. Fatigué et exaspéré, il la maudit dans l'aube naissante, fomente des complots sans suite que les deux autres écoutent en acquiesçant vigoureusement et en ne faisant rien. Cependant l'espoir le tenaille, increvable, et chaque matin il repart à l'assaut, interrogeant la mère et la rendant folle avec ses insinuations, et elle s'exclame, l'insulte à son tour, avec la peine qu'elle a eue à l'élever, à les élever tous, vraiment.

Rafael affirme que l'argent est dans sa chambre et qu'à son tour elle dort dessus, pour se rassurer. Un matin, il se coupe exprès le doigt, court jusqu'à la maison pour se soigner, fait un détour par la pièce aux volets fermés. Il ouvre l'armoire, fouille, se penche sous le lit. Tâte le matelas et vérifie les lames du parquet, mais ne trouve rien, avec sa main en coupe sous son doigt qui saigne et qu'il finit par essuyer sur son pantalon. Quand il ressort, renfrogné, il a un signe de tête imperceptible pour ses frères.

— Et merde, crache Mauro.

Derrière lui, la mère demande : *Y a quoi ?*

— Rien. Y a jamais rien ici.

*

Des idées, des rêves lui viennent, tout teintés de violence. Serrer les mains autour du cou de la mère jusqu'à ce qu'elle avoue, qu'enfin elle capitule, crachant le lieu de la cachette les yeux exorbités et la langue déjà bleue, et quand il l'aura entendu il serrera toujours, pour lui apprendre, et parce qu'il n'aura plus besoin d'elle. Oui dans ses rêves.

Dans la réalité, il en veut fort au petit, par qui tout est arrivé, le petit rentré en disant que la vie allait changer – et ça oui elle a changé, que ça ne se voit pas mais au fond il y a cette métamorphose profonde, cette rancune et cette frustration que les fils se renvoient, s'échangent, à savoir la faute à qui, la mère qui a caché le sac ou Rafael qui est rentré avec, instillant le poison dans l'estancia, ou même eux Steban et Mauro, le premier par son immobilité peureuse, le second parce qu'il gueule mais n'agit pas davantage. Mais s'il bougeait. Dieu le carnage, car rien ne l'arrêterait alors, et la maison deviendrait cimetière, les corps épars, même ceux des chiens, non vraiment il vaut mieux qu'il se contienne en tremblant de fureur, il ne faut pas que cela sorte, c'est ce qu'il dit à Steban et Rafael, et le petit fronce les sourcils.

Si on la tue, c'est à moi de le faire.

Mauro éclate d'un rire méchant.

— Toi ? Et pourquoi ça ?

— C'est mon argent. C'est moi qu'elle a volé.

— Elle ne te l'a pas pris : tu lui as donné.

— Elle ne m'a pas demandé. Est-ce que vous m'avez entendu dire une seule fois que je lui donnais ?

Les deux frères réfléchissent.

— C'est vrai, admet le jumeau.

Le petit hoche la tête, insiste.

— Je voulais juste lui montrer.

— Mais si on le récupère, il faudra que tu partages avec nous.

— Oui. On partagera, bien sûr. C'est ce que je voulais faire.

*

Dans les écuries, les fils continuent à comploter et à murmurer, fous de colère. La mère, ils ne l'appellent plus, pas même la mère. Ils disent : « elle ». Dans ce *elle*, toute la défiance, toute la rage du monde.

*

Alors Mauro décide. Un soir il explique aux frères, il ne demande pas, il impose, ce sera comme ça. Il dit : *On arrête de travailler. Elle veut rien entendre, rien comprendre. On va lui montrer.*

— J'suis d'accord, acquiesce le petit.

Et Steban hoche la tête. *Oui.*

Ils se regardent tous les trois, leurs yeux noirs et leurs visages durs, Mauro ne se souvient pas qu'ils aient été un jour aussi déterminés et aussi unanimes, alors il les observe encore pour que le pacte leur rentre bien dans le crâne, serre les mâchoires, cette bande d'idiots s'il arrivait à en faire quelque chose pour une fois, et il tend la main.

— Tapez là.

Au moment où ils s'exécutent, une vache meugle dans l'enclos et les chiens bondissent en aboyant. Rafael se retourne, se contorsionne pour vérifier, manque leurs mains à eux Steban et Mauro qui vont claquer à deux, et le petit s'excuse et se précipite, vient taper les paumes à son tour, mais c'est trop tard, c'est raté, et Mauro s'étrangle de rage en lui balançant une claque magistrale, poing fermé pour que cela fasse mal, cet abruti de Rafael, cet incapable, ce minable, celui par qui le malheur arrive, ils ne sont pas au bout de leurs peines.

La mère

Ah qu'elle les déteste et qu'elle les hait, ces petits gueux qui ne comprennent rien à rien et qu'elle trouve assis contre le mur de la grange l'après-midi encore, comme ce matin, quand Mauro s'est avancé pour dire qu'ils ne bougeraient plus tant qu'elle n'aurait pas donné l'argent. Faut-il qu'elle en ait engendré, de la sale race, à les voir tous les trois qui s'ennuient, et tournent en rond, et se rasseyent, plutôt que de céder après une bonne colère. Au moins a-t-elle gagné un repas, car elle n'a pas fait de déjeuner, et puis quoi ; ils croyaient peut-être qu'elle allait les nourrir à paresser ? Mais la consolation est maigre, et si la mère suffit à s'occuper de la maison, de la basse-cour et du potager, elle sait aussi que le bétail n'aura eu ni soins ni surveillance et qu'il suffit d'une naissance précoce, d'une blessure, d'une querelle pour perdre un bœuf ou un agneau. Alors eux là-bas posés sur leur cul à attendre que le temps passe, elle espère bien qu'ils crèvent de faim.

Et que la lubie cesse.

Car la saison des tontes a commencé.

Mais avec tout cela, le retour du petit, le désordre dans l'estancia, elle a pris du retard. Les brebis devraient être déjà là. Et maintenant ces idiots qui se butent et la regardent de loin bras croisés, si elle leur dit d'aller chercher les bêtes, ils lui riront au nez, ils demanderont en échange, ils poseront des conditions. Il y a encore quelques semaines, elle les aurait envoyés aux pâtures d'une seule phrase. Aujourd'hui, en s'octroyant le droit de cacher l'argent, elle a perdu tous les autres : celui d'exiger, de décider et de commander. Mais elle a raison, elle n'en démord pas.

Parce qu'elle est la seule à savoir.

L'argent est sale.

Elle n'a pas été longue à faire le lien avec ce qu'elle avait appris à la ville. L'éleveur dévalisé là-haut dans la pampa, et ce brigand qui échappe à tout, aux coups de fusil, aux pièges, à la milice. Il a fallu qu'il finisse entre les pattes de son dernier gamin celui-là, en lui laissant le magot, mais un magot qui n'était pas à lui, alors si elle avait voulu bien faire, elle aurait dû le rendre bien sûr, un trésor qui lui tombait du ciel – le rendre, non mais des fois, tu t'entends, ma fille, le *rendre* ?

Peut-être que, pour la remercier, le riche lui aurait consenti une liasse. Une liasse, quand il y en a mille. Et lui abandonner le reste ?

Jamais même au poker elle n'a eu l'occasion de faire main basse sur une telle somme. Elle s'habitue si peu à l'idée que chaque soir elle gribouille les chiffres sur la table avant de la nettoyer, mettant des traits entre les zéros pour scander les mille et les cent, et bien sûr c'est insensé d'avoir tout caché, une décision absurde dans laquelle elle s'enfonce, un choix de détraquée, elle tremble en y pensant et en frottant fort la surface patinée pour effacer les traces de ses comptes. Et pourtant elle n'a pas dissimulé le sac par hasard, elle s'y tiendra coûte que coûte. Ne rien montrer. Attendre le temps qu'il faudra pour que tout le monde ait oublié l'histoire, que le soupçon ne pèse pas sur elle la mère, qui aurait volé le sac au macchabée, donc à l'éleveur, elle ne donne pas cher de sa tête à ce moment-là. Mais combien d'années patientera-t-elle pour ne plus avoir peur ? Ils seront bien tous crevés avant. Et au fond savoir l'argent dissimulé au creux d'un endroit introuvable la rassérène un peu.

Et la mère continue à se mentir, à inventer des histoires auxquelles elle ne croit pas elle-même, comme si elle était incapable de trouver le moyen de, une solution, comme si la moralité lui posait problème. Depuis quand, vraiment ? Les soirs où elle a bu un verre de trop, les mains arrondies sur le vide, elle s'imagine filer à San León le sac dans la carriole pour aller jouer la partie de sa vie. Elle ne miserait pas tout, évidemment. Mais elle flamberait. Gagnerait parce que le hasard aussi ne prête qu'aux riches, perdrait quand la roue tourne, se referait, se coucherait à nouveau. S'il faut rallonger, elle rallongerait. Une fois. Deux fois. Dix, et la nuit entière. Elle raconte n'importe quoi quand elle dit qu'elle ne miserait pas tout : elle jouerait l'intégralité du magot. Jusqu'à tout perdre, car s'il ne s'agissait que de gagner, c'est déjà fait.

Quelle étincelle de conscience lui reste-t-il pour qu'elle devine que la tentation sera trop grande devant la table de jeu, quelle lucidité sans aménité dans son

obstination à garder l'argent caché au fond des ténèbres et de sa mémoire, qu'elle rêverait de l'oublier
parfois, qu'elle s'y oblige, et quand l'image du sac
vient taper à son cerveau, elle le barre d'un trait épais,
pour bien l'effacer. Elle se sait capable de tout perdre ;
et puis elle a juré de ne pas remettre la main sur un
jeu de cartes. La seule façon qu'elle ait de conserver
son trésor, c'est de faire comme si. Une magicienne
– à l'envers.

*Au cas où, en cas de besoin, si jamais, ah, la belle
affaire*, crient dans sa tête les fils furieux. Ils n'y comprennent rien, opaques au fait que tant que l'argent
est caché là, il existe. Bien sûr il est inutile ; mais au
moins personne ne le leur enlèvera. Alors que s'ils
le dépensent. Ils l'auront eu, et d'un coup il n'en restera rien, comme un sort après minuit, rien qu'un joli
souvenir dans la poussière, et beaucoup de regrets.
Cela, elle seule l'entrevoit et le présage. Ses trois fils
ont si peu de jugeote, à vouloir décaisser à tout prix
– pour ça, ils tiennent du père, qui se serait laissé piller
jusqu'au dernier peso pour un verre d'alcool.

Déjà les derniers jours ils ont rechigné à la tâche, les
cossards, traînant les pieds et mettant si peu d'entrain à
manier la fourche ou la cognée ; et, de jour en jour, de
moins en moins. Jusqu'à ce qu'ils s'asseyent ce matin.
La seule chose qu'elle les ait vus faire avec opiniâtreté
ces temps-ci, c'est la suivre. Pas un moment où elle ait
vaqué seule à ses occupations. Qu'elle étende le linge
ou qu'elle nourrisse les poules, il y en a toujours eu un
pour l'aider, ne serait-ce qu'à porter la panière ou jeter
les épluchures de pommes de terre au-dehors, ce qu'ils
ne font jamais, n'ont jamais fait, ne feraient jamais si

– et dans sa rumination à elle, cette étrange sollicitude devient insupportable, elle leur jetterait bien les poubelles à la tête en leur criant d'arrêter.

Ils se sont organisés pour prendre chacun leur tour, par demi-journée, et elle les surprend à se croiser avec un petit signe de tête, se passant le relais l'un à l'autre et murmurant une consigne. Ils l'empêchent. Voilà ce qu'elle pense. Et si elle cède, ils seront là pour voir. Ils finiront par le trouver, ce satané sac, juste à la suivre. Même la nuit, dorénavant, il y en a toujours un pour coucher en travers de sa porte. Une sorte de statu quo prudent lui interdit de s'en enrager. Elle aimerait gueuler, leur cracher une insulte lorsqu'ils la regardent cuisiner une viande ou qu'elle en entend un s'allonger avec un soupir devant sa chambre, comme un chien. Se retient : quelque chose au fond d'elle sait que son silence déjoue leur violence à fleur de peau, et que tant qu'elle ne protestera pas, ils resteront avec cette distance obligée, attendant d'utiliser la force sans qu'elle leur en donne l'occasion. Voir. Peut-être le feront-ils quand même, après tout, et elle sent Mauro au bord, ses larges mains prises de tremblements, le grand jumeau qui ne souffre pas la contrariété, n'a pas l'habitude, tout huilé qu'il est à marcher de front avec la mère. Alors elle le surveille lui en particulier, ne dit rien quand il frappe les plus jeunes, d'abord parce qu'ils ne s'interposeraient pas non plus si c'était elle et qu'au fond chacun n'a qu'à s'en débrouiller, mais surtout pour ne pas provoquer, pas de faux pas, ni parole de trop. Cependant il se rapproche lui avec sa grande colère, une braillerie de plus, un geste moins refréné, et les reproches qui pleuvent avec cette voix qui l'inquiète même elle, s'il en venait aux mains, alors tout serait perdu.

Parfois Rafael, assistant à ces étranges confrontations, se balance d'un pied sur l'autre et murmure : *Petite mère, petite mère.* Cette vision rétrécie d'elle-même – n'était-elle pas *la mère* il n'y a pas si longtemps – l'interroge et la confine, dans son corps, dans sa tête surtout, et les mots tournent, petite mère, car ici, ce qui est petit ne vaut rien. C'est ainsi qu'elle désigne un veau ou un agneau né malade et qui ne vivra pas vieux, un arbre qui dépérit, ou encore lui, Rafael, avec ses bras maigrelets à se demander comment il tournera à l'âge adulte, s'il y arrive. Mais elle ! Elle n'est pas de cette race de faibles.

Sauf que.

Peut-être aurait-elle dû accepter, pour les selles. Ce refus-là a été de trop, elle le sent bien. Mais faire marche arrière à présent, impossible, ils auraient la main sur elle, définitivement, et ils demanderaient plus encore. Des têtes de cochon, voilà ce qu'elle a récolté, et pourtant elle en a joué, de la trique, mais il en fallait davantage semble-t-il, et elle a eu l'âme trop sensible. S'ils ont pu prendre l'ascendant sur elle de cette façon, c'est qu'ils ne la craignaient pas assez, et bien sûr au départ il y avait de la mauvaise graine du côté du père, mais elle aurait pu s'en garder, avec une éducation plus sévère, gâtés, elle les a gâtés, comme des fruits trop mûrs.

Des gamins qui en veulent à votre argent, sans hésitation, qui vous grignotent jour après jour, le grand surtout – les autres ne sont que deux petites fouines à l'affût, ils observent, en retrait, attendent que les choses se fassent pour venir mendier leur part de butin, mais jamais ils n'oseront franchir le premier méchant pas, elle en est certaine –, le grand donc, tout de muscles et de nerfs, ce matin quand elle a fait claquer le torchon à ses oreilles et qu'il le lui a arraché d'un revers de bras. Elle sait qu'à ce moment-là elle a perdu gros, comme un vieux chasseur désarmé devant le puma dressé debout, et qui ne fera plus jamais peur. Depuis, elle cherche des solutions, n'en trouve pas. Se débarrasser de Mauro elle y a bien pensé, mais elle ne s'y résout pas tout de même, et pourtant elle le voit dans son regard, qu'il serait capable de la découper en lanières pour lui faire dire où est le trésor, si cela devait finir de cette manière ce serait malheureux, elle prend le risque, préfère attendre. Cache un couteau sous sa blouse au cas où. Pour se défendre.

Et gifle les petits qui la houspillent tels des enfants mal dégrossis, de jeunes animaux sauvages, cette façon qu'ils ont de poser la patte sur elle et de guetter le moment où elle n'en pourra plus de les sentir contre elle, excédée par ce contact permanent, cet instant où elle se débarrassera d'eux dans une claque – alors ils auront gagné, pas l'argent bien sûr, mais la partie, la patience, en d'autres mots le pouvoir. Se garder de tous. Elle va en devenir folle c'est sûr. Mais n'est-ce pas ce qu'ils cherchent ? Elle rit toute seule. Quand sa tête l'aura lâchée, elle ne saura plus même où elle a caché l'argent. Bien malins, tous. Sa plus belle vengeance.

Qu'est-ce qu'on va en faire ? qu'ils ont dit.

Rien. Juste le garder. L'avoir. Taisez-vous donc.

Et puis, au moment où la mère pense que tout est fichu et que ces satanés garçons ne retourneront jamais travailler, à l'instant où elle hésite entre laisser pourrir ses brebis sous la laine et tirer une balle dans la jambe de l'un de ses fils pour montrer que la plaisanterie a assez duré, quelque chose se passe, qu'elle n'espérait plus, qui vient, tel un miracle, la sortir de la pataugeoire dans laquelle elle était empêtrée. Et vrai, elle non plus n'est pas sûre d'avoir bien compris, et quand Mauro attrape Rafael par la chemise en gueulant : *De quoi ?*, elle écoute autant qu'elle peut, l'air de ne pas y toucher, les poings déjà serrés dans une prière muette. *Santa María, por favor.* Et le petit tient bon.

Moi j'y vais, qu'il dit. Devant le visage fulminant de Mauro, il ne cède pas, et la mère cela lui fait quelque chose soudain, une boule dans le ventre, et un éclair dans le cerveau, lumineux, surtout ne rien dire, ne pas s'immiscer. Écouter Rafael qui répond, bien sûr il a la voix qui tremble, trop aiguë, une sorte de cri, mais il se dégage de l'emprise du grand en même temps qu'il porte la tête bien haut.

— J'y vais, j'te dis.

Et Mauro marche sur lui encore une fois en grondant : *Tu bouges pas d'ici.*

La mère observe fascinée ce qui se joue devant elle, la puissance brute d'un côté, une petite teigne décidée à aller chercher les brebis de l'autre, et rien ne permet de deviner qui va l'emporter, s'il n'y avait que la force ce serait Mauro sans discussion. Mais chez Rafael, elle le sait, couve tout autre chose. Depuis quelques jours elle saisit son regard douloureux par-delà la plaine, son nez en l'air qui cherche l'odeur des moutons invisibles, comme s'il pouvait les sentir, les repérer, les ramener. Elle le voit désorienté, pour la première fois assis pendant des heures tandis que les bêtes vaquent hors de sa vigilance, en péril peut-être, et la laine qui s'enroule sur leurs dos moites. La saison des tontes avance, ils n'ont pas bougé. Encore trois semaines et il sera trop tard, les vents andins porteront le froid sur la steppe. Plus personne ne s'aventurera à déshabiller les brebis dont les ventres commencent à s'arrondir sous la poussée des petits. Aïe donc. La mère en a fait son deuil, de sa laine d'été. Mais lui Rafael et ses bêtes. Qui tourne le dos à Mauro pour aller chercher son cheval et ses chiens, et Dieu sait ce qui suivra.

Le rugissement du grand.

Il tient son frère en joue, fusil à l'épaule.

— Avance encore et j't'explose.

La mère s'immobilise. Comme eux tous. Dans sa tête tout va si vite. S'ils s'entre-tuaient. Qu'il ne lui reste plus aucun fils, ou peut-être Steban, plus personne autant dire, qu'elle et son argent. Mais elle n'en est pas encore là et elle s'empêche d'y penser, recule imperceptiblement vers la maison, un réflexe, à elle aussi il faut une arme, une vraie.

Et puis le débile. Ils l'avaient oublié tous les trois mais le voilà qui se met en marche soudain, avec ou sans but elle l'ignore, et vrai que sur l'instant la mère s'interroge, il n'a donc rien saisi encore une fois de la situation, il va de son pas tranquille, s'il prenait une fourche pour aller nettoyer les clapiers cela ne l'étonnerait pas plus que cela. Mauro le regarde du coin de l'œil, ne le hèle même pas. Ils sont habitués à l'errance de Steban, sa façon de n'être pas avec eux, de répondre à une idée qui le traverse, de s'arrêter en chemin aussi, quand il ne sait plus pourquoi il avance. Il est comme les chiens qui vont et viennent. Et eux, la mère et les fils, n'y prêtent pas plus attention qu'aux dogues.

Mais elle le regarde ce coup-ci, intriguée, le voit entrer dans l'écurie. Disparaître.

Mauro est concentré sur le petit qui n'a pas fait un geste et qui attend, les mains dans les poches. Il faudra bien que quelque chose se passe, mais elle se demande quoi, elle trop loin de la maison encore, devant Mauro et Rafael statufiés, et Steban qu'ils oublient à nouveau dans son étrange transparence, jusqu'à ce qu'un oiseau passe peut-être, que le doigt de Mauro glisse sur la détente ou qu'un cheval arrive. Et vraiment, la mère fixée sur les deux fils reliés par le fusil, entend le bruit des sabots, mais elle n'y croit pas, ne détourne pas le regard, comme si elle pouvait figer la scène et que rien n'advienne, si elle lâche, Mauro tuera le petit, tout au plus y a-t-il le cillement, le battement de ses yeux distraits quand le pas des criollos se rapproche, et au moment où le jumeau regarde à son tour, à ce moment-là seulement, elle tourne la tête pour voir elle aussi.

Steban est en selle, tenant les chevaux de Rafael et de Mauro qu'il amène avec lui. Le petit tend la main pour prendre les rênes de Halley, et Mauro gueule à nouveau :

— C'que vous faites, merde ?

Rafael s'élance sur le dos de l'alezan.

— Faut y aller. On va pas laisser les brebis comme ça.

— J'vous fais sauter la tête !

— Faut y aller, j'te dis.

— Putain, vous la laissez gagner ? Elle va penser qu'elle nous a eus, et elle aura bien raison !

— C'est pas pour elle.

— C'est pour nous peut-être ? Tu crois que t'auras ta part de la vente, quand elle aura fourgué la laine ?

— Non. Mais c'est pour les bêtes.

Et la mère qui les écoute se chercher des arguments sait que le petit est sincère quand il parle ainsi de ses moutons, que rien ne l'arrêtera, pas même le fusil, et elle voit les mains de Mauro blanchir sous la colère, son menton tremblant de rage, il s'en faudrait d'un frisson que le coup ne parte, et tout est immobile quelques instants, très courts car Steban sans prévenir envoie soudain son cheval en avant, le criollo fait quelques pas, leur tournant le dos, prend le chemin qui s'éloigne de l'estancia vers les plaines.

— Putain !! rugit à nouveau Mauro dont le regard fou part de l'un à l'autre, Rafael et Steban, ne sait plus qui mettre en joue, et qui surveiller, et son cheval dans l'angle de tir l'attend et s'ébroue.

Alors il baisse le fusil, défait. Se retourne vers elle la mère, qui ne bouge pas un cil, presque effacée du monde, mais lui ne l'oublie pas, et la voix étranglée par la fureur il les montre du doigt elle puis le petit, et il dit :

— Toi. L'argent de la laine, il sera pour moi. T'entends ? Pour moi. Et toi, trouduc. On n'a pas fini tous les deux. J'te l'promets.

La seconde d'après il saute en selle, passe devant les deux frères au galop et les précède dans la plaine.

Rafael

Une fois encore, il referme la barrière en faisant claquer les verrous, et les moutons sont si nombreux qu'ils se pressent contre les clôtures. Près de deux mille têtes ramenées là pour la tonte, la mère dit toujours qu'elle est obligée de couper deux fois par an, avec cette race qui donne du long poil épais en hiver et court en été, pour ne pas avoir ces toisons aux deux longueurs dont personne ne veut. En vérité il le sait, c'est pour vendre plus de laine, et pourtant le prix qu'on lui donne pour la fine d'été, une misère, mais c'est toujours cela de plus, même si quelques brebis y resteront, si la mère se trompe et qu'il y a du froid les jours d'après.

Un océan de bêtes blanches recouvre la terre. Ils ont mis plusieurs jours à les rassembler, et les chiens marquent le coup à présent que le travail est fini, traînant la patte, langue pendante. Ils ont vidé les pâtures, encerclant, poussant, bordant les moutons jusqu'au long couloir qui mène à l'estancia, les précipitant dans ce champ immense. Deux ou trois semaines : c'est le temps qu'il leur faut pour couper les toisons avec les forces et les enrouler dans les sacs. Chaque jour ils prennent une centaine de bêtes, les tassent dans des enclos plus petits près de la maison, les coincent entre leurs jambes, jouent du ciseau. Les reins en feu d'être penchés ainsi quinze heures par jour sur les moutons étendus, et Mauro a construit il y a deux ans un palan en bois auquel il accroche sa ceinture pour lui tenir le dos et le soulager des douleurs insupportables. À la fin de la journée, il marche courbé comme un vieillard, incapable de se redresser tout à fait avant le soir ; au matin il commence un genou à terre, attendant que ses muscles s'échauffent, que son corps plie à nouveau sans lui arracher un rictus. Mais il ne se plaint pas, braillant chaque soir le chiffre de l'argent cumulé qu'il tiendra bientôt entre ses mains, et il se frappe la poitrine en les regardant et en criant :

— À moi. À moi !

Steban suit presque le même rythme, silencieux la journée entière, la sueur au front, appliqué et impassible. La mère et lui le petit amènent les bêtes. Ensachent la laine, balaient. Ouvrent et ferment les barrières sans faiblir, pressés par Mauro ou par un grognement de Steban, et parfois Rafael sursaute sous un rappel à l'ordre, quand il ne peut détourner son regard des toisons détachées des corps, qu'on dirait des peaux arrachées vives, bien sûr elles ne saignent pas. Il prend la laine que lui tendent les frères aînés, des formes étranges et bouclées, des moutons vides, comme les mues des serpents qu'il trouve au printemps dans la steppe, accrochées aux épines des neneos. S'il ne voyait pas les brebis se remettre sur leurs pattes et s'enfuir le corps nu, il jurerait qu'elles sont encore à l'intérieur.

À les envisager ainsi tous les quatre, on pourrait croire qu'ils se sont réconciliés sur le compte des bêtes, absorbés par la tonte, par les jours qui passent trop vite. Mais lui Rafael n'est pas dupe, et chaque regard qu'il saisit entre eux est chargé d'une haine immense, même s'ils mettaient trois mois à couper la laine, la colère ne retomberait pas, il en resterait toujours bien assez pour dresser une lame ou un fusil, promesse tenue. Seul Steban navigue avec son visage vide, ni fureur ni rien, oh qu'il l'envie d'être à l'abri de tout, la rancune de Mauro, la malfaisance de la mère qui les épie et les attise, la violence entre eux maintenue par le spectre de l'argent caché, l'avidité les dévore. Alors non, ils n'ont pas commencé à s'aimer, comment le pourraient-ils, seulement ils font comme si, à attaquer la besogne ensemble – le travail les oblige, les contraint à se tenir proches l'un de l'autre même quand la proximité les hérisse, et lui le petit essaie au mieux d'éviter le contact avec la mère lorsqu'ils enfoncent ensemble la laine pour bourrer les sacs, il ne veut pas qu'elle le touche, il ne veut pas de sa mauvaiseté à elle, ni de celle des frères.

Les seules caresses qu'il accepte sont celles des brebis, et il plonge ses mains dans les toisons épaisses pour les pousser vers l'enclos, entoure les cous dans une étreinte plus qu'une secousse s'il faut encourager les bêtes qui craignent la tonte tout le monde le sait, les cajole quand Mauro et Steban les relâchent étourdies. Pourtant l'odeur de la peau trop longtemps enfermée sous la laine l'écœure, douceâtre, nauséabonde, mais il ne se lasse pas de la chaleur des corps, de leur douceur humide qui reste sur ses paumes et que les brebis

viennent lécher pour en goûter le sel. Le soir, il vagabonde dans les enclos, laissant courir ses mains sur les
dos râpeux, frôlant les oreilles attentives et oubliant
qu'un jour sur deux ses frères ou lui tuent une de ces
bêtes-là pour la manger, celle peut-être qu'il a enlacée
le matin, celle qu'il a rassurée de quelques mots à voix
basse.

Car, tout le temps que dure la tonte, la mère entretient le brasero au-dehors, jetant quelques poignées de
bois mort et recouvrant le foyer d'une tôle le soir au
coucher, remuant les cendres le matin avant même de
préparer le déjeuner. Les braises couvent, s'attisent
sous le vent, nichées dans le bidon en fer. Et les fils
dévorent les moutons, jusqu'à l'indigestion, de la
viande fraîche – un festin. Côtes, selle, épaule, gigot,
tout y passe, et quand la carcasse finit de suinter sur la
grille, Rafael y met les doigts, dépiautant et grattant les
miettes, rongeant les os, bouche luisante, comme s'il
devait faire des réserves pour tout l'hiver. L'odeur lui
chatouille le nez dès qu'il se lève, et pourtant il n'y a
aucun dégoût, aucune lassitude dans sa façon de regarder cuire la viande, d'aspirer l'air engraissé d'effluves
rôtis. Il pourrait en manger des années, lui semble-t-il,
décimant les troupeaux, exalté par le sentiment de ne
manquer de rien. C'est la seule période où la mère
ne les restreint pas, les frères et lui. Cesse enfin de
reposer un couvercle sur la marmite en disant : *Il n'y
en a plus*, alors qu'elle leur resservira les restes le lendemain, ils le savent, agrémentés de quelques légumes
supplémentaires pour faire illusion. Non qu'ils soient
au point de compter les parts ; mais la mère ne peut
pas s'en empêcher. Faire des économies, elle a ça dans

le sang, garder un peu de côté, pour dépenser moins le jour suivant, en argent ou en ragoût, tout est bon.

— Encore, dit Mauro.

Le petit se dépêche de finir pour tendre sa gamelle lui aussi, ne pas perdre son tour, et la mère tique, sans doute qu'elle se demande s'ils ne le font pas exprès cette année-là, pour la punir, car jamais ils n'ont autant mangé, et si elle ne se retenait pas, elle leur crierait que ça suffit, il en est certain, qu'ils ont eu huit côtelettes chacun, et les pommes de terre, et les légumes. Elle regarde Mauro, qui la regarde, puis Steban trop occupé à ronger la moindre miette de viande encore attachée aux os, enfin lui Rafael, qui l'observe également en surveillant ce que fait le grand. Aucun ne cille. Et la mère ne dit rien mais il devine son exaspération à ses mâchoires contractées, son air courroucé. Elle pique un morceau de viande qu'elle met dans l'assiette du jumeau, pareil pour Steban et Rafael, et elle ne peut s'empêcher de piailler.

— Allez-y, bâfrez donc. Mangez ! Étouffez-vous avec !

Mauro rit et le petit l'imite, de quoi auront-ils l'air, ventrus et crevés, quand ils auront dévoré le troupeau – et la mère qui gloussera devant leurs cadavres tièdes, et leurs bouches dégoulinant encore de graisse. Il lève la côtelette en l'air, l'enfourne presque entière, fait mine de s'étrangler. Steban s'esclaffe, part dans d'étranges cris joyeux que le jumeau arrête d'une phrase.

— Ta gueule.

Dans la cuisine, la cafetière siffle. La mère ramasse les gamelles d'autorité, le petit finit sa viande en la tenant à la main. Elle distribue les tasses en fer-blanc, verse, renverse un peu, comme toujours. Et c'est étrange cette pensée qui lui vient à lui Rafael en la regardant faire, qu'elle a vieilli d'un coup, avec sa pauvre mine, non qu'elle décline véritablement ni que le travail l'affaisse, mais elle plie quand même. Cela se remarque à peine, juste lui parce qu'il y fait attention, avec son œil habitué aux bêtes et à leurs faiblesses. Parfois il se dit qu'il a mis le poison dans l'estancia pire qu'avant, et certes ils n'avaient pas besoin de cela eux tous qui se supportaient déjà à peine, pas besoin d'un venin de plus, s'il avait su, et sûrement le poison grignote la mère de l'intérieur et lui donne ces cheveux gris plus nombreux, peut-être comme lui a-t-elle le cœur qui lui cogne certaines nuits, à croire qu'il est monté aux tempes et qu'il va lui sortir du corps par n'importe quel moyen. Alors il l'observe, cherchant à déterminer si le mal qu'il flaire autour d'elle est déjà installé, doué qu'il est pour sentir ces choses-là, bien plus que pour soigner, et la mère le surprend plusieurs fois et tempête :

— Mais quoi, à la fin ?

Seulement ils ont décidé de ne plus lui parler, ou si peu, pour ne pas perdre complètement leur dignité quand ils ont repris le travail, et Rafael hausse les épaules en finissant son café, se gratte la joue là où une bestiole l'a piqué, va savoir laquelle pour lui faire cette cloque et cette démangeaison, dit qu'il va se coucher.

La nuit, ses rêves se peuplent de brebis fanées et de voiles de laine blanche, l'empêchant de se reposer vraiment, tendu par le travail à accomplir, et il enchaîne les journées tel un automate, déjà fatigué quand il se lève. Ses yeux cernés se teintent de mauve, et il y a longtemps qu'il ne plaisante plus en attrapant les brebis ou en remplissant les sacs de laine, vaincu par l'épuisement et leur humeur à tous, qui les entretient dans cet état maussade et les accable. Il ne rechigne pas : c'est la vie, et chacun à sa mesure donne autant qu'il peut, aussi courbatu que les autres lorsqu'il s'agit d'arquer le matin, et le regard aussi vide. Les journées se succèdent, terriblement routinières. Parfois le petit dit quelque chose qui les égaie presque : *On en a fait plus qu'il en reste à faire.* Ils passent les huit cents, puis les mille moutons. Bientôt mille cinq cents – et les aînés hochent la tête, tout est bon à prendre, même la plus petite bonne nouvelle, pendant ces semaines exténuantes.

À côté d'eux, la mère s'active toute dans cette étrange lenteur qui la tient entre ses griffes, court de l'étable à la cuisine, pose au bord de l'évier une poignée de laine qu'elle a oublié de laisser dans les sacs. Elle lave, cuit et grille, nettoie, trie les moutons. Rafael enregistre tout, la façon dont elle parle en mangeant ses mots, la fréquence à laquelle elle bougonne, ses mains sur son visage comme pour se mettre les idées en place, et ses yeux écarquillés après, elle aussi une immense fatigue ; une fois, elle amène à Mauro une brebis déjà tondue.

— Mais que veux-tu que j'en fasse ? s'exclame le jumeau.

Il chasse la bête d'un coup de pied et Rafael se met à rire, trop fort, comme pour se convaincre qu'il y a quelque chose de drôle dans la détresse de la mère,

quelque chose pour le persuader qu'ils ont raison de
rester amers et rancuniers, luttant pied à pied avec elle
qui s'épuise pire qu'eux et qu'ils vont faire céder c'est
sûr, même si elle en a vu d'autres, mais cette fois il y a
une douleur de plus, que lui le petit perçoit sans arriver
à mettre de nom dessus, ou alors il n'ose pas, excité
et terrifié par l'idée que la mère pourrait les abandonner. Car elle se détache. D'eux – mais depuis longtemps ils ne sont qu'une force de travail pour elle –,
de l'estancia qu'elle regarde sans la voir, du bétail
qu'elle oublie, de la ville même, où elle ne va plus,
délaissant l'alcool après le poker, que le petit voudrait
lui crier d'y retourner et de rentrer ivre au milieu de la
nuit, au moins elle était vivace et sa voix claquait sec,
si c'est cela sombrer, il préfère ne pas y assister, ne
pas voir comme cela lui est venu d'un coup. Tout en
transparence la mère, tout en ombres, un fantôme ou
une sorcière, et il rêve qu'elle disparaît dans le sable,
s'éveille le cœur palpitant d'angoisse. Attend de l'entendre empiler la vaisselle ou ouvrir la porte du poêle
à bois, alors il se rassure, elle est encore là, elle n'a
pas pris le chemin qui s'enfuit, comme le père, comme
Joaquin, et peut-être un jour, lui le petit, et aussitôt la
pensée s'efface dans sa tête, car jamais il ne laisserait
les moutons et les chiens, et son cheval, et sa terre
aride. Mais la mère, elle, le ferait-elle – chaque nuit,
il se le demande, et chaque nuit le cauchemar recommence.

*

C'est parce que la maussaderie de la mère l'enveloppe, et pour bien d'autres choses sans doute, que le matin où le petit découvre la cuisine vide, désertée par la vieille, il s'étonne à peine, faisant le tour de la pièce comme si elle avait pu se cacher derrière le poêle ou la table, et disant à Mauro qui arrive :

— L'est pas là.

Peut-être est-ce alors la stupeur du jumeau qui l'alerte, car il se rend compte soudain que c'est la première fois depuis sa naissance. Toujours la mère a été levée avant eux, déjeuner préparé, et cela sent le café quand ils entrent. Mais là. Rien qu'une odeur de graisse froide, personne n'a ouvert la porte pour aérer à l'aube, et le feu est éteint.

— Bon, dit Mauro.

Et le petit le regarde.

— Bon quoi ?

— Eh bien. Elle a décidé de pas se lever.

— Mais pourquoi ?

— Qu'est-ce que tu crois ? Elle sait qu'elle aura pas l'argent de la laine. Alors elle s'en fout, de nous faire à manger.

— Mais elle a l'autre. Le sac.

Le grand hausse les épaules.

— L'en a jamais assez.

— Et si elle était partie ?

— Elle est pas partie. Elle fait sa tête de con, c'est tout.

Rafael hoche la tête, pas très sûr de ce que dit le grand, parce qu'il a cette impression bizarre depuis des jours, et il se colle le nez à la vitre de la porte, vérifie qu'aucune trace de pas ne s'éloigne dans la poussière, mais rien qui se voie, et si elle avait balayé derrière elle pour les tromper. Dans sa gorge cela se noue un peu, sans vraie raison, juste que c'est différent des autres jours et qu'il aime cette routine fatigante, le repas, les bêtes, la laine, à nouveau le repas avec les parfums grillés de viande et d'épices, et les brebis, et les bêlements qui le bercent presque quand la lassitude se fait sentir trop fort. À cet instant il voudrait revenir en arrière, entrer à nouveau dans la cuisine il y a dix minutes, et trouver la mère penchée sur le fourneau, les tasses pleines, et les odeurs rassurantes de corps et de café. Un peu à l'écart, il se mord les lèvres, une drôle d'émotion lui noue le ventre.

— Arrête de chialer ! lance brutalement Mauro – et le petit dont les yeux sont rouges fait un geste de la main en lui tournant le dos.

Mais est-ce sa faute aussi, s'il ne peut pas s'empêcher, s'il sait que ça y est, elle est partie à son tour. Les rêves sont venus le prévenir et il n'y a pas cru, trop impossibles, ah qu'il aurait dû, il aurait guetté, scruté les ténèbres jusqu'au matin, et d'un coup il se raidit.

— C'est qui qui dormait devant sa porte cette nuit ?

Dans le silence qui plombe la pièce, il suit le regard de Mauro, et Steban ouvre de grands yeux.

— Pas… pas vu.

— Tu t'es endormi, hein ? grince le jumeau.

— Non. Non.

— Tu peux jurer qu'elle est toujours dans sa chambre ?

Mais Steban ne répond pas, hochant la tête de gauche à droite en signe d'affolement, et Mauro s'énerve.

— Oh, débile ! J'te cause !

— Non...

— Non quoi ? Elle y est, ou tu peux pas dire ?

— Non...

— Putain qu'on comprend rien tu peux pas parler comme tout le monde ?

Au moment où le grand se lève dans un élan furieux, Rafael bondit. *Arrête, on va pas se bagarrer maintenant, hein.*

— T'as dormi ou pas ? hurle le jumeau.

Steban tape sur la table en criant :

— N... non !

— R'garde-le c'con-là, qu'est menteur comme la vieille !

Alors Rafael intervient, pose une main sur l'épaule de son aîné.

— En vrai, Mauro, et si elle est plus là ?

— Ta gueule, toi aussi !

Le petit se recroqueville, ravale ses protestations. Mais il ne lâche pas, met un bras devant lui, si le jumeau le cognait, repart sur son idée.

— Si elle s'était cachée.

— Hein ? dit Mauro. Comme l'argent, c'est ça ? Et puis quoi ?

Mais il se fige d'un coup. Regarde le petit qui a ouvert la bouche, stupéfaits tous les deux. La même pensée les traverse dans une fulgurance.

— Non, dit le petit qui ne veut pas y croire.

— Parce que tu crois qu'elle en est pas capable, peut-être ?

— Non, elle aurait pas fait ça.

— Putain ! crie Mauro en bondissant vers la chambre. Elle est partie ! Elle s'est tirée avec l'argent !

293

*

Rafael parle le premier, brisant le silence qui les paralyse depuis de longs instants. Sa voix tremble et il ne regarde personne, ne précise pas auquel des frères il s'adresse, mais sûr c'est Mauro, parce que le grand ne le croyait pas quand il disait que c'était impossible, et maintenant, bien obligé, n'est-ce pas.

— Tu vois qu'elle l'a pas fait.

Le jumeau hoche la tête.

— Ouais.

— C'est… c'est sûr, admet Steban.

Ils se grattent la tête. Le petit les imite, reprend :

— Mais bon, j'crois qu'c'est pas mieux, hein.

— J'crois aussi, dit Mauro.

— Qu'est-ce qu'on va faire ?

— Bon sang, toi, tu sais dire que ça.

— J'demande c'est tout.

Le grand hausse les épaules, un peu déconcerté.

— Eh bien… on va l'enterrer, j'vois pas ce qu'on pourrait faire d'autre.

*

Longtemps, lui semble-t-il, il regarde la mère étendue morte sur le lit, et le silence est tel dans la chambre qu'il pourrait être seul. Même Mauro reste silencieux, savoir à quoi il pense, devant cette forme immobile à la bouche entrouverte, les cheveux épars sur l'oreiller, cette présence à la fois qui n'est plus et qui les gêne,

pesante, et lui le petit fixe la mère en guettant un frémissement, et il s'interroge à voix haute :

— Mais on est sûrs que…

À ce moment-là, il chancelle. Cela lui rappelle
trop de choses, trop proches. Par réflexe, il s'avance,
tire le drap pour voir si la mère bouge, mais seul le
tissu tressaille sous ses mains et il recule, rejoint ses
frères, tous les trois en cercle autour de ce curieux cercueil, à regarder la vieille comme si elle faisait semblant, comme si elle les plaisantait. Mais depuis le
temps qu'ils y sont, eux qui ont ouvert la porte en la
fracassant contre le mur, certains de trouver la pièce
vide ; oui depuis le temps, la mère aurait ouvert les
yeux, se serait redressée d'un coup, et ils auraient
sursauté. Et puis. Jamais elle ne ferait cela, de l'es-
pièglerie. Disputer, étriller, aboyer, d'accord. Pour le
reste, aucun d'eux n'a souvenir qu'elle ait jamais eu
une quelconque facétie, et le numéro qu'elle leur joue
allongée sur le lit, c'est du vrai, ils le sentent bien. Et
pourtant, murmure le petit en la regardant, son visage
déjà blême, son teint laiteux, et pourtant il n'y a pas de
sang sur son ventre à elle.

— Qu'est-ce que tu dis ? grogne Mauro.

— Elle a pas de blessure.

— Ouais.

— Comment elle a pu mourir si elle a pas de blessure ?

— Elle en a peut-être une à l'intérieur.

— Ou alors c'est le cœur qui s'est arrêté, comme
pour les bestioles, murmure Rafael qui réfléchit tout
haut.

Et il penche la tête sur le côté, demande à nouveau :

— Mais on est sûrs… ?

— Mais oui ! s'agace Mauro en s'avançant vers le lit et en secouant la mère qui rebondit sur le matelas. Regarde !

— Arrête !

— Mais regarde ! Tu vois bien qu'elle bouge pas. Elle est raide comme un piquet !

— Arrête j'te dis !

Le grand lève un sourcil.

— T'es con. Alors y a qu'à lui mettre un miroir devant la bouche, au moins on sera certains, on ne se posera plus la question.

Et ils se penchent tous les trois, retenant leur souffle, quand Steban tend la glace à Mauro en refusant de le faire lui-même, comme si la mère allait le mordre, comme si elle pouvait. Ils attendent. Jusqu'à ce que leurs dos douloureux les obligent à se redresser, et là encore, ils observent ensemble le miroir posé devant eux, avec ténacité, comme si, sous leurs regards, celui-ci allait s'embuer d'un coup.

— Y a rien, murmure enfin le petit.

Steban pince la bouche. *R… rien.*

— Bon, dit Mauro. On l'enterre alors.

La mère

Étendue sur son lit, la mère depuis sa conscience éteinte écoute les fils et les observe du haut de la pièce où elle s'est nichée comme un oiseau curieux, entend ces mots étranges, *elle est morte*, ne comprend pas qu'ils s'adressent à elle, regarde encore, essaie de protester quand Mauro s'avance vers le lit et la secoue en apostrophant le petit, tout de même, ce n'est pas agréable. Elle se voit en vêtement de nuit devant eux, et cela non plus elle ne l'apprécie guère, que font-ils donc dans sa chambre à elle, quel piège ont-ils inventé à nouveau pour lui faire dire où est caché l'argent, et une interrogation soudaine, mais quelle heure est-il ? Elle encore couchée, elle ne rêve pas, le plein jour dehors, la lumière irradie la pièce malgré les rideaux tirés. L'instant d'après, l'incongruité de la situation lui échappe, elle n'y pense plus, observant toujours les fils qui racontent n'importe quoi, comme si elle n'y était pas, ses fils épais et butés dont elle n'a pas su faire mieux, et elle se rabroue toute seule, pas sa faute, si le père avait été là aussi pour s'occuper d'eux – il ne tenait qu'à elle, hélas.

Enterrer ?

La mère dresse l'oreille. C'est Mauro qui vient de parler. Et qui ajoute :

— On verra ça plus tard. On a du travail.

Tour à tour les trois fils quittent la chambre et elle se retrouve seule, voudrait appeler – mais rien ne sort de sa bouche inerte, et elle se tourne et se retourne, indécise. Du haut de sa cache, elle les entend dans la cuisine qui se partagent la besogne de la matinée tandis que Steban bataille pour ranimer le feu et prépare un mauvais café tiède, et cela la fait rire, ils ont si peu l'habitude. Cela va être beau, à midi. Et comme personne ne veut s'y coller, c'est le petit que Mauro désigne d'autorité pour faire le déjeuner, parce qu'il manquera moins pour la tonte, le petit qui couine en avalant la pisse d'âne dans sa tasse.

— Mais je sais rien faire !

— On n'a pas le choix ! Découpe la fin du mouton, on le fera griller, et puis t'as qu'à aller ramasser des œufs pour préparer une tortilla.

— Vas-y, toi, si tu sais comment cuisiner !

Mauro l'attrape par les cheveux.

— Écoute, morveux, qui c'est qui va tondre les moutons, si je me mets à la place des gonzesses ? T'as mieux à proposer ?

Cette fois Rafael serre les dents pour ne pas répondre et la mère se rend bien compte qu'il est dans un drôle d'état, se demande si cela à voir avec elle, et c'est surprenant cette envie qu'elle a de lui mettre une main sur la tête pour le rassurer, jamais elle n'a fait ça jusque-là, mais cela lui vient tout d'un coup et elle lève le bras, comme si, le relâche, quelque chose l'empêche.

Pas grave. Pas d'inquiétude. Tout lui est égal, ce matin.

Étrange journée qu'ils entament là eux quatre, les trois fils à la tonte et elle tout en même temps dans son lit et dans les airs sans que cela lui pose question, peut-être une ou deux fois regarde-t-elle en bas en pensant : *Tiens donc*, et les choses reprennent leur cours. Rafael met des pommes de terre à chauffer, rejoint les autres, amène les moutons, les remmène. Court entre deux jusqu'à la cuisine pour vérifier, casser les œufs, cuire encore, combien de temps, il n'en a aucune idée évidemment, et la mère hoche la tête en criant : *Stop, stop*, il n'écoute pas et elle hausse les épaules, après tout, manger trop cuit ne les tuera pas, et ils rajouteront le sel et les épices qu'il a oublié de mettre aussi. Ah comme ils doivent regretter qu'elle n'y soit pas ! Et elle s'étire et s'étend dans l'univers, douillette et paisible, bâille de temps en temps. Regarde les fils avec curiosité. A l'impression de ne les avoir jamais vraiment vus.

Le petit va crever c'est sûr s'il continue à ce rythme, essayant de tout faire, découpant les côtelettes et chassant les mouches, retournant aux moutons – vivants ceux-là – et jetant la laine dans les sacs, et il les traîne en ahanant contre le mur quand ils sont pleins, souffle sur les braises et dépose la viande sur la grille, mais comment donc faisait la mère ? Ah ha ! rit-elle en devinant son murmure, c'est qu'il en fallait, hein.

À l'heure du déjeuner, Mauro l'engueule.

— C'est dégueulasse ce que t'as préparé.

— J'te l'avais dit !

— C'est quoi ces tortillas ? On va s'étouffer avec ce truc.

— Y a qu'à dire à Steban de cuisiner.

— Steban y m'aide.

— Pourquoi ça serait moi qui ferais à manger ?

— C'est comme ça.

Et la mère se rappelle quand sa propre mère lui disait pareil, *c'est comme ça*, qu'on soit fille ou petit le destin se ressemble. Avec les années on s'habitue, et il vaut mieux, car les hommes entre eux ne sont pas meilleurs que les bêtes, surtout ne pas croire, ne pas espérer qu'ils viendront aider le plus faible quand ils attendent de lui enfoncer la tête pour le noyer plus sûrement. Combien de fois, du temps qu'il y avait encore des sauvages dans la steppe, pas si loin hein, vingt ou vingt-cinq ans, elle a vu arriver des troupes et des familles qui avaient abandonné leur bétail et leurs vieux, ou l'un d'entre eux, enfin de quoi repaître la soif des Indiens, de quoi gagner les heures pour s'enfuir, comme un accord tacite, un vieil homme ou une vieille femme pour sauver les autres. D'autres fois les Indiens les tuaient tous, quand ils étaient colère. Vrai, les fils ne savent pas le bonheur qu'ils ont d'être nés dans ces plaines nettoyées par Roca, un vrai guerrier celui-là, qui a étendu leurs territoires agricoles jusqu'au fond de la Patagonie en annihilant ces tribus de métèques barbares.

Et puis la mère se concentre car les fils sont entrés dans la chambre à nouveau.

*

Quelle étrange impression d'être transportée dans une caisse en bois hâtivement clouée par Mauro, qu'on dirait un cercueil, est-ce qu'ils n'auraient pas pu être plus délicats pour l'emmener, et avec beaucoup de curiosité et pas la moindre émotion, la mère voudrait demander où ils vont ainsi tous les quatre, et où ils la mettront à flotter, avec ce drôle de bateau qu'ils lui ont fait.

Au moment où ils sortent de la maison, la lumière l'enveloppe dans sa caisse, elle sent la douceur de l'air, à l'abri du vent comme elle est, et même si les fils trébuchent ici et là, elle ne va pas rouler bien loin entre ses quatre planches, presque contente qu'ils s'occupent d'elle de cette façon et allons-y gaiement. Enterrer, ils y pensent toujours, et la mère lève un sourcil pour regarder dehors, ils prennent le chemin du verger, elle s'interloque, puisque les fruits sont récoltés depuis belle lurette. C'est agaçant à la fin qu'aucun d'eux ne lui réponde, pas même tournés vers elle, comme si elle n'existait pas, ne causait pas, n'interrogeait pas. Ils peuvent courir, et de belle manière, pour qu'elle leur confie la cachette de l'argent, elle voit bien comment ils la traiteront après, une quantité négligeable, et bon sang faites que Rafael cesse de taper des doigts sur la caisse, cela l'énerve prodigieusement.

— Mais qu'est-ce que c'est que ça ?

Elle a crié en vain devant la fosse, car ils ne cillent pas. Et quand ils la descendent petit à petit dans le trou creusé au bord du verger, elle commence à s'inquiéter, ils le savent qu'elle a horreur du noir, la nuit elle garde toujours un rogaton de chandelle allumé.

Et puis elle se calme, elle voit toujours le jour, dans sa fosse peu profonde. Elle attend la suite. Ouvre des yeux étonnés quand Steban s'avance et jette quelques grandes herbes dans le trou, et Mauro a les mains sur les hanches tandis que Rafael s'excuse en expliquant :

— Normalement c'est des fleurs, mais on n'a pas de fleurs.

— C'est des herbes sèches, reproche le grand.

— On a cherché mais on n'a rien trouvé d'autre.

— Et pour chanter, vous vous rappelez ?

Steban secoue la tête et le petit ouvre les bras. *Non*, râle Mauro, *ça c'est le prêtre qui le fait.* — *Et nous on va faire quoi alors ?*

— Chante, merde.

— J'suis jamais allé à un enterrement.

— Chante n'importe quoi, on s'en fout. C'est pour qu'il y ait de la musique.

Alors Rafael fredonne et la mère aimerait se boucher les oreilles même si c'est à voix basse – une sorte de mélodie sans harmonie où elle reconnaît les bribes de chansons populaires qu'elle marmonnait dans la cuisine ; comme de surcroît il ignore les paroles, il agrémente le couplet de *la la lalala* plaintifs – et les frères aussi se sont figés en l'entendant. Mauro lève une main.

— Ça va.

— C'est tout ? demande le petit.

— Ça ira. D'toute façon, elle entend pas.

— Heu… heureusement, ajoute Steban.

— Comment ça j'entends pas ? crie la mère qui essaie de se lever et se rend compte qu'ils ont mis un couvercle sur la caisse.

Les fils ne pleurent pas, même Rafael dont les yeux ont piqué au début avant de se sécher tout à fait. La mère est contente : pas de chiffes molles à la maison. Si elle a enduré des garçons et qu'elle leur a mené la vie, c'est pour en faire des hommes. Oh, elle a bien remarqué l'émotion du petit, mais elle n'est pas folle, elle est entrée dans sa tête avec une facilité déconcertante, c'est au chien qu'il pensait à ce moment-là, pas à elle, au chien qui mourrait un jour et qu'il ensevelirait à son tour, et cette fois il pleurerait, pour Trois, il s'est retourné et le dogue est venu lui lécher la main. *Ingrat*, a pensé la mère.

Mais voilà cela l'intrigue passablement toute cette cérémonie minuscule, les trois fils et les trois chiens en spectateurs, et elle s'interroge davantage quand Rafael hoche la tête.

— On aurait dû prévenir.

Mauro gronde en retour.

— Ils mettront pas le nez dans nos affaires.

Qui ça, ils ? Est-ce que quelqu'un a trouvé l'argent ? La mère s'affole un peu du fond de son trou. Et plus encore lorsque le grand descend dans la fosse et entreprend de clouer le couvercle, mais comment fera-t-elle ? Est-ce la seule horrible solution que les fils aient trouvée, et est-il possible qu'ils soient tous d'accord ?

— Hé !

Elle peut bien brailler, depuis le temps qu'ils font mine de ne pas l'entendre. À ce moment-là elle prend conscience qu'ils ont beau avoir fermé la caisse sur elle, elle les voit toujours, flottant autour d'eux, et elle part d'un éclat de rire. N'y comprend rien, s'en moque, agite les jambes de contentement.

Se met à pigner soudain, quand les premières poignées de terre tombent sur le cercueil avec un bruit mat.

— Non mais tout de même !

Et puis elle se tait. Dehors, les fils recouvrent la caisse peu à peu, et Rafael murmure :

— Après, on le verra plus. Y aura plus de trou.

— Ça fera un creux, remarque Mauro.

— Les herbes vont repousser.

— Qu'est-ce que tu veux, qu'on mette une pierre pour se rappeler peut-être.

— J'sais pas. J'dis ça comme ça.

— Avec ce qu'elle nous a emmerdés.

— J'sais pas.

— Allez. On y va.

Le grand écarte Steban et Rafael, prend la pelle. Rebouche le trou pour de bon, à larges gestes, ne s'arrête pas avant d'avoir fini. Comme ils ont descendu la mère au fond dans sa caisse, il y a trop de terre, et cela fait un monticule sur le dessus.

— T'es content, comme ça. On voit où c'est.

Steban ratisse pour lisser la surface, essuie la sueur sur son front en laissant une longue traînée brune. Et puis ils attendent en silence, dansant d'un pied sur l'autre, embarrassés d'être là. La mère qui commence à suffoquer là-dessous les engueule :

— Allez. Filez maintenant. Ça ira bien.

Ils n'osent pas la quitter.

— Allez ! crie-t-elle en toussant.

— On était sûrs… ? hésite le petit encore une fois, en haut.

Mauro répond d'un ton excédé :

— Mais oui, merde !

Mais oui, renchérit la mère du fond du trou, qu'il faut bien la quitter maintenant, et la laisser tranquille, le souffle lui manque. Qu'ils y aillent, où ils veulent, ce n'est plus à elle de dire, qu'ils lui fichent la paix dans sa terre tiède et silencieuse, qu'elle aurait mieux fait de venir habiter là plus tôt, si elle s'était doutée. Et pour une fois sa prière sert à quelque chose, car Mauro bouge au-dessus, elle le sent aux vibrations du sol, et il ordonne aux deux autres, comme elle le voulait :

— Allez.

Lentement, ils se secouent pour le suivre. Font un pas, deux, trois enfin. La déchirure est étrange, presque douce, triste et légère à mesure qu'ils s'éloignent, comme si les mains de la mère s'ouvraient pour les laisser partir, combien de fois en ont-ils rêvé pourtant, et quelle déception, quel pincement au fond de leurs ventres, pas la moindre joie, juste la fatigue, jusqu'au creux de leurs yeux. Ils se retournent.

— C'est pas ce qu'on croit hein, glousse la mère.

Un dernier regard, et Rafael soupire :

— Je voyais pas ça comme ça.

— Demain ça ira mieux. On aura oublié, assure Mauro.

Le petit a une moue sceptique. *J'suis pas trop sûr.*

— Moi j'le sais.

— On verra demain alors.

— C'est ça, dit la mère en expirant enfin. On verra demain.

Ils hochent la tête tous ensemble, tous d'accord sur une chose au moins, que la journée finisse, qu'ils s'endorment, qu'ils effacent, un peu, jusqu'au matin, oui on verra. Le petit hausse les épaules pour rien, pour se donner une contenance. Il dit :

— Bon, alors.

Les autres le regardent.

— Et quoi, murmure Mauro.

— Eh bien. Amen.

Cette fois la mère ne les entend plus.

Rafael

Que le ciel soit de ce bleu-là le lendemain quand il se réveille, il y croit à peine, et un instant il sourit parce que la journée sera belle, un instant avant que la réalité ne vienne le percuter à nouveau et que douloureusement, dans un lourd silence, il se souvienne et articule sans le vouloir : *La mère*.

Mais il n'a pas rêvé, même s'il veut s'en convaincre en allant ouvrir la porte de la chambre où le lit est toujours défait, en s'asseyant à la table où à nouveau rien n'est prêt. Rafael ne dit rien, remue les braises du réchaud sans qu'on le lui demande et met de l'eau à chauffer. Il ne remplacera pas la mère aux fourneaux, c'est bien décidé ; mais pour quelques jours, le temps que les places se donnent, que les rôles se partagent. Le temps de finir la tonte.

Et d'enlever la tentation de sa tête.

Mais il n'est pas le seul à l'avoir, la fébrilité les a tous pris. Mauro tape des doigts sur la table, l'attention flottante, et Steban mange en le regardant par en dessous, attendant qu'il en parle, hypocrite qu'il est, la mère encore tiède trois pieds sous terre et eux déjà qui ne pensent qu'à cela, qui cherchent par où commencer, rêvant de se mettre dans la tête de la vieille rien qu'une seconde, de l'entendre chuchoter depuis le trou, un mot, juste un mot.

Le petit a appuyé sa joue contre sa paume et patiente. Au bout d'un moment, il dit :

— Il reste une centaine de moutons.

Mauro rit.

— Va crever, avec tes moutons !

Il se lève brusquement.

— Qu'est-ce que tu fais ? demande Rafael.

— Je vais trouver l'argent. Il est là, je le sens ! Qu'est-ce que vous en dites ?

— Oui mais bon, pour les moutons ?

— On n'en a plus besoin, merde ! Plus jamais je boufferai de la laine comme on en a bouffé, t'entends ? Il y a une fortune quelque part dans cette maison et c'est la seule chose qui m'intéresse.

Il se penche en avant, soufflant son haleine chargée sur le petit qui recule.

— À ton avis, il est où cet argent ?

— Je sais pas trop. Euh, si c'était moi, je commencerais par sa chambre.

— J'ai déjà regardé.

— T'as pas eu le temps de bien faire. Tu la connais la mère, elle aurait pas caché ça comme ça. Elle est capable d'avoir creusé la terre de ses ongles pour le planquer, de l'avoir enfoncé billet par billet dans un trou de souris, histoire d'être sûre qu'on le trouve pas.

— Et si c'est pas là ?

— On cherchera ailleurs.

— Ouais. On va faire comme ça. S'il le faut, on démontera cette maison latte par latte, mais je jure qu'on l'aura cet argent.

Steban se prend la tête entre les mains.

— Si… si on… enfin, j… jamais.

— Si on le trouve pas ? dit Rafael.

— Vvvoilà.

Mauro les interrompt en tapant du poing sur la table.

— Impossible. Il est forcément là.

Mais le petit n'est pas du même avis.

— Si elle avait une cachette inimaginable.

— Arrête de nous porter la poisse, t'es avec nous ou pas ?

— Bien sûr ! Mais elle voulait rien nous dire et on n'a jamais rien su, alors je me dis que si elle voulait pas qu'on le déniche…

— On le dénichera quand même. On n'est pas si cons.

— On fait comment ?

— Je propose qu'on fouille pièce par pièce, tous ensemble. Comme ça, s'il y en a un qui tombe dessus, il sera pas tenté de le garder pour lui.

— D… d'accord, acquiesce Steban.

Le petit hoche la tête.

— Ça me va.

Et il ajoute :

— Et pour les moutons, on fait quoi alors ?

*

Les chiens courent autour du troupeau immense, affolés de voir autant de bêtes, et Rafael éprouve un étrange sentiment à mener seul la troupe bêlante, exalté et inquiet. Mais il n'a pas loin à aller : il les lâchera dans les premières plaines. Quand ils les ont regroupées là il y a quelques semaines, ils ont laissé les barrières ouvertes jusqu'aux confins du domaine, prêtes pour le retour. Les vieilles brebis sauront bien trouver les passages. Il place les chiens à côté d'elles, un peu en retrait, conscient que, dès qu'ils seront en marche, Un, Deux et Trois fileront à l'arrière contenir le gros des bêtes, comme toujours. Lui-même hésite à pousser comme eux ou à borner le côté droit, par lequel les moutons peuvent le plus facilement se disperser à cause des cultures. Si seulement ils suivaient le chemin sans bringuebaler. S'ils pouvaient rejoindre les pâtures comme d'habitude ; mais d'habitude ils sont trois pour encadrer les deux mille têtes, un pour sept cents, et aujourd'hui, seul avec les chiens, il refait le trajet dans sa tête, prévoit les endroits où les plus jeunes essaieront de s'échapper. Enfin il ouvre la clôture, donne de la voix pour mettre le troupeau en route. Les chiens aboient. Halley s'engage dans la marée blanche.

Deux heures durant, il les conduit à travers la steppe, sifflant les chiens à cent reprises, s'élançant au galop et jouant du fouet pour empêcher les moutons de filer. La chasse, il en a eu son saoul, et il ne les suivra pas dans les plateaux : s'ils se perdent, il les abandonne. Pister les bêtes égarées des jours durant, marcher jusqu'aux forêts froides, il a déjà donné. En est déjà revenu : il n'y a rien gagné. S'il trouvait à nouveau un homme blessé dans une grotte, il est presque certain qu'il ferait un détour pour ne pas le voir. Et absolument sûr qu'il enterrerait le sac d'argent, pour ne pas rapporter avec lui ce venin qui a rendu fous la mère et les frères, la mère morte et froide à présent sous la terre, et les frères qu'il a laissés à l'estancia, marteaux et pinces à la main, chantant tels des soldats furieux à l'assaut de la chambre et lui criant d'aller se faire voir, lui et ses moutons, et sa laine, et ses sacs. C'est là qu'il a décidé de ramener les bêtes dans les plaines, ne gardant que les cent deux brebis de reste malgré les exhortations de Mauro qui a juré qu'il ne les tondrait jamais, que lui Rafael ferait mieux de les emmener aussi, et de les lâcher avec les autres. Il a refusé ; impossible pour lui de laisser les bêtes poisseuses de sueur sous la laine. Pendant que les aînés démontent la maison, il apprendra à manier les forces.

Il tondra les cent deux brebis.

Oui, tout seul s'il le faut.

*

Le premier jour, il fait six brebis. À côté de lui, le tas de laine gît, un entassement de lambeaux sans ordre. Pas une fois il n'a réussi à découper la toison comme Mauro, d'un seul bloc, dégageant au dernier coup de ciseau une seconde peau à la forme des bêtes. Il n'a récolté que des touffes et des poignées éparses, qu'il entasse dans les sacs en les serrant fort, pour que cela ne se voie pas.

Six brebis. Toutes blessées. Pas grand-chose, des coupures bénignes, quand elles bougent et que le ciseau est déjà parti, des entailles sans gravité, des points de sang. Rafael a pris le vinaigre dans la cuisine, pour désinfecter avant de relâcher les bêtes. Mauro, lui, se contente de cracher sur ses doigts et d'essuyer les égratignures avec le pouce, un geste rapide, blasé, empreint de la certitude que les animaux guérissent seuls ; mais le petit n'est pas si sûr, et il veut faire les choses bien. Il monologue à voix basse, s'entretient avec la mère. Se justifie quand il blesse, explique lorsque la laine tombe par morceaux ridicules de quelques centimètres, s'excuse. Noyé dans les toisons des mille neuf cents moutons tondus proprement, cela est invisible, et il disperse sa récolte, un peu dans chaque sac. Ne renonce pas. Car ces bêtes-là, il ne pouvait pas les relâcher comme ça, elles auraient crevé de chaud jusqu'à la fin du printemps, transpirant et retenant dans leurs boucles emmêlées trop de microbes, trop de parasites. Et la maladie chez les brebis, une fois que ça s'implante, ça court tout le troupeau, à croire qu'elles se la passent exprès. La laine est fichue, et les peaux brûlées par les démangeaisons, même quand on les badigeonne de bauge pour mieux cicatriser.

Bien sûr qu'il ne fallait pas les ramener sans les avoir tondues.

Il hoche la tête tout seul, essaie de caler la bête entre ses jambes, qui glisse vers le bas. Et pourtant elle fait au mieux, immobile et résignée, la tête tournée sur le côté, elle ne le regarde pas, ne juge pas. Attend. *C'est bientôt fini*, se défend le petit en sueur. Entre deux brebis, il file à la cuisine surveiller la cuisson des légumes, remet du bois dans le brasero. Il n'ose pas entrer dans la chambre de la mère. Il entend les marteaux, les jurons de Mauro. Le plancher qui craque sous les leviers, comme si l'argent pouvait être caché en dessous. Ils ont jeté le matelas par la fenêtre après l'avoir lardé de coups de couteau. La grande armoire a dû être vidée, les tiroirs renversés, et la coiffeuse de la mère, le seul meuble auquel elle tenait, démontée et brisée. Il préfère ne pas voir. À l'heure du déjeuner, Mauro écume. Steban se tient dans son ombre, pâle et effacé.

— Vous avez fini ? tente Rafael timidement.

— C'est pas dans la chambre, tempête le grand jumeau. On va continuer ailleurs. On va chercher dans la cuisine.

— Ah non ! proteste le petit. Faut garder la pièce en bon état, qu'on puisse vivre quelque part, quand même.

Mauro le regarde, interdit. Concède :

— D'accord. On la fera en dernier. De toute façon c'est l'endroit où on se tient tout le temps, elle l'aurait jamais mis là.

— Et si c'était dans la grange ? Y a des centaines de planques possibles là-bas.

Ils avalent leur mauvais repas – *J'espère que tu vas apprendre vite fait à nous préparer quelque chose de meilleur*, râle Mauro – et se précipitent. Rafael entend le bruit des portes qu'on ouvre, les cris étouffés des frères qui se répartissent le travail. Il lave les assiettes en écoutant autant qu'il peut ; le vent ne colporte que des sons incompréhensibles. Une fois la table nettoyée, il va faire ses trois brebis.

Le soir, Mauro engueule Steban : travaille pas assez vite, pas assez méthodique. La preuve, c'est que le débile ne sait plus ce qu'il a fouillé ou pas dans la grange, furetant sans discipline quand il faudrait tracer des carrés et ne plus en bouger tant qu'on n'est pas sûr d'avoir tout retourné. Le grand s'énerve, il aurait voulu trouver l'argent tout de suite, comme dans le rêve qu'il s'était fait, et lui le petit hoche la tête dans un geste de dénégation, et puis quoi, ils croyaient peut-être tous les deux que la mère l'avait laissé bien en évidence pour qu'ils le repèrent aussitôt. Il glousse à cette idée, bien maligne la vieille, et encore, ils ne savent pas à quel point.

— Ça te fait rire ?

Devant l'air furieux de Mauro, le petit s'aplatit, qu'on dirait un chat prêt à prendre une raclée, les oreilles écrasées sur la tête et les yeux à demi fermés en attendant les gifles. Mais le jumeau a l'esprit ailleurs et il se lève, tourne en rond en donnant des coups de pied dans la terre.

— Faut tout recommencer, grince-t-il. Demain, on s'organisera mieux.

— Et aussi, murmure le petit d'une voix à peine audible, y a plus rien à manger.

— Eh bien, on va tuer une de tes cent deux brebis. Comme ça, t'en auras une de moins à faire.

— Ça serait mieux si tu prenais une de celles que j'ai tondues aujourd'hui je trouve.

— Mais qu'est-ce que ça peut te fiche, une de plus une de moins ? Qu'est-ce qu'on en a à battre, de quelques kilos de laine, avec l'argent qui nous attend ?

— Je préfère hein. C'est tout.

— Ouais, balance le grand, mais au moins si on la tue, elle bougera pas celle-là, t'auras peut-être moins de mal avec les ciseaux. T'y as pensé à ça ?

Il s'esclaffe et se tape sur les genoux, part d'un rire sonore que Rafael connaît trop bien, celui de l'alcool et des castagnes, et pourtant il a pris soin de cacher le reste de whisky après la mort de la mère, alors la fatigue, l'attente, la tension. Du bout des lèvres il marmonne :

— Fais pas ça.

— Et puis quoi tu vas m'en empêcher alors ?

— Prends pas une qu'a toujours la laine.

— Et si ça m'plaît ?

Mauro s'est dressé, conscient de les impressionner tous les deux, Steban et le petit, se frappe la poitrine. *J'veux voir celui qui va m'contredire !* D'un bond il s'arrache de la table en riant, couteau levé au ciel, détale vers les enclos sous les cris du petit qui proteste, et que Steban retient par la manche. *Mais a... arrête, l'est deve... devenu fou.*

*

À la lumière de la lampe à huile, reniflant de colère, il tond la brebis morte étendue sur ses genoux, et le sang vient mouiller son pantalon et ses chaussures mais il ne cède pas, finit de couper la laine quand les frères dorment déjà, bourre les sacs. Dans le silence de la nuit, il balaie l'étable et le sol taché, étrangement seul à côté de la bête dont les yeux grands ouverts contemplent les poutres au-dessus d'eux, et la lampe fait des ombres dansantes qui courent sur les murs.

Steban

Le deuxième jour dans le sillage de Mauro, Steban déplace les réserves de foin dans la grange, soulevant le fourrage et sondant le sol avec application. Depuis le matin ils enlèvent et remettent, creusent et raclent, trouvent des planches usées qu'ils jettent sur le côté, et les piaulements furieux du grand le font tressaillir chaque fois, maudite mère à laquelle il adresse des prières, si elle l'entendait. Qu'elle accepte enfin de les aider. Mais sans doute ne le veut-elle pas bien, car ils cherchent en vain, remuant les gerbes et toussant sous la poussière, et le soir ils ressortent tels des mineurs exténués, le visage noir et la raideur dans leurs corps, et la fatigue l'emporte sur la colère quand ils s'asseyent à la table où le petit leur sert la viande et les légumes, les cernes leur bâillant sous les yeux, ils laissent la moitié de leur assiette.

Et vraiment Steban se demande si, tout bien pesé, il ne vaudrait pas mieux que la mère soit encore là, car la vie tourne vinaigre au côté de Mauro qui s'enrage et met des coups de fourche sans se soucier que lui le débile soit juste derrière, ce serait le comble, qu'il l'estropie, ils ne seraient plus que deux, le grand à démonter la maison et le petit à tondre obstinément ses moutons, et personne pour dire ce qui est bien ou mal, pour remettre les choses en ordre, c'est sûr ce n'est pas lui qui va le faire. La fureur de Mauro le trouble et il se tient le plus éloigné possible dans son carré de grange, loin de la fourche mais aussi des frissons de haine qui émanent du grand et qu'il sent courir dans son dos. La puissance de l'aîné l'effraie, s'il perdait la tête pour de bon, il ne donnerait pas cher de la peau du petit et de la sienne à lui ; celle du petit surtout, tant le jumeau l'a toujours détesté, une aversion réflexe, immédiate, comme s'il ne pouvait pas être leur frère vu que le père n'était déjà plus là, et peut-être ce soup-çon est-il à l'origine de tout, l'ignorance du grand qui ne savait pas compter neuf mois, ne voulait pas, a seule-ment vu arriver le petit braillard et la mère épuisée.

S'il pouvait, s'il trouvait les mots pour calmer Mauro. Il aurait des heures pour essayer, avec lui dans la grange. La belle ironie, lui qui n'ouvre la bouche que pour bégayer quelques syllabes, qui a appris à cra-cher l'essentiel pas davantage, et parfois quand il est seul il s'entraîne, en vain. Pas une phrase entière qui jaillisse de cette gorge bloquée, pourtant la gorge n'est pas en cause il le sait, ni elle ni les cordes vocales ni les dents, juste cette foutue tête qui ne s'est jamais remise de la grande peur lors de la nuit du père, si grande qu'il n'en a parlé à personne – mais en même temps, à qui ?

Aussi l'avant-veille, quand ils ont trouvé la mère morte, a-t-il ressenti ce très lointain soulagement, une sorte de souffle dans le ventre, de tension enfin relâ-chée, pour la première fois elle est hors d'état de nuire, jamais plus il n'y aura le risque qu'elle l'emmène à son tour lui Steban en pleine nuit, revenant seule avec le cheval dont la robe sera tachée de sang, un peu, sur le flanc, là où ses jambes auront pendu. Le réconfort est immense, et immense la certitude de l'avoir enfouie sous la terre et qu'elle n'en sorte plus, après ces heures de terreur, oui jusqu'au bout il a perçu l'infime étincelle de vie dans le corps inerte, jusqu'au moment où ils ont quitté le verger il a pensé que la mère pouvait se relever d'un coup, appeler, cogner au couvercle du cercueil. Et tout aurait été fichu, ils l'auraient déterrée et la peur aurait recommencé. Alors que là.

Cependant la violence qu'il sent chez Mauro dépasse ce qu'il attendait, et il se tord les mains en silence quand le grand, bredouille une fois de plus, cogne les murs de la grange en hurlant :

— Il est où ? Il est où ?

Toute la force du jumeau mise dans la destruction, et le bâtiment ressemble à une ruine avec le foin épars, les planches arrachées, les rangements jetés au sol. Une vision dévastée, à laquelle lui Steban participe pour ne pas être battu, par lâcheté, mais il est habitué, toute sa vie est un long apprentissage de la transparence et de la domination, jusqu'à ce nom dont le grand l'affuble, le débile, qui lui offre une certaine tranquillité et auquel il se soumet sans piper, alors la grange il l'abandonne.

Un bâtiment comme après une tempête, qu'ils vont laisser en plan, un gâchis monumental, si ce n'était le petit.

Car Steban le sait, le petit viendra ce soir ramasser le foin et l'entasser à nouveau proprement, il mettra quelques clous pour tenir les planches, relèvera les bidons renversés, balaiera le sol. Il ne quittera pas la grange qu'elle ne soit remise à l'endroit, étrange lutin réparant les dégâts infligés par son aîné, et tant pis si le lendemain Mauro casse tout à nouveau, il refera, il y passera sa vie s'il le faut. Steban comprend mal ce qui pousse le petit à soigner et restaurer sans relâche, vaguement fasciné par sa détermination à tenir l'estancia à bout de bras, et sa façon de déclarer au dîner :

— J'ai fait douze brebis aujourd'hui.

— Et alors, a dit Mauro, faut applaudir ?

— Et j'en ai blessé que cinq.

Le jumeau rit méchamment. C'est toujours cinq de trop.

— Et tes pommes de terre sont encore crues à l'intérieur.

Rafael baisse la tête.

— C'est mieux qu'hier.

— C'est toujours dégueulasse.

— Ça t'a pas empêché de les manger.

— Continue à me chauffer tu vas voir.

— Et les côtelettes t'as pas fait la fine bouche hein.

— Tu me cherches c'est ça.

— J'dis juste que je cuisine peut-être pas terrible mais que ça a l'air de t'aller quand même.

— Est-ce que j'ai le choix, merde !

Rafael ne répond pas cette fois, et Steban recommence à respirer à l'intérieur, lentement, sent s'éloigner le spectre de la bagarre, et c'est étrange comme à les regarder tous les deux, le grand de plus en plus excité et le petit qui devient hargneux et met des coups de dents ici et là, il est certain que quelque chose va déborder, l'instant où ils n'en démordront pas d'avoir raison, un truc tout simple sans doute, une chicane. Un déclencheur. Bien sûr comme c'est lui le débile qui pense à tout cela, nul n'y prêterait attention s'il l'exprimait, et pourtant il en perçoit des choses que les autres passent à côté sans rien comprendre, des impressions tenaces, des vibrations de l'air, dit de cette façon cela semble idiot mais il a l'habitude qu'on le prenne pour un con, il se tait, il regarde. La tension qui monte. La déception qui aigrit Mauro, et le petit court partout essayer de tout faire, ne rien oublier, ni les brebis ni les chevaux ni les chiens ni les poules, et le potager, et la maison qu'ils vont bientôt prendre d'assaut eux les aînés, puisque l'argent doit y être, ils auraient dû se douter que la mère ne le planquerait pas dans la grange, ils avaient déjà fouillé une fois. Steban à vrai dire ne sait même pas pourquoi il cherche le sac lui aussi, conscient que s'ils le trouvaient, il n'aurait rien. Ne saurait pas quoi en faire, ou alors n'importe quoi, dirait Mauro en confisquant sa part. À quoi bon donc, et il fouille avec moins d'ardeur, davantage à déplacer les meubles et les objets qu'à fureter impatiemment, ne réfléchit pas, ne se demande pas où la mère a pu cacher l'argent, juste il fait des gestes avec ses bras pour que Mauro ne le soupçonne pas de décramponner, retournant le grenier de la grange en sachant déjà que le trésor n'y est pas.

Le troisième jour, il met un pansement à Rafael : les ciseaux trop grands lui font des ampoules au pouce et au majeur. Le petit a enroulé un bout de tissu autour de la main pour se protéger, qui glisse sans cesse et qu'il remet en place aussi souvent que cela se sauve, passant le plus clair de son temps à se battre avec ses doigts enchiffonnés.

*

L'été se sauve et s'achève sans qu'ils s'en aperçoivent vraiment, un matin qu'en sortant pour la première fois ils frissonnent. Steban lève le nez et se rend compte que les oiseaux sont partis, abandonnant les nids et les caches, et les branches tordues des *coihues*. Ce matin-là il se souvient que, depuis le changement de lune, le soleil est moins doux, et le vent ne tombe plus, soufflant son air froid du jour et de la nuit, les obligeant à remonter leurs cols et à alimenter le feu sans relâche. Le brasero s'est éteint et ils se réfugient dans la maison près du poêle, et Rafael dit d'un air crâne : *Je vous l'avais bien dit, qu'il fallait garder la cuisine propre, sinon où est-ce qu'on se tiendrait maintenant ?*

Pour la première fois aussi, le doute submerge Mauro, depuis six jours qu'ils cherchent le trésor et qu'ils ont fini par explorer leurs propres chambres, sait-on jamais, si la mère avait été assez machiavélique pour cacher l'argent sous leur nez, entrant sans bruit pendant leur sommeil et riant toute seule de ce piège odieux. Ils ont brisé les planchers, saccagé les cloisons. Hormis la cuisine, la maison ressemble à un logement dévasté par la tempête, un foyer ravagé par une furie insensée. Lorsqu'il traverse les pièces le soir pour regagner sa chambre, Steban contemple silencieux les murs éventrés à la cognée, ouvrant la vue jusqu'au bout du couloir. Les planches ont été jetées en tas par endroits, bardées de clous retournés sur lesquels Mauro s'est empalé le pied la veille, et le petit l'a soigné comme il le fait des brebis, au vinaigre, déchirant une chemise de la mère pour improviser un pansement.

— Faudrait préparer des plantes pour pas que ça s'infecte, il a dit.

Le jumeau a grimacé.

— Ouais, les mêmes que pour le vieux que tu voulais sauver ?

Le petit hausse les épaules. *Comme tu veux.*

Lui aussi semble avoir baissé les bras. Il ne répare plus ce que le grand dévaste, et pourtant Steban le voit empiler les planches fendues, arracher les clous tordus, et il sait qu'il patiente, ce n'est qu'une question de temps, il faudra bien que Mauro s'arrête. En attendant il tond de mieux en mieux, rentre le soir fier comme un coq et raconte sa journée malgré les remarques acides de l'aîné, soit qu'il ait décidé de s'en ficher, soit qu'il ne l'entende pas tant il piaille et babille, tout absorbé par ses progrès et ses bêtes, vrai cela n'a pas d'importance que le grand le méprise, et les chiens sont assis derrière lui, les oreilles dressées quand il dit leur nom.

Steban dans sa lucidité muette observe le môme fatigué et joyeux, cette place qu'il prend peu à peu, pas celle de la mère bien sûr car Mauro ne laisserait pas faire, mais une sorte d'omniprésence enjouée, et il se tient là à donner des avis et des conseils sur tout, ignore le grand qui l'interrompt, finit par l'avoir à l'usure, reprenant ses jacasseries à n'en plus pouvoir et les épuisant sous son bavardage incessant. D'où cela lui vient, Steban frémit – de la mort de la mère

peut-être, car cette humeur lui est apparue au lendemain de l'enterrement, ou de ce qui en a tenu lieu
dans le verger, et il sent un courant d'air glacé dans
ses veines en pensant au poids de la mère sur eux, à
Mauro qui est fait de la même dureté, de la même froi-
deur, il ne faut pas qu'ils se laissent empoisonner à
nouveau, il ne faut pas que le petit se taise, il l'encourage en silence.

Qu'il continue à embrasser son cheval et ses chiens.
À répandre cette drôle de gaieté sur la steppe, quand
il n'y a pas de quoi se réjouir à franchement parler,
qu'importe, car tout est bon à prendre, il aimerait tant
lui aussi Steban avoir cette lueur contente dans le
regard lorsqu'il contemple l'estancia, et les plaines,
et le soleil du soir. Sans la mère pour râler et donner
les consignes du lendemain, ces fins de journée qui les
trouvent assis sur les marches devant la maison, une
tasse de maté à la main, pourraient être d'une tristesse
infinie, et pour le coup Steban doit l'avouer, c'est la
situation qu'il voyait venir et qu'il avait crainte ; mais
voilà, il y a ce caquetage du petit, cette immensité au
fond de lui qui affleure et jaillit, intarissable, pour un
peu Steban en rirait, tout contaminé et prêt à prendre
sa part de joyeuseté, si les yeux noirs de Mauro ne
lui rappelaient que le bonheur est contre nature, trop
éphémère, et qu'ils n'y ont pas droit.

*

Il est raide fou le grand, à sonder à présent les creux
des poutres et les nids d'oiseaux abandonnés coincés
entre les chevrons de la charpente. Il a cassé des tuiles

un peu plus tôt dans l'après-midi pour grimper sur le toit, et en bas le petit a crié.

— C'est pour mieux y voir, a gueulé le jumeau.

— Ça, si y a plus de toiture, pour y voir on va y voir !

— Et puis ? Qu'est-ce qu'on en a à faire, de cette maison où jamais rien de bien nous est arrivé ?

— Moi j'en ai à faire.

— Eh bien. Tu r'feras !

Et il tâte et palpe, et lui Steban l'observe aussi, qui est resté dans le grenier à cause du vertige, tressaillant sous les jurons lorsqu'une écharde vient se glisser sous les ongles du grand qui l'arrache avec les dents. Par quelle incroyable illusion croit-il que l'argent peut être là, roulé par liasses entre les lattes ou serré contre les bardeaux, quelle idée se fait-il de la mère pour imaginer qu'elle ait pu monter le dissimuler dans cet endroit si vulnérable, juste sous les tuiles, il suffirait d'un coup de vent, d'une fuite dans le vieux toit. Et l'autre qui passe les mains sans faiblir, et sans réfléchir, tel un lérot parcourant la charpente. Il y a quelque chose de pathétique dans son acharnement, presque émouvant, car tout est vain il le sait, quand le sort a décidé de vous bouder, et il se demande comment l'aîné ne s'en doute pas lui-même.

D'en bas, cela lui semble si dérisoire, et la lumière autour de Mauro est si noire.

*

— Com… combien encore ?

Le petit compte dans sa tête en regardant Steban qui a tendu le bras vers les brebis, dit après quelques secondes :

— Vingt-trois.

— Oh. C'est… c'est bien.

— Oui. Et vous pendant ce temps, vous aurez démoli la maison.

*

— On fait quoi maintenant ?

Rafael a les bras ouverts devant la maison déshabillée et éventrée. Une ruine, et il y aurait de quoi en pleurer vraiment, mais dans la voix du petit ce n'est pas du tout cela, pas de chagrin, pas d'apitoiement : la colère. Il se tourne vers le grand.

— J'ai dit, on fait quoi ?

D'abord Mauro ne réagit pas, hébété, vaincu par la ruse de la mère qui le fait plier après toutes ces journées de frénésie, une ombre au-dessus de lui, qui l'anéantit d'un coup. Il n'entend même pas. Steban devine le vide sans fond dans son regard, l'absence de solution, les idées démentes qui viennent quand plus rien n'est possible, et que le grand a crachées tout à l'heure – et si la mère s'était relevée la nuit de sa mort, ramenant l'argent avec elle dans le cercueil et crevant avec lui. Il s'en est fallu de si peu qu'il n'aille la déterrer, et si l'épuisement ne l'avait pas terrassé à ce moment-là, sans doute l'aurait-il fait, et les veines éclatées dans ses yeux, et les muscles s'arrachant de ses bras d'avoir trop pioché et trop pelleté. Des grésillements dans la tête. Tout est saturé.

Et puis il y a le mot.

— Pauvre connard.

Et à l'instant où le petit le prononce, les lèvres retroussées sur les dents dans un rictus furieux, à cet instant-là Steban sait qu'il avait raison, sept jours ils ont tenu sept jours, et que le moment est arrivé, il n'y a plus à tergiverser, le moment est là et c'est Rafael qui vient d'annoncer la fin.

Rafael

Dressé face au jumeau, le petit pense à ces derniers jours, aux brebis tondues, à la maison démontée, à l'ordre des choses qui a cessé. Il était sûr lui que Mauro ne trouverait pas l'argent. Bien sûr il a douté, voyant l'aîné prêt à retourner les milliers d'hectares de l'estancia à la main s'il le fallait ; mais il a senti que ça clochait d'un coup, et que dans la tête du grand tout se mélangeait sec, fatigue et rage mêlées pour l'arrêter enfin, oui que cela se termine, la quête effrénée de l'argent, et puis lui et ses brebis en même temps, ses cent deux brebis qui ne sont plus que quatre-vingt-dix-neuf parce qu'ils en ont pris trois pour les manger, et la troisième était bien grasse pour durer plusieurs jours, il l'a découpée, en a mis la moitié dans le sel, à quoi bon sinon, si la viande tourne.

Et l'argent qu'ils n'ont pas trouvé, tant mieux au fond. Car qui sait ce qu'ils auraient fait s'ils l'avaient déniché au milieu de la cour, à peine caché, s'ils avaient buté sur le sac en rentrant ivres d'épuisement et de colère, à ne plus y croire, ne plus savoir qu'en faire. Déjà tant de malheur depuis que l'argent est arrivé sur le territoire de l'estancia. Vraiment il ne fallait pas que

Mauro le trouve, qui aurait voulu garder la plus grosse part, parce que partager ? Pas même. Il aurait volé ce trésor empreint de sang, sans remords, persuadé de le mériter plus que les autres, d'en être l'héritier unique et qu'importe si ce n'est pas la mère qui l'a gagné. Si ç'avait été au prix de leur vie à Steban et lui le petit, sûr qu'il n'aurait pas hésité. Se débarrasser du débile et du crevard, comme il dit parfois : l'occasion aurait été trop belle. Et peut-être Steban aurait eu une chance s'il avait prêté allégeance à jamais, une sorte de torchon sur lequel le grand se serait essuyé les pieds le soir en rentrant, un moins que rien, un faire-valoir. Mais lui Rafael était condamné d'avance, avec cette vieille haine depuis sa naissance, cette place qu'il a prise comme une part grappillée aux autres, imposant à la mère déjà seule une présence coupable ; alors cet argent qu'il a rapporté, c'était une façon de réparer les dégâts qu'il a faits, bien involontaires, pas entièrement bien sûr, car rien n'effacerait ces quatorze années de misère, mais un peu, lui qui finalement a tout détruit. Dans les yeux de Mauro muet en face de lui, il sent la vengeance, le besoin de trouver un coupable, il en est un parfait. Qui sait jusqu'où le grand l'emmènerait s'il l'attrapait aujourd'hui pour le traîner au galop de son cheval, qui sait s'il n'irait pas l'enterrer vivant à côté de la mère.

Pourtant c'est le bonheur qu'il rêvait de leur apporter dans cette sacoche en cuir, un drôle de bonheur oui, qui a tué le vieux puis la mère, qui n'a jamais pu ramener Joaquin, et qui les entraîne eux dans un élan destructeur dont on ne peut prédire où il s'arrêtera, abattre la maison, et après ? Mettre le feu ? Tuer les bêtes, l'une après l'autre, sans raison, juste pour anéantir cette vie d'indigence ? Deux mille brebis égorgées sur la steppe. Et les vaches. Et les chevaux. Qu'il est loin le temps où sa seule pensée, quand il se levait le matin, était de seller Halley pour aller compter les bœufs. Des années, il lui semble.

Ou quelques semaines.

Un gâchis, un sacrifice immenses, à commencer par la mère qui s'est dépêchée de cacher l'argent, quitte à les affronter tous les trois, tout ça pour rien – à moins que le manque et la restriction soient devenus pour elle des petits bonheurs, mais il a du mal à l'imaginer, tel un rongeur qui accumulerait des noix toute la saison en se laissant crever de faim à côté, a-t-on déjà vu cela. La mère a perdu la tête voilà. Et eux ses fils, comme elle les a abîmés, avec leurs regards vides du dernier jour au dernier moment, quand tout s'achève.

Alors Rafael dit, comme dans les pensées de Steban :

— C'est fini hein.

Mais il ne pense pas à la fin du monde, lui, car cette étrange lucidité n'appartient qu'au débile : il parle de la tonte, et de la course pour retrouver l'argent. C'est pour cela qu'il ne pose pas la question. Il sait déjà la réponse. Et il le dit pour dire quelque chose, car Mauro en est resté à la phrase d'avant, cette phrase qui tient en deux mots : *Pauvre connard*, et qui est en train de bouillir à l'intérieur, de creuser un feu immense, qu'on voit presque le rouge dans les yeux du grand et les mâchoires serrées à les casser. Tous les trois ils savent que le pas est franchi, qui se prépare depuis sept jours.

C'est Steban qui le premier fait un geste. Un mouvement si infime que le petit n'est pas certain que Mauro l'ait perçu, avec son regard fou qui ne le quitte pas et sa bouche ouverte sur le silence comme s'il répétait une improbable tirade, comme s'il allait chercher au fond de sa gorge les flammes qui pourraient le brûler vif ou la corde pour le pendre. Et ce qu'ordonne Steban dans son cillement d'yeux presque imperceptible, c'est la fuite. Le troupeau. Rafael tourne le dos à l'enclos mais il sait que les quatre-vingt-dix-neuf brebis sont là derrière lui, et il ne comprend pas, le signe est trop minuscule, il voudrait crier à Steban :

— Qu'est-ce que tu dis ?

Mais il n'a le temps de rien. D'un coup Mauro fait demi-tour et reflue vers la maison, fracassant la porte insolite restée au milieu du squelette en bois, bien inutile avec les murs détruits, que l'on peut enjamber pour entrer dans chaque pièce, et Steban et Rafael le voient courir derrière les poutres, s'arrêter à peine, faire demi-tour. Trépignant, le débile montre encore les brebis du doigt et hurle.

— V... va !

Le petit s'époumone en se rapprochant des barrières.

— Mais va faire quoi ??

Alors le cœur lui manque soudain, quand Mauro s'encadre devant la maison arrachée et qu'il voit la chose sur sa silhouette comme une protubérance ou une malformation, un long os qui lui aurait poussé au corps, bien sûr qu'il allait le chercher, son fusil – et à cet instant précis Rafael sait que le grand va s'en servir, qu'il n'est plus temps pour les menaces et les

intimidations, et que Steban crie en vain pour l'arrêter, puis se tait lorsque l'arme lui rentre dans les côtes
avec le rugissement du jumeau dans la plaine et qu'il
se recroqueville tout petit à genoux en pleurant, les
mains sur la tête, comme si cela pouvait le protéger, si
Mauro tire.

Mais Mauro se moque du débile. C'est Rafael qu'il
veut, et avançant à grands pas il beugle son nom pour
donner une idée de ce qui va suivre :

— Rafael !!

Même les chiens ont détalé. Et d'un coup le petit
comprend ce que disait Steban. Il saute de l'autre
côté de la barrière, au milieu du troupeau, se baisse à
hauteur des brebis, presque invisible. Passe les doigts
sur les échines en priant pour que cela les rassure, et
les bêtes sursautent un peu, recommencent à brouter
l'herbe rase, et Rafael les encourage à voix basse :
Bonne fille, jolie fille, belle fille. Il navigue entre les
toisons râpeuses, s'éloigne du bord où Mauro arrive en
courant presque, chasseur excité par le sang à portée
de main, fusil à l'épaule et riant d'un rire terrifiant.

— Tu crois que ça va t'sauver, petite merde, tes
bestioles ?

La seconde d'après il tire. À quelques mètres de
Rafael, une brebis s'effondre. Autour de lui, c'est la
panique. Les moutons s'écartent et s'enfuient en le
renversant, bêlant comme si on leur avait arraché chacun un morceau de chair, un concert effrayant dans la
poussière qu'il suit courbé en deux, cherchant l'abri
d'un corps, d'un ventre, de pattes, quelques instants, le
temps que Mauro recharge et tire à nouveau.

Lorsque la deuxième brebis tombe, le troupeau déjà resserré dans un coin de l'enclos se fige un très court moment, saisi d'épouvante. Les bêtes sont montées les unes sur les autres dans une tentative désespérée d'échapper au danger, formant un amas immense, trébuchant ensemble, roulant au sol et se piétinant dans des cris aigus. Rafael à genoux regarde les brebis mortes, la couleur sur la laine, un rouge éclatant, rouge de fête, les taches qui s'élargissent. Les yeux grands ouverts, et malgré la stupeur il sent les larmes lui brûler les paupières, une infinie détresse de les avoir gardées là pour les tondre, les menant à l'abattoir sans le savoir, si seulement il les avait relâchées en même temps que les autres.

Mais ses pensées amères ne durent pas : Mauro épaule à nouveau. Dans la déflagration qui suit, le petit sent des éclats de roche lui fouetter les jambes, s'accroche par réflexe au dos d'une bête qui l'emmène en hurlant avec le troupeau à l'autre extrémité de l'enclos, et il voit le jumeau enjamber la barrière en riant toujours, tirer, abattre une quatrième brebis, puis encore une autre qui reste au sol, secouée de tremblements, alors il mugit :

— Salaud, salaud, au moins les rate pas !

Et il ne peut détacher son regard du corps convulsionné, les oreilles déchirées par les bêlements de la bête agonisante ou des quatre-vingt-quatorze autres qui se dressent debout sur les barrières dans l'espoir d'une issue, il ne distingue plus, met ses mains pour ne plus entendre le son qui passe au travers et le balafre de l'intérieur, essuie les larmes, court encore.

Mauro se rapproche. Les yeux écarquillés, Rafael estime la distance, vingt mètres, vingt-cinq s'il a de la chance. Les moutons s'éparpillent comme s'ils avaient compris qu'il est la cible et il décampe avec eux, cherchant ceux qui s'agglutinent encore, l'écran des bêtes affolées, le claquement du fusil, encore une à terre, deux, dix peut-être, et les points rouges qui s'agrandissent sur les flancs, les souffles suspendus, toujours ces regards ouverts qui ne regardent rien droit devant.

Au tir suivant, la brebis est tout près du petit et le coup la projette contre lui, le déséquilibre, ils tombent ensemble la bête et lui, et le poids l'écrase et le bloque tandis qu'il se démène pour se dégager, saisissant le corps à pleines mains, le sang sur ses bras jusque sous sa chemise, un instant il croit que c'est le sien, et puis la tête de la brebis bascule vers lui et il voit les blessures et la vie échappée, se redresse dans un cri, Mauro est là à quelques mètres.

C'est fou comme, à ce moment où la peur le paralyse, il a le temps de penser à tant de choses, la mère, les frères, les chevaux, le temps de se dire que la vie est injuste, le grand avec son fusil et lui Rafael avec seulement une brebis morte pour se défendre, qu'il ne lâche pas, et quand Mauro tire une nouvelle fois, il sent la balle entrer dans le corps de la bête qu'il étreint contre son ventre à lui, juste devant, son bouclier, son armure. Sous le choc il trébuche encore. Tient la dépouille trop lourde d'une main, se rattrape de l'autre, recule en rampant. Le jumeau éclate de rire, marche sur lui.

— J'vais faire plein de petits trous dedans ! Et quand y aura plus que du vide, ça sera pour toi la balle. Ça te tente ?

À bout portant. Rafael voit le canon du fusil pointé sur lui, à deux mètres peut-être, un canon qui lui semble béant comme la gueule ouverte d'un monstre, et pendant une fraction de seconde il se dit que Mauro ne va pas le faire, pas si près, pas une mise à mort. L'instant suivant, il est certain que le grand ne s'arrêtera pas.

Cette fois, le corps de la brebis rebondit contre lui lorsque le coup l'atteint, et il se demande si la balle n'a pas transpercé, l'onde de choc le secoue jusqu'au cœur, il aspire l'air dans un réflexe. Soudain il n'entend plus rien, qu'un bourdonnement étrange, et les bêlements paniqués ont disparu derrière lui ; il tourne un peu la tête et cela lui fait mal, mais les moutons sont toujours là, il devine leurs bouches ouvertes sur des plaintes muettes, pourquoi ils ne crient pas, et lui qui regarde à nouveau la brebis contre lui, le sang qui lui coule sur les mains et les lambeaux de chair, et toujours les larmes, et la peur.

Et même si cela ne sert à rien, il remonte le corps inerte sur sa poitrine, enfouissant son visage dans la toison de la bête encore tiède, comme une dernière caresse, ils auraient pu ne faire qu'un, et être sauvés, si la vie avait été autrement, et jamais il ne lâchera sa brebis, au-dessus de lui Mauro épaule, il ne veut pas voir, les bras serrés autour de l'animal, il entend juste le claquement du fusil, et les corps qui tombent.

*

C'est le chien qu'il devine en premier lorsqu'il ouvre les paupières. Combien de temps a passé, il ne saurait le dire. Difficile de revenir au monde, car son visage est enflé, pas bouger, et sa tête qui cogne, il met du temps, s'habituer à la lumière, reprendre ses esprits, un peu – et c'est à ce moment-là que le chien apparaît dans son œil gauche, puisque l'autre ne veut pas s'ouvrir.

Rafael tend le bras, pas beaucoup, trop mal. Trois s'approche.

— Non, dit la voix de Steban quelque part.

Le chien s'immobilise, incertain. Alors le petit bouge un doigt, juste un doigt en signe de prière, et le chien bondit, vient renifler sa main et la lécher, et toujours tout contre lui, le sang sur la brebis morte.

Rafael, toujours

Steban debout sur ses étriers flatte l'encolure du bai et se retourne, ce drôle de sourire sur son visage qu'il lui adresse à lui le petit en hochant la tête, et Rafael répond d'un signe avec le même sourire incrédule, eux au seuil d'un nouveau monde qu'ils n'ont pas cherché, la steppe devant, Halley s'ébroue. Steban ouvre les paumes au ciel.

— Eh bien voilà.

— Tu es sûr que… ?

— J'suis sûr.

Et la voix de l'aîné et son petit rire ravi, le timbre qui peu à peu revient et les mots se forment depuis la veille, il y a du chemin encore, dit-il, mais c'est là il le sait, éraillé et joyeux, il ne se lasse pas de prononcer et d'articuler les phrases insensées qui sortent toutes seules. Deux semaines, il se donne deux semaines pour se mettre à jacasser à son tour comme Rafael, et le petit hausse les épaules en gloussant.

— Tu veux rien d'autre.

Steban flatte les sacoches accrochées à la selle.

— J'ai tout c'qu'y faut.

— Bon alors.

Il a pris le bai du vieux, le grand, il dit, pour que l'estancia se vide de toute l'histoire. Que les traces s'estompent. Se donner une chance de gommer la laideur de ces jours de sang, de repartir de zéro, le petit à l'estancia, et lui Steban chevauchant vers la cordillère des Andes, il ne reviendra pas, sa vie n'est plus là. Cela lui pince à peine le ventre. Gaucho ou berger, ils en cherchent toujours ; il crève d'envie de lancer le criollo au galop pour y aller plus vite, recommencer, là où jamais personne ne l'a appelé le débile. Là où les mots lui reviendront enfin.

La veille quand il a couru à son tour chercher son fusil, quand il est revenu, hors d'haleine, abattre Mauro dans le dos, à la seconde près, ses premiers mots ont été ceux-là. Effacer. Et partir.

Si on lui demande, le petit dira que Steban garde les troupeaux à l'ouest.

*

Ils ont enterré le jumeau à côté de la mère, pas trop près pour que ça ne s'engueule pas là-dessous, mais assez pour faire croire qu'il n'y a qu'une grande tombe. Personne ne vient jamais à l'estancia bien sûr. Mais si d'aventure.

Ils n'ont pas mis d'herbes, pas chanté. Pas attendu.

Rafael encore sonné par la bagarre et la boucherie dans l'enclos.

Steban a vite remis la terre.

Après il a dit :

— Faut que je parte.

*

— Ils sauront jamais que c'est toi, murmure le petit en regardant droit devant lui.

— On est jamais sûr.

— D'toute façon tu veux pas rester.

— Voilà.

Ils se taisent tous les deux un long moment. Rafael sent au fond de lui une extrême lassitude, son corps meurtri d'abord, éreinté par la peur, et les muscles toujours tendus comme s'ils devaient être prêts à fuir à nouveau ; et puis cette petite chose triste, mais pas tout à fait, l'étrange impression que les choses s'accomplissent, et quelque part en lui un minuscule soulagement se fraie un chemin soudain, un interstice, une brèche dans l'épaisseur des mois précédents, ceux de la quête et du vieux et de son étrange retour, le délitement des jours, tout cela est fini.

— On s'la fait ? demande Steban.

Devant eux, la piste qui quitte l'estancia. Rafael rit doucement.

— Pas la course hein. Ça s'rait de la triche, j'ai mal partout.

— Bien sûr.

Steban renvoie les chiens d'un ordre sec. Les dogues trottinent jusqu'à la maison, s'asseyent en ligne avec des gémissements plaintifs. Dès que les chevaux seront partis au galop ils se lèveront, tournant en rond devant la terrasse et guettant les silhouettes qui s'éloignent, inquiets et râleurs, avançant jusqu'à la grande barrière que, ils le savent, ils n'ont pas le droit de franchir seuls.

Les deux frères s'élancent sur les criollos, chevauchant botte à botte, une cadence rythmée et paisible à la fois, et Steban regarde le petit.

— Ça va aller tout seul à l'estancia ?

Un pouce levé en guise de réponse et le grand hoche la tête.

— J'prendrai des saisonniers ! s'exclame Rafael. Et puis j'vais garder que les brebis.

— Vends pas les bœufs à Ignacio. Putain de voleur.

— Peut toujours courir !

— Tu t'souviens c'qu'on a dit pour Mauro ?

— L'est parti avec toi à l'ouest. J'sais rien d'autre.

— Voilà.

Steban donne des rênes car Rafael a augmenté l'allure, rattrape Halley, et il crie :

— C'est plus fort que toi pas vrai ?

Le petit pouffe et laisse filer l'alezan qui bondit dans le vent et la poussière. En quelques foulées il s'est jeté sur la piste rocailleuse et Steban s'écarte derrière à cause des éclats, claque la langue pour agacer le bai. Les chevaux reviennent côte à côte. Rafael pour la première fois depuis des semaines pousse un cri de joie, prend la crinière à pleines mains, se penche sur l'encolure. Ne voit pas venir le bras de son frère qui attrape le mors de Halley et lève la main, gênant le cheval qui s'arrête presque, et le petit lancé en avant glisse un peu tandis que Steban le déborde et talonne son criollo, file en tête, poing serré en l'air.

— *Ay !* s'exclame Rafael, et il se rétablit d'un coup de reins, lance Halley comme un fou. *Ay ! Ay !*

L'alezan explose sous la selle, projette ses antérieurs comme s'il voulait avaler la route. Genoux écartés pour ne pas entraver ses mouvements, le petit ne pèse rien sur le dos de la bête, les yeux rivés au bai, à sa croupe massive dont ils se rapprochent déjà. Quand ils arrivent à sa hauteur, Halley prend le rythme de lui-même, à croire qu'il le fatiguerait exprès à rester à son épaule, les yeux roulant dans leur blanc et les lèvres retroussées, et pousse, le grand criollo bai a les oreilles plaquées sur la nuque et allonge encore le galop, Rafael laisse échapper un cri, si Halley ne suivait pas. Ils vont un moment à cette allure d'enfer, les frères riant ensemble et les chevaux hargneux, et la piste défile et se passe, le petit entend le souffle rapide du criollo et essuie le mouillé sur son visage, qui gicle des naseaux dilatés par l'effort, et la bouche ouverte sur l'écume blanche, le bruit des sabots qui lui résonne dans les entrailles et le secoue un peu trop fort.

Au loin la piste se noie dans la steppe.

Rafael se redresse imperceptiblement, ralentit. Steban l'imite, calme son bai à son tour, il connaît bien le début de la plaine, ses trous piégeux, ses cailloux coupants. À nouveau ils galopent de front, le souffle rauque des chevaux en sueur et les encolures qui se tendent, Rafael une main sur son chapeau trop grand, pour éviter qu'il s'envole quand une rafale de vent vient les prendre. Peu à peu il retient Halley. De toute façon, ils n'auraient rien trouvé à se dire, vrai pas, autant s'éviter l'embarras l'un et l'autre. Luttant avec le cheval qui ne veut pas céder de terrain, il regarde l'épaule du bai prendre une foulée d'avance, puis son flanc, puis sa croupe. Il sait que Steban a compris. L'écart se creuse et le galop se fait piétinement tandis que le grand se détache et s'éloigne. Halley repasse au trot, s'arrête enfin. Ils regardent. Écoutent encore les sabots sur la terre. Les vibrations s'atténuent, et la poussière. Le petit plisse les yeux. Au moment où il s'apprête à faire demi-tour, Steban se retourne sur son cheval et fait un signe de la main. Alors lui aussi lève le bras et l'agite, et il se met à brailler : *Que te vaya bien, Steban, adios !*, bien sûr le grand ne l'entend plus mais il crie quand même, et le cri l'accompagne, vole sur la plaine et s'enroule autour du vent, après il ne reste que le silence et le vide, et lorsque même la poussière est retombée sur la steppe, Rafael baisse le bras, pose sa main sur la crinière du cheval et regarde derrière lui l'estancia, un murmure :

— Eh bien. Voilà.

*

À la barrière les chiens l'attendent, leurs longues silhouettes efflanquées et la langue pendante, les flancs battant à tout rompre tant ils ont couru, et le petit rit à leurs regards effarés. *J'allais pas vous aban-donner.* Alors ils terminent le chemin au pas, tous les cinq ensemble le cheval, les chiens et lui, et Rafael compte comme s'il devait s'en convaincre, cinq tou-jours, comme avant, qu'importe que ce ne soient plus les mêmes, le clan est là, et il répète pour lui-même :

— Cinq.

*

Après le déjeuner, il fouille dans la remise, trouve des tuiles intactes et répare le toit de la maison. Malgré

le jour qui passe encore par les murs ouverts, le sentiment de s'être mis à l'abri l'apaise. Il cloue en suré-
paisseur des planches pour boucher les trous des
cloisons et arrêter le vent qui n'en finit pas de souffler,
il en sera ainsi jusqu'au printemps, à encaisser l'air
froid courant sur la peau et se jetant sur les corps dès
qu'ils sortent. Alors il faut bien chauffer l'intérieur et
mettre des chiffons aux vieilles fenêtres, préparer l'hiver comme le font les bêtes avec leurs gros poils et les
réserves de nourriture dans les nids et les terriers, et lui
Rafael se sent si proche d'eux, il voudrait s'enfermer
et dormir, seulement il n'est pas temps, pas encore, et
il n'a pas fini.

Il ramène les quatre-vingts brebis dans la steppe
avec les chiens, un tout petit troupeau à côté des mille
neuf cents moutons qu'il a lâchés après la mort de la
mère ; il doit les pousser car les bêtes restées dans
l'enclos appellent sans cesse, bien qu'il leur ait donné
du fourrage pour les tromper, et le groupe se retourne
et hésite et s'inquiète, et lui, qui frémit en pensant
au carnage de la veille, est-ce que les brebis sentent
encore le sang sur ses mains, il ne veut pas les toucher, pas les effrayer. Avec Steban, il a découpé dans
la nuit les dix-neuf bêtes tuées par Mauro, des lanières
fines comme faisait la mère, puis des quartiers épais
quand ils n'ont plus eu le temps, Rafael a dit : *C'est
pas grave, ça fera des beaux jambons.* Parce qu'il y en
avait trop, ils ont dû récupérer la mangeoire de l'étable
pour déposer les quartiers de viande entre des couches
de sel, et il soulève les planches qui les abritent des
insectes, vérifie, hume, referme. Il en a pour des mois

à tout manger. Pour l'heure, l'odeur de chair l'écœure et il quitte la remise, vaguement nauséeux.

À la maison, il s'occupe des bêtes, soigne l'entaille que Deux s'est faite à une patte. Entretient le feu et rentre quelques bûches pour la nuit, se sert un café tiède qu'il va boire assis sur le seuil de la porte, les yeux dans le vague, revenant sans cesse à la ligne d'horizon vide devant lui, mais Steban n'est pas réapparu, il n'y croyait pas d'ailleurs. À l'endroit où il a disparu quelques heures auparavant, le soleil descend peu à peu, embrasant le paysage d'une lumière qui montre déjà qu'elle ne durera pas, et la plaine orangée tout en éclatant d'une lueur incandescente se prépare à la nuit, calfeutre ses lièvres et ses oiseaux, fait tomber le vent pour un éphémère répit que, chaque fois, tous veulent croire éternel.

Et le petit dit :

— Bon.

Il laisse le gobelet par terre et prend la pelle. Regarde la fenêtre de sa chambre, derrière lui. Bien sûr la mère n'a pas pensé qu'il ne dormait pas, cette nuit-là, et que de là où il était, il la voyait creuser sous la lune.

*

Pourquoi Mauro s'est convaincu que l'argent était dans la maison, lui Rafael l'ignore, et la mère avait parié là-dessus elle aussi, ce serait le premier endroit où ils chercheraient, le plus évident, le plus bête – et sur ce point également elle avait vu juste, qu'ils étaient stupides, qu'ils iraient au plus simple et ne réfléchiraient pas au-delà. Et pourquoi lui ne leur a jamais rien dit, il se le demande encore.

Parce qu'ils ne le méritaient pas ? Parce que tout était déjà tellement abîmé que s'il y avait une minuscule chose à sauver, ce serait par lui, et il ne serait pas dit qu'il aurait détruit leur vie jusqu'au bout. Ou alors il ne savait déjà plus, se contentant de respecter ce qu'avait voulu la mère, qu'ils ne trouvent pas l'argent, pour que la haine et l'envie s'étiolent avec le temps, se désintègrent d'elles-mêmes comme le font les peines et les blessures, et que tout puisse recommencer.

L'estancia, leur vie et leur tombeau, disait-il ; et deux frères partis à présent, un enterré tout frais près de la mère, l'estancia les a piégés, leur refusant ses richesses, les poussant au-dehors.

Rafael empoigne la pelle et creuse au pied du *calafate*. Il n'a pas loin à aller, mais il remarque que la mère avait pris soin de découper la terre au-dessus, avec ses herbes séchées, pour la remettre en place après avoir enterré le trésor. Une cache invisible. Parfaite, s'il n'y avait eu cette insomnie, l'excitation qui rend le sommeil impossible.

Fermé dans une malle en métal, le sac est là. Rafael défait les boucles. Les billets sont intacts.

*

Devant la maison, il s'est assis et a vidé la sacoche entre ses jambes. Une à une, il saisit les liasses, enlève les bandeaux qui les tiennent serrées entre elles. Et puis il les prend, les examine, la couleur, la transparence. L'odeur – pas d'odeur. Il pense aux moutons dans les pâtures, aux bœufs qu'il essaiera de vendre la semaine suivante à Valdo qui possède l'estancia voisine, pour ne pas aller jusqu'à la ville. Pour la laine il connaît le circuit. Les remises sont pleines de fruits, de pommes de terre et de viande. Le sentiment content d'être prêt pour l'hiver le rassérène.

Alors il regarde à nouveau les billets et lentement, levant haut les bras, il les jette dans la plaine, loin, autant qu'il peut, les morceaux de papier autour de lui, comme s'il les semait dans la steppe. Un geste circulaire qu'il répète vingt fois, cinquante fois, encore et encore, jusqu'à ce qu'il n'y ait plus rien dans le sac. Le vent est tombé et les billets restent là cependant, frémissants, comme aimantés à lui. Qu'importe : il attendra. Enveloppé dans une couverture, il s'étend à côté d'eux sur le sol. Il a toute la nuit. Il sait que les bourrasques reviennent à l'aurore.

Oui toute la nuit, il observe les billets pris dans l'herbe rase, les voit vibrer dans les courants l'air, bouger de quelques centimètres tels des êtres vivants, des animaux qui voudraient s'enfuir et qui ne le peuvent pas, et il ferme les yeux parfois, s'endormant à moitié, les rouvre – l'argent est toujours là. Les heures s'étirent à l'infini. Il a l'impression d'être couché depuis des jours, et que le soleil ne se lèvera plus ; l'impression d'avoir dormi des milliers de fois, et que jamais l'argent ne voudra partir. La joue posée sur le sac en cuir vide, il sent ses paupières se baisser malgré lui, ses yeux rester ouverts en dessous, luttant encore.

Le ciel se grise, annonçant l'aube. Il fait froid. Rafael remonte la couverture sur son menton.

Avec le jour, le vent se lève. Lentement il gonfle. Le petit pense : *Ça y est.*

Le premier billet s'envole, et sans doute n'est-ce pas vraiment le premier, car ils frissonnent tous ensemble soudain, agités par l'air. Au début, on dirait des insectes frénétiques, des larves n'arrivant pas à se débarrasser de leur cocon, et qui vibrionnent et se tordent dans tous les sens, et peu à peu s'extirpent, et le vent fait un bruit étrange en butant contre eux, comme des ailes froissées, des papillons qui viendraient s'écraser contre les vitres de la maison et qui se débattraient pour repartir. D'un coup, tout change : l'herbe qui les retenait cède sous les tourbillons d'air, les laisse échapper, roulades de papier culbutant sur la terre et sur les cailloux, et Rafael balaie les mèches de cheveux devant ses yeux qui l'empêchent de bien voir. Un à un les billets s'enfuient, se mêlant dans leur course aux brindilles et aux feuilles séchées, et très vite il n'est plus possible de les distinguer entre eux, les feuilles et l'argent, à savoir lesquels iront se perdre le plus loin, lesquels se déchireront le plus vite, pris dans les épines des bosquets et les recoins des pierres, et Rafael couché sur le côté regarde s'évaporer le malheur qu'il a apporté là, si éphémère, et si dérisoire.

Avant que le jour soit levé, les billets ont disparu, emportés par le vent de sud-ouest, et le petit glacé sous la couverture souffle sur ses mains pour les réchauffer, léger et joyeux, s'il suffisait de cela, mais jamais Mauro n'aurait accepté qu'il disperse l'argent comme il l'a fait, et rien ne pouvait être autrement, ni même la mère devenue folle, il fallait bien que lui Rafael se taise et la laisse mourir, se taise et attende que les choses passent, même dans la mort et le sang, que tout s'efface pour pouvoir revenir comme avant, mais avant n'existe plus, cela aussi il le sait bien.

Au fond du ciel derrière le gris, la lumière renaît, une lueur rasante qui ne réchauffe pas le sol, et un rapace crie, qu'il ne voit pas. Il imagine l'argent ballotté dans les plaines, agrippé par les neneos, noyé dans les flaques d'eau ; il le projette dans les airs, peut-être pour rattraper Steban, et passer si haut au-dessus de lui qu'il ne le devine pas, ne comprend pas, et il dira seulement : *Quel sale vent aujourd'hui.*

Alors enfin Rafael se met à rire, et le rire enfle au fond de lui et explose et le déborde, libérant sa gorge et son ventre, si vivant et si démesuré qu'il secoue la terre, et dans le cri âpre qu'il envoie au monde, tout recommence et tout est oublié, depuis le jour où les chevaux se sont enfuis, depuis le soir où Mauro l'a tant frappé, depuis la nuit où il n'aurait pas dû naître – mais puisque les choses sont faites, il faudra bien s'en débrouiller, et il rit encore, allongé les bras en croix, et il chante à tue-tête.

Le soleil d'un coup se lève sur l'horizon.

Derrière le petit, les chiens assis immobiles attendent.

Et le petit les regarde, et regarde le ciel, et comme le soleil il se lève à son tour, époussette la terre sur son pantalon, et il dit en s'étirant :

— Bon.

Le Livre de Poche s'engage pour
l'environnement en réduisant
l'empreinte carbone de ses livres.
Celle de cet exemplaire est de :
350 g éq. CO$_2$
Rendez-vous sur
www.livredepoche-durable.fr

PAPIER À BASE DE
FIBRES CERTIFIÉES

Composition réalisée par PCA

Achevé d'imprimer en février 2017, en France sur Presse Offset par
Maury Imprimeur – 45330 Malesherbes
N° d'imprimeur : 215352
Dépôt légal 1re publication : février 2017
Édition 02 – février 2017
LIBRAIRIE GÉNÉRALE FRANÇAISE – 21, rue du Montparnasse – 75298 Paris Cedex 06